SAND

Dépôt légal : 3e trimestre 2013 
ISBN : 978-2-7107-0809-4

WC BOOK

D'après une idée originale de Pascal PETIOT

Responsable éditorial :
Pascal PETIOT

Éditorial :
Léa TORRES

Illustrations originales :
Sabine NOURRIT

Remerciements aux sites
www.news.celemondo.com
et
www.maviedefemme.com

WC BOOK
2014

Une blonde et un avocat sont installés côte à côte dans un avion pour Miami. L'avocat, pour passer le temps, propose un jeu à la blonde. Celle-ci, étant fatiguée, répond qu'elle n'est pas intéressée et se retourne pour dormir. L'avocat ne se démonte pas pour autant et lui propose :

– **Je te pose une question.** Si tu ne sais pas répondre, tu me donnes 10 €. Ensuite, c'est à toi. Tu me poses une question et si je ne sais pas répondre, je te donne 1 000 €.

Face à une telle somme d'argent, la blonde finit par céder et décide d'accepter le jeu de l'avocat, qui lui demande :

– **Quelle est la distance entre la Terre et la Lune ?**

La blonde ne cherche même pas à réfléchir, prend son portefeuille, en retire 10 €, qu'elle donne à l'avocat. L'avocat, ravi, empoche les 10 € et attend sa question... qui ne se fait pas attendre :

– Qu'est-ce qui a 3 pattes en montant la montagne et 4 en la descendant ?

Sur ce, elle se retourne et s'endort. L'avocat réfléchit, téléphone à un ami scientifique, demande discrètement autour de lui... **Rien n'y fait**. Personne ne peut répondre à la question posée par sa voisine. Il finit par réveiller la blonde et lui donne ses 1 000 €. La blonde, à peine réveillée, empoche les 1 000 € et se retourne de nouveau pour essayer de dormir. L'avocat, frustré de n'avoir pas su trouver la réponse :

– **Et alors ? Quelle est la bonne réponse ?**

Et la blonde sort de son portefeuille un autre billet de 10 € qu'elle lui tend !

# Buy Me a Pie

Lorsque l'on vit en couple ou en colocation, il n'est pas toujours évident de faire des courses qui conviendront à tout le monde… sans rien oublier. Pour pallier ce problème, l'application Buy Me a Pie permet de **synchroniser une liste de courses** entre les différents appareils de la marque Apple. Ainsi, votre fille au lycée pourra ajouter ce dont elle a besoin sur votre liste commune, tout comme votre femme, qui travaille sur un Mac. En sortant du bureau, vous n'aurez plus aucune excuse pour ne pas revenir avec ce qu'elles vous ont demandé !

Disponible sur iPhone, iPod Touch et iPad – Gratuit

Même **JEAN-ROCH** s'est déjà fait refouler à l'entrée d'une boîte de nuit ! Son cas est pire encore que celui de milliers d'anonymes puisqu'il tentait d'entrer dans son propre établissement, sur les **CHAMPS-ÉLYSÉES** !
Ce jour-là, il n'était pas habillé comme à son habitude et le physionomiste à l'entrée n'a pas reconnu son patron. L'histoire ne dit pas si cet homme a continué de travailler pour le roi de la nuit !

# Les 10 films les plus terrifiants de tous les temps

**10e – *Hellraiser*, Clive Barker (1987)**

De ce film daté, on retient surtout les scènes de tortures sadomasochistes, qui nous mettent toujours autant mal à l'aise !

**9e – *Saw*, James Wan (2004)**

Qui a pu passer à côté de cette immense saga ? L'histoire est la même à chaque fois : des inconnus se retrouvent prisonniers suite à une mauvaise conduite. Et, à chaque fois, le résultat est le même : on sursaute sur nos sièges et on se cache les yeux à chaque scène !

**8e – *Alien, le huitième passager*, Ridley Scott (1979)**

Dans ce classique du genre, l'équipage d'un vaisseau spatial se fait attaquer par une forme de vie inconnue jusque-là. Après avoir vu ce film, peu de spectateurs arrivent à oublier la scène durant laquelle un alien sort du ventre de l'officier Kane !

**7e – *Rec*, Paco Plaza & Jaume Balagueró (2007)**

On s'attache très vite au personnage principal, Ángela, partie tourner un simple reportage... et qui se retrouve au cœur d'une histoire des plus effrayantes ! Un *found-footage* des plus réussis !

**5e ex-æquo – *Les Griffes de la nuit*, Wes Craven (1984)**

Freddy Krueger, avec ses griffes en guise de doigts, se sert des cauchemars pour tuer ses victimes. Impossible d'oublier la scène durant laquelle Johnny Depp disparaît pour ne laisser qu'un matelas plein de sang.

**5[e] ex-æquo – *The Descent*, Neil Marshall (2005)**

Amis claustrophobes et autres phobiques du noir, passez votre chemin ! L'histoire de ces six jeunes femmes coincées dans une grotte et traquées par une chose qu'elles ont du mal à identifier risquerait de vous perturber quelques nuits durant...

**4[e] – *La Maison du diable*, Robert Wise (1963)**

Tout tourne autour du Dr Markway, qui effectue des recherches en parapsychologie : il a réuni un petit groupe de personnes pour une expérience de perception extrasensorielle dans un vieux manoir réputé hanté. D'étranges sons ne tardent pas à se faire entendre...

**3[e] – *Shining*, Stanley Kubrick (1980)**

Entre un Jack Nicholson se laissant gagner par la folie et un petit Danny victime de visions fantomatiques sur son tricycle, ce film plonge les spectateurs dans un sentiment de malaise de bout en bout. Et comment oublier les images de Jack Nicholson explosant la porte de la salle de bains à coups de hache ?

**2[e] – *Ring*, Hideo Nakata (1997)**

L'histoire d'une simple VHS qui, une fois visionnée, entraîne un maléfice qu'on ne peut déjouer : la mort du spectateur sept jours plus tard. L'image choc reste celle de la jeune femme aux longs cheveux sortant de l'écran de la télévision...

**1[er] – *L'Exorciste*, William Friedkin (1973)**

Même si ce film a vieilli, il reste la référence du film d'horreur ! Une fois vu, on ne peut se détacher de l'image de cette jeune fille tournant sa tête à 360° et descendant les escaliers à quatre pattes... sur le dos ! (Il permet également de comprendre plusieurs scènes de *Scary Movie* !)

*Source : www.linternaute.com*

# MOTS CROISÉS

## *Horizontalement*

1 : Ni bien ni mal
2 : Prier la Vierge Marie – Couler du béton
3 : La sienne – Coquin
4 : Monument funéraire – Arriva
5 : Le pays du XV du Trèfle – Plantée
6 : Mini fromage
7 : Rang indéterminé – Avec lui, on mettrait Paris en bouteille
8 : Télévision numérique terrestre – Savoir écouter en est un – Radium
9 : Espace économique européen – Claires et…
10 : La devise de Jules César

## *Verticalement*

A : Problèmes
B : Telle Édith Piaf à l'Olympia
C : Union de pays – Retirés du monde
D : Très pâle
E : Trouvée après réflexion – Découle
F : Amas de peaux durci – Ranger le bois
G : Commune du 53 – Pas HT
H : Suprêmes – Règle
I : Œil fatigué – Colère de papi
J : Y'en a pas dans le bifteck – Enzyme

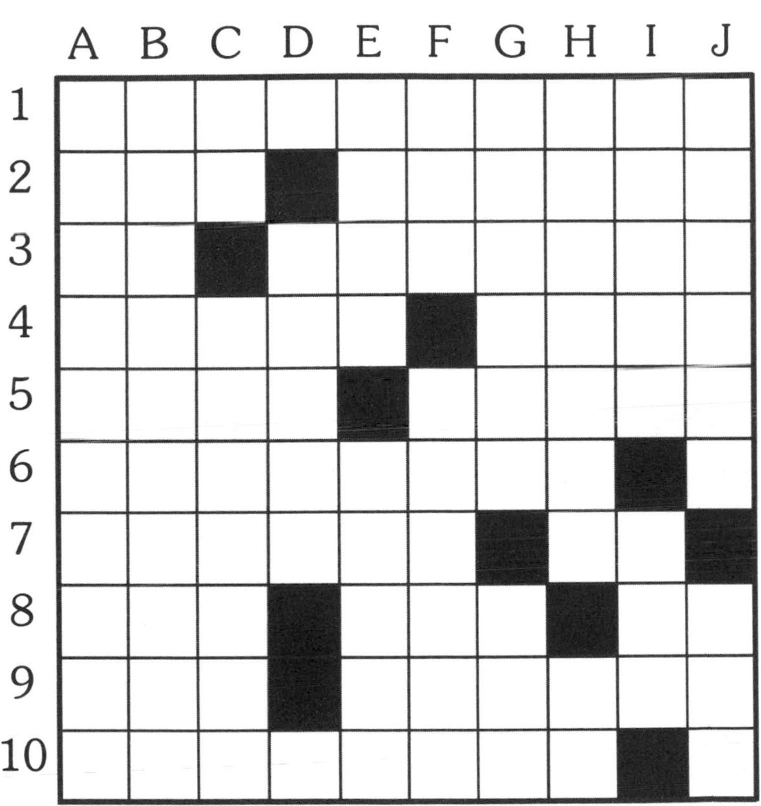


*Solution page 678*

# Le marketing pour les nuls

## *Marketing féminin*

– T'es dans une soirée, tu vois un mec qui te plaît, tu t'approches et tu lui dis : « **J'suis super bonne au plumard.** » Ça, c'est du marketing direct.
– T'es dans une soirée, t'es avec un groupe d'amis, tu vois un mec qui te plaît, un de tes amis s'approche et lui dit : « Tu vois cette nana, elle est super bonne au plumard. » Ça, c'est de la pub.
– T'es dans une soirée, tu vois un mec qui te plaît, tu t'approches, tu lui demandes son numéro de téléphone, le lendemain, tu l'appelles et tu lui dis : « J'suis super bonne au plumard. » Ça, c'est du télémarketing.
– T'es dans une soirée, tu vois un mec que tu connais, tu t'approches, tu lui rafraîchis la mémoire, tu lui dis : « **Tu te souviens comment j'suis super bonne au plumard ?** » Ça, c'est du *customer relationship management*.
– T'es dans une soirée, tu vois un mec qui te plaît, tu te lèves, tu t'arranges un peu les fringues, tu t'approches, tu lui sers un verre. Tu lui dis qu'il sent bon, qu'il est bien sapé, tu lui offres une clope et tu lui dis : « J'suis super bonne au plumard. » Ça, c'est du *public relations*.
– T'es dans une soirée, tu vois un mec qui te plaît, tu t'approches et tu lui dis : « J'suis super bonne au plumard » et en plus tu lui montres tes seins. Ça, c'est du merchandising.
– T'es dans une soirée, un mec s'approche et te dit « J'ai entendu dire que t'es super bonne au plumard. » Ça, c'est du branding : « Le pouvoir de la marque. »

## *Marketing masculin*

– T'es dans une soirée, tu vois une nana qui te plaît, tu t'approches et tu lui dis : « **J'suis une bête sexuelle, j'suis super bon au plumard et en plus je tiens toute la nuit.** » Ça, c'est de la publicité mensongère, et c'est puni par la loi.
– T'es dans une soirée, tu vois une nana qui te plaît, tu la mates avec des potes, tu fais des réflexions très fines, tu te bourres la gueule, **tu ne fais rien du tout et tu rentres bredouille**. Ça, c'est la réalité du marché !

Un bon plan
pas cher et à plusieurs :
c'est quoi comme technique
de vente ?
... une offre
"groupon" !
Salim NOURRIT

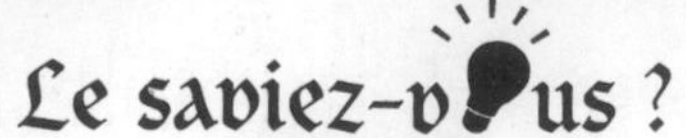


# Ouf! Les Parisiennes sont enfin autorisées à porter des pantalons!

Vous êtes une femme? Vous habitez Paris? Saviez-vous que vous étiez dans « l'illégalité » à chaque fois que vous portiez un pantalon?

Mais, heureusement, ça, c'était avant! En début d'année 2013, le ministère des Droits des femmes a ENFIN abrogé « l'ordonnance concernant le travestissement des femmes ». Car, oui, jusque-là, **vous étiez considérée comme une travestie** lorsque vous portiez un pantalon... à moins que vous n'ayez tenu « par la main un guidon de bicyclette ou les rênes d'un cheval »! (Non, le guidon du scooter ne rentre pas dans les dérogations, désolé!)

Ce texte datant de 1800 faisait tout de même encourir l'emprisonnement à toute femme portant le pantalon... Il a finalement été jugé « incompatible avec les principes d'égalité entre les femmes et les hommes qui sont inscrits dans la Constitution ». Ouf!
Mesdames, vous pouvez désormais porter le pantalon l'esprit tranquille!

## Les manifs à Paris en 2012

3 370, c'est le nombre de manifestations ayant eu lieu à Paris en 2012 !

80 953, c'est le nombre de barrières installées pour la sécurité de tous…
Soit 202 km !

100 000, c'est le montant, en euros, de la facture adressée par le maire de Paris au ministère de l'Intérieur suite à la Manif pour tous du 13 janvier 2013 au Champ-de-Mars. Cela correspondrait à la dégradation des pelouses piétinées par les « anti-mariage pour tous ».

12, c'est le nombre de manifestations interdites à Paris en 2012.

# Les bases pour un nouveau départ

Amours, travail, vie quotidienne : je suis prêt, je vais changer ce qui ne va pas et repartir sur de nouvelles bases. Améliorer sa vie ? Sur le papier, on est tous partants : on se sent dynamique et motivé… Dans les faits, c'est parfois un peu plus compliqué ! Suis-je vraiment prêt à prendre un nouveau départ ?

## Je reste à l'écoute de mon âme

* Quel sens ai-je envie de donner à mon existence ?
* Suis-je capable de prendre des risques pour (re)trouver l'harmonie ?
* Quel est mon mode de fonctionnement ?

Autant de questions à se poser avant d'élaborer son projet de vie. Car, pour que le changement soit bénéfique, il faut bien se connaître soi-même, définir ses besoins et ses désirs profonds, mais aussi prendre conscience de ses limites.
Pour changer sa vie, il faut d'abord changer à l'intérieur de soi. Adopter une nouvelle manière de penser ou de réagir nécessite un retour sur soi.

Je me penche sur les raisons profondes qui me font adopter tel ou tel comportement… Et je fais la moitié du chemin ! Pour évoluer, on peut se tourner vers les ouvrages de développement personnel : c'est un premier pas qui peut suffire à certains pour mieux se connaître ; ils y puiseront des « trucs et astuces » pour vivre mieux. D'autres auront besoin d'aller plus loin et d'entreprendre une thérapie pour comprendre les raisons profondes de leur comportement.

Changer en profondeur ne se fait donc pas du jour au lendemain : c'est un projet de longue haleine qui implique l'abandon d'automatismes bien installés, de réflexes ancrés parfois depuis l'enfance. Mais on en sort récompensé : en cherchant une nouvelle harmonie, on reprend le contrôle de sa vie, on dépasse ses limites. C'est tout bon pour l'estime de soi.
De quoi donner des bases solides à mon nouveau départ !

## Est-ce le bon moment ?

Il n'y a pas d'âge idéal pour prendre un nouveau départ. À trente ans, on a encore tout à faire, tout à construire. À quarante ou cinquante ans, on a construit plus de choses, mais il n'est pas trop tard – au contraire ! – pour réaliser les rêves qu'on a laissés de côté ou prendre un virage à 180°.

Renaissance de la nature, retour des beaux jours : j'en profite pour faire plein de projets ! Finalement, pour changer de cap, j'ai seulement besoin de beaucoup d'énergie.
À moi de trouver les ressources physiques et psychiques nécessaires !

## Je prends le temps de penser à mon projet

Rien ne sert de courir... Je mets toutes les chances de réussite de mon côté en réfléchissant longuement à mon projet, en en parlant autour de moi. Changer de vie ne se fait pas en claquant les doigts. C'est le résultat d'une longue réflexion, consciente et inconsciente. Il faut plus qu'un ras-le-bol pour changer de vie !

Je reste attentif aux petits signes annonciateurs d'une envie de renouveau : changement radical de coiffure ou de style vestimentaire, nouvelle déco... Autant d'étapes qui m'aident à prendre conscience de mon besoin d'évolution et à en définir les contours. Une période de réflexion et de transition qui varie selon chacun en fonction de son caractère et de son histoire personnelle.
C'est encore plus vrai si je n'ai pas décidé le changement et que je le subis... Avant de rebondir, il faut se donner du temps, accepter de passer par une phase de perte de repères, puis digérer la souffrance, dépasser le manque. Ensuite seulement, il sera possible de commencer à repenser ma vie sur de bonnes bases. Inutile donc de précipiter les choses, même si c'est tentant... Car on risque de construire sur du sable.

# SoundHound

Vous avez pris l'habitude de dégainer l'application Shazam lorsque vous entendez une chanson dont vous n'arrivez plus à vous remémorer le titre ou l'artiste ? Très bien. Mais lorsqu'une chanson vous trotte en tête, vous avez beau siffler le mieux du monde, Shazam ne vous comprend jamais. Passez donc à SoundHound ! Cette application permet non seulement de reconnaître une chanson qu'on lui fait écouter en moins de 4 secondes mais également d'**identifier les titres qu'on lui chantonne ou qu'on lui siffle**. Une fois la chanson trouvée, SoundHound vous propose de la télécharger sur iTunes, de suivre le groupe sur Twitter, de lire les paroles, de partager le titre sur les réseaux sociaux... Et vous offre une sélection de chansons qui ne sont pas encore diffusées à la radio mais qui ne devraient pas tarder à l'être !

Disponible sur iPhone, iPod Touch et iPad – Gratuit

C'est l'histoire d'un Tunisien qui se prend une porte en plein visage et s'écrie :

**« Rhaaaa ma dent ! »**

# Un livreur de pizzas assassiné pour 40 minutes de retard !

« **L'exactitude est la politesse des rois** », disait Louis XVIII. Et ne pas respecter l'adage peut coûter la vie, au Mexique ! C'est en tout cas ce qui est arrivé à un livreur de pizzas de Tetla de Soledad, une ville située à 140 km à l'est de Mexico.

Arrivé avec 40 minutes de retard, un livreur de pizzas a été frappé et enfermé pendant 5 h par un couple mécontent. Lorsqu'il a tenté de fuir, le client de 22 ans l'a poursuivi et poignardé à plusieurs reprises. Le livreur avait les yeux bandés et les mains attachées quand son corps a été abandonné dans un terrain vague, proche du lieu de vie du criminel.
Alertés par la disparition du jeune homme, les enquêteurs ont retrouvé son scooter à deux pas du domicile du tueur. La découverte n'a pas plu à ce dernier, qui a frappé l'un des agents, avant d'être arrêté.

# Bistri : un chat vidéo gratuit et sans logiciel !

Votre grande sœur est loin de vous, partie vivre dans un autre pays. Vous aimeriez communiquer régulièrement avec elle, mais vous êtes bien conscient que votre budget ne résistera pas à une facture téléphonique XXL... Pour couronner le tout, votre PC vieillissant ne vous permet pas de vous connecter à de lourds logiciels de visioconférence.

Séchez vos larmes, nous avons trouvé la solution rêvée ! Sur bistri.com, **vous pourrez discuter, gratuitement et sans rien installer**, avec vos proches, où qu'ils soient. Vous pourrez même échanger des fichiers ou regarder ensemble des vidéos sur le Net. Pour accéder à ce chouette service, vous avez uniquement besoin d'une adresse mail valide. Ensuite, vous pourrez relier tous vos réseaux sociaux (Facebook, Skype, Google et autres) et discuter avec l'ensemble de vos contacts d'un seul clic... Même via votre smartphone !

www.bistri.com

# Être trop propre, c'est mauvais pour la santé !

La prochaine fois que vous entendrez à nouveau le cliché qui veut que les Français soient sales, vous pourrez répliquer à votre détracteur que c'est pour leur santé ! Une sérieuse étude américaine, parue dans *The Journal of Allergy and Clinical Immunology*, vient de prouver que **vivre dans un environnement trop propre favoriserait l'apparition de l'asthme et d'allergies** chez les jeunes enfants. Au contraire, les exposer à quelques pathogènes serait bénéfique pour eux et leur permettrait de développer leur immunité. Le professeur Richard Gallo, de l'université de Californie, a même prouvé qu'une atmosphère trop saine pouvait entraîner une sensibilité au moindre irritant chez nos chères têtes blondes !

***Alors, raccrochons balais et serpillières, c'est bon pour leur santé !***

# Quel cinéphile êtes-vous ?

Pour déterminer votre profil de cinéphile, tentez de cumuler un maximum de bonnes réponses à ce quiz en retrouvant de quel film est extraite la citation.

1 – « C'est l'histoire d'un homme qui tombe d'un immeuble de 50 étages. Le mec, au fur et à mesure de sa chute, il se répète sans cesse pour se rassurer : "Jusqu'ici tout va bien… Jusqu'ici tout va bien… Jusqu'ici tout va bien." Mais l'important, c'est pas la chute. C'est l'atterrissage. »

– *Y a-t-il un pilote dans l'avion ?*
– *La Haine*
– *Skyfall*

2 – « Le cœur d'une femme est un océan de secrets. »

– *Titanic*
– *Les Dents de la mer*
– *La Plage*

3 – « Il était le dernier d'une espèce : trop bizarre pour vivre mais trop rare pour mourir… »

– *Full Metal Jacket*
– *Las Vegas Parano*
– *Batman : le défi*

4 – « Tu sais ce que c'est, le capitalisme ? C'est enculer les gens ! »

– *Fight Club*
– *Inglourious Basterds*
– *Scarface*

5 – « Je n'ai aucune confiance en quelqu'un qui porte à la fois une ceinture et des bretelles... en quelqu'un qui doute de son pantalon. »

– *Il était une fois dans l'Ouest*
– *La Grande Vadrouille*
– *Le Dîner de cons*

6 – « Ernest Hemingway a écrit : "Le monde est un bel endroit, qui vaut la peine qu'on se batte pour lui." Je suis d'accord avec la seconde partie. »

– *Mission impossible*
– *Seven*
– *Men in Black*

7 – « Tu vois, le monde se divise en deux catégories, ceux qui ont un pistolet chargé, et ceux qui creusent. Toi, tu creuses. »

– *Le Bon, la Brute et le Truand*
– *Lucky Luke*
– *Le Parrain*

8 – « Les cons, ça ose tout. C'est même à ça qu'on les reconnaît. »

– *Les Barbouzes*
– *Touchez pas au grisbi*
– *Les Tontons flingueurs*

9 – « Y'a pas de bonnes habitudes. L'habitude, c'est une façon de mourir sur place. »

– *Buffet froid*
– *Un singe en hiver*
– *Hôtel du Nord*

10 – « Et si on faisait l'amour tout nu ? »

– *Les Trois Frères*
– *RRRrrrr!!!*
– *La Cité de la peur*

11 – « Vous avez l'air d'une fille qui va faire une connerie. »

– *Le Père Noël est une ordure*
– *Le Journal de Bridget Jones*
– *La Fille sur le pont*

12 – « Si vous n'aimez pas la mer, si vous n'aimez pas la montagne, si vous n'aimez pas la ville : allez vous faire foutre ! »

– *À bout de souffle*
– *Pierrot le fou*
– *Le Mépris*

13 – « Certains hommes sont sans but logique. On ne peut les acheter, les intimider, les raisonner ou négocier avec eux. Certains hommes veulent juste voir le monde brûler. »

– *Meurs un autre jour*
– *The Dark Knight*
– *The Amazing Spiderman*

14 – « C'est à une demi-heure d'ici. J'y suis dans dix minutes. »

– *Drive*
– *La Tour Montparnasse infernale*
– *Pulp Fiction*

15 – « Elle est gentille, ma fille, hein ?
– Oui… Mais qu'est-ce qu'elle est laide ! »

– *Tatie Danielle*
– *Kill Bill : vol. 1*
– *Le Pari*

**Réponses :**

1–*LaHaine* /2–*Titanic* /3–*LasVegasParano* /4–*Scarface* / 5–*Il était une fois dans l'Ouest* / 6–*Seven* / 7–*Le Bon, la Brute et le Truand* / 8–*Les Tontons flingueurs* / 9–*Un singe en hiver* / 10–*Les Trois Frères* / 11–*La Fille sur le pont* / 12–*À bout de souffle* / 13–*The Dark Knight* / 14–*Pulp Fiction* / 15–*Tatie Danielle*

## VOUS AVEZ ENTRE 12 ET 15 BONNES RÉPONSES :

Vous êtes un vrai cinéphile !
Ne changez rien et continuez de vous nourrir l'esprit.

## VOUS AVEZ ENTRE 8 ET 11 BONNES RÉPONSES :

Vous êtes cultivé et curieux… Mais pas encore suffisamment ! Retournez vous entraîner, jeune Padawan !

## VOUS AVEZ MOINS DE 8 BONNES RÉPONSES :

Vous avez vécu dans une grotte ? Il est temps d'en sortir ! Filez donc rattraper votre retard !

# Edjing

Vous avez toujours rêvé de faire vibrer les foules au son de vos platines, mais vous n'avez jamais eu les moyens financiers nécessaires pour vous lancer dans cette folle carrière ? Téléchargez donc Edjing et commencez par **inviter vos amis à se trémousser dans votre salon** ! Très simple d'utilisation, cette application vous permettra de réaliser des mix écoutables très rapidement.

Et si jamais le mojo de la musique n'est pas avec vous à un moment donné, enclenchez l'option Automix, qui s'occupera de mixer les morceaux de votre bibliothèque iTunes sans que vous ayez à intervenir !

Disponible sur iPhone, iPod Touch et iPad – Gratuit

# Mesdames, vous pouvez brûler vos soutiens-gorge !

Les soutiens-gorge ne permettent pas aux femmes de conserver une poitrine plus ferme et des seins qui ne tombent pas ! Aussi curieux que cela puisse paraître, c'est ce que vient de prouver le professeur Jean-Denis Rouillon, du CHU de Besançon. Il a mesuré la poitrine de 130 femmes sur une durée de 15 ans et en a conclu : « Nos premiers résultats valident l'hypothèse que **le soutien-gorge est un faux besoin**. Médicalement, physiologiquement, anatomiquement, le sein ne tire pas bénéfice d'être privé de la pesanteur. Au contraire, il s'étiole avec le soutien-gorge. »

# Point de vue du motard

Un motard raconte à ses copains qui partagent la même passion que lui :

– Hier, j'ai rencontré une superbe nana en boîte de nuit.

Les copains motards :

– Aaaah ! Ensuite ?

– On boit un coup, elle se rapproche, je commence à l'embrasser…

Les copains motards :

– Aaaaaah ! Ensuite ?

– Je lui propose de la raccompagner chez elle. Elle me sourit et accepte. On sort de la boîte…

Les copains motards :

– Aaaaaaaaah ! Ensuite ?

– Arrivés sur le parking, elle me dit : **« Déshabille-moi ! »**

Les copains motards :

– Aaaaaaaaaaaaaaaargh ! Ensuite ?

– Alors j'enlève sa culotte, je la soulève, je l'assois sur la selle de ma nouvelle moto et….

Ses copains motards le coupent pour lui demander :

– Ah, t'as une nouvelle moto ??? C'est quoi comme bécane ???

# Point de vue de la fille

Une fille raconte à ses copines :
– Hier, j'ai rencontré un beau motard dans une boîte de nuit. Musclé, souriant, gentil…
Les copines :
– Aaaah ! Ensuite ?
– Il m'offre un verre et il commence à m'embrasser…
Les copines :
– Aaaaaaah ! Ensuite ?
– Il me propose de me raccompagner chez moi. J'accepte. On prend nos manteaux et on y va…
Les copines :
– Aaaaaaaaah ! Ensuite ?
– Arrivés sur le parking, je découvre sa belle moto et lui dis : **« Prends-moi sur ta bécane ! »**
Les copines :
– Aaaaaaaaaaaaaaaah ! Ensuite ?
– Alors, il m'enlève ma culotte et…
Les copines :
– Mais… T'as une culotte, toi, quand tu vas en boîte ?!

Est-ce qu'on est obligé de faire l'amour sur ta moto ?
Tais-toi et remets ton casque !
Soline NOUVRIT

# Jacques Mesrine : de sa dernière planque à sa mort

En octobre 1979, l'ennemi public n° 1, qui habite au 35-37 rue Belliard sous un faux nom, est repéré par la police et exécuté au niveau de la porte de Clignancourt. Immortalisé au cinéma par Jean-François Richet, Jacques Mesrine est devenu, au fil des ans, une légende du grand banditisme.

## Un certain Paul Toul

Le gangster loue ici un studio depuis plusieurs mois sous le nom de Paul Toul. Ce sera le dernier domicile de cette figure du grand banditisme qui fascine toujours. Jacques Mesrine est en effet abattu dans la rue Belliard, peu après être sorti de chez lui. Sa dernière demeure est le cimetière Nord de Clichy-la-Garenne, la ville qui l'a vu naître au n° 3 de la rue Anatole-France.

## Le repérage

Fin octobre 1979, des hommes de l'Office central pour la répression du banditisme (OCRB) repèrent l'appartement de Mesrine à cette adresse. Depuis que Charlie Bauer est sur écoutes téléphoniques après qu'un indicateur l'a dénoncé comme complice, la localisation de la planque est confirmée. La Brigade de recherche et d'intervention (BRI) du commissaire principal Robert Broussard est saisie pour mener à bien cette affaire de la plus haute importance. Persuadé que son prochain contact avec la police conduira si ce n'est à un bain de sang, du moins à des échanges de tirs musclés, Mesrine, bravache, déclare au commissaire Broussard : « C'est celui qui tirera le premier qui aura raison. » Une provocation de plus.

Les derniers méfaits de Mesrine rendent son arrestation prioritaire. Après l'enlèvement du milliardaire Henri Lelièvre le

21 juin 1979, qui se solde par le versement d'une rançon de 6 millions de francs, on monte d'un cran dans l'horreur. « L'ennemi public numéro un » séquestre et torture le journaliste de *Minute* Jacques Tillier dans la forêt d'Halatte, dans l'Oise, le 10 septembre 1979. Le « Grand Jacques » lui reproche d'avoir écrit qu'il n'était pas un complice fiable. Mesrine lui tire dans la joue, « pour l'empêcher de dire des conneries », dans le bras, « pour l'empêcher d'écrire des conneries », et dans la jambe, « pour le plaisir ». Celui-ci survit miraculeusement.

## La fusillade

Le vendredi 2 novembre 1979, à 15h15, un couple sort de l'immeuble de la rue Belliard et s'apprête à partir en week-end, comme des centaines d'autres Parisiens anonymes. Anonymes ? Pas vraiment : Madame s'appelle Sylvia Jeanjacquot et son homme est un certain Jacques Mesrine, intensément recherché par la police depuis son évasion de la prison de la Santé et ses derniers méfaits.

De la santé, il en faut pour être un ennemi public n° 1 en cavale. La surveillance policière se fait de plus en plus pressante. L'étau se resserre sur le couple, qui monte dans une BMW 528i marron et prend la direction de la porte de Clignancourt. Un camion bleu les double soudain et pile brusquement devant eux. Un second camion surgit derrière eux pour les empêcher de reculer. Une voiture vient s'arrêter à leur hauteur. Tout d'un coup, la bâche du camion située devant la voiture de Mesrine se relève et cinq policiers armés de mitraillettes ouvrent le feu.

Sylvia Jeanjacquot est atteinte d'une balle dans la tête : grièvement blessée, elle perdra un œil. Jacques Mesrine, quant à lui, est criblé de 18 balles… sur les 21 tirées au total. Un nombre suffisant pour s'assurer de la mort subite de l'ennemi public n° 1. Une véritable exécution en pleine rue : Mesrine, pourtant prévoyant – il porte sur lui un Browning quatorze coups, avec une balle prête à surgir du canon et deux grenades à ses pieds –, n'aura pas le temps de répliquer.

## Le journal télévisé d'Antenne 2

Ce même vendredi 2 novembre 1979, jour de la mort de Mesrine, Daniel Bilalian présente le JT de 20 h sur Antenne 2. Annonçant l'événement en ouverture de journal, il utilise le terme de « guet-apens » pour celui qui « narguait toutes les polices de France depuis un an et demi ». Sur le terrain, la journaliste Martine Laroche-Joubert précise les faits : 18 impacts de balles sur le pare-brise de la BMW, deux camions de déménagement autour de la voiture et une évacuation du corps de la victime 45 minutes après les faits. Une brève interview du commissaire Broussard révèle que 30 hommes de l'Office central pour la répression du banditisme et de la Brigade de recherche et d'intervention étaient sur le coup. Un journaliste ose la question : « Il n'y a pas eu de bavure ? » Le commissaire Broussard répond : « Non, absolument pas, la preuve... »

## La polémique de la légitime défense

Mesrine meurt porte de Clignancourt, à proximité de son lieu de naissance. L'enquête concernant les conditions controversées de sa mort durera longtemps, la famille du gangster ayant lancé des procédures judiciaires. Une polémique sur la légitime défense est lancée : d'après certains témoins, la police aurait tiré sans sommation. Deux d'entre eux apportent des éclairages en octobre 2008 sur France Inter. Guy Penet, patron du bar *Le Terminus* en 1979, n'a pas entendu de sommations. Quant à Geneviève Adrey, étudiante en musicologie à l'époque, elle n'a entendu que des coups de feu, alors qu'elle se trouvait dans une cabine téléphonique proche de l'action.

Cela dit, les sommations sont un acte militaire obligatoire pour les gendarmes et non pour les policiers. La légitime défense n'est en aucun cas soumise à l'obligation d'effectuer des sommations. Par ailleurs, les témoignages des policiers précisent que Mesrine a eu un mouvement latéral pour tenter de saisir quelque chose. Vu l'armada qu'il portait sur lui, aurait-il été tenté de sortir un mouchoir blanc ou bien cherchait-il à jeter ses grenades et à utiliser son arme ? Le 1er décembre 2005, la chambre d'instruction de la cour d'appel de Paris déclare irrecevable le pourvoi en cassation de la famille Mesrine.

## Ses derniers mots

Sentant certainement venir sa fin, Jacques Mesrine laisse à sa compagne Sylvia Jeanjacquot une cassette dans laquelle il lui dit ceci : « Si tu écoutes cette cassette, c'est que je suis dans une cellule dont on ne s'évade pas. »

## La fin d'une affaire…

La BMW utilisée lors du jour fatal est restée avec les scellés de justice pendant 28 ans dans une fourrière à Bonneuil-sur-Marne, avant d'être broyée dans une casse d'Athis-Mons, le 14 mai 2007. Avec le classement de l'affaire par la justice et cette destruction, il semble que la page Mesrine soit enfin tournée pour l'État français.

## … et le début d'un mythe

Lucien Aimé-Blanc, alors chef de l'Office central pour la répression du banditisme, raconte dans son livre *La Chasse à l'homme. La Vérité sur la mort de Mesrine* (Plon) l'enquête pleine de rebondissements qui lui a permis de localiser la planque de Mesrine, rue Belliard. Il mentionne aussi l'enlèvement par Mesrine de son ami Jacques Tillier, qui cherchait à interviewer l'ennemi public n° 1, et surtout en quoi cette chasse à l'homme a accentué la guerre des polices.

L'acteur Vincent Cassel incarne Jacques Mesrine dans le film en deux parties de Jean-François Richet, sorti en 2008 : *L'Instinct de mort et L'Ennemi public n° 1*. Depuis la sortie de ce film, la tombe du gangster au cimetière de Clichy fait l'objet d'un véritable culte.

# Les Européens et le sexe

**18 %** des Allemands de 18 à 35 ans confessent que leur désir de se connecter à Internet est plus fort que celui d'avoir des rapports sexuels !

**36 %** c'est le nombre d'hommes britanniques avouant décrocher leur téléphone en pleins ébats sexuels !

**35 %** des personnes ayant trompé leur conjoint justifient cet écart par l'envie de connaître le sexe sans sentiments…

**28 %** de ces mêmes sondés ont voulu combler une insatisfaction sexuelle,

**13 %** ont voulu retrouver la passion de leurs premières amours,

et **10 %** ont simplement voulu avoir une montée d'adrénaline.

# Avoir le plus grand pénis du monde n'est pas toujours un avantage...

Décrocher le titre de l'homme au plus grand pénis du monde, quel mec n'en a pas rêvé un jour ? Et pourtant, il semblerait que ce ne soit pas forcément synonyme de bonheur !

Jonah Falcon, acteur sans emploi de 41 ans, détient ce record très envié avec un sexe de **22,86** cm au repos, pour **33,5** cm lorsqu'il est au mieux de sa forme ! Une source de fierté qui devient rapidement une source de problèmes lorsqu'il doit prendre l'avion. Pour ne citer qu'un exemple, à l'aéroport de San Francisco en juillet 2012, l'un des agents de sûreté n'a pas voulu croire que ses poches étaient vides. Pensant que Jonah Falcon pouvait avoir caché un colis dans son pantalon, il a exigé de ce dernier qu'il se soumette à un scanner corporel à rayons X ! Des fouilles intensives qui se répètent régulièrement pour cet homme à l'imposant organe...

# Je fais ma belle

Je fais ma belle est l'application que chaque femme devrait avoir sur son smartphone ! Non seulement, vous y retrouverez une mine d'informations sur des **sujets 100% féminins** tels que la mode, la forme, le bien-être, l'horoscope du jour et la beauté, mais une vraie communauté de lectrices s'est créée, permettant à chacune de dévoiler ses petites astuces et d'avoir l'avis d'autres femmes comme vous sur des questions qui vous préoccupent.

Bref, une appli qui vous sera très vite totalement indispensable !

Disponible sur Android, iPhone, iPod Touch et Ipad – Gratuit

# Un tsunami en Suisse ?

Cela paraît aussi incroyable qu'un nain attrapant une boîte de conserve sur la plus haute étagère d'un supermarché, et pourtant... c'est possible !

En 563, la Suisse, qui ne s'appelait pas encore ainsi, a connu un tsunami ! Un important éboulement dans les montagnes du Valais s'était déversé dans le lac Léman, le plus grand plan d'eau naturel d'Europe de l'Ouest. Résultat : une vague géante, connue des historiens sous le nom de catastrophe de Tauredunum, avait frappé Genève. **Haute de 13 mètres, elle en mesurait encore 8 lorsqu'elle déferla sur la capitale helvétique**, emportant avec elle villages, villageois, animaux et même le pont de Genève.
Selon une enquête de l'université de Genève publiée dans Nature Geoscience, une telle catastrophe pourrait se reproduire.

# Simplewash, ou comment offrir un nettoyage en profondeur à son profil Facebook!

Vous le savez, les employeurs n'hésitent plus à fouiller la page Facebook de leurs candidats. Problème : la vôtre regorge de photos pas franchement à votre avantage et autres « doux mots » de vos amis se moquant de vous et rappelant **vos frasques de la précédente soirée**. Remonter jusqu'à la date de création de votre page pour tout nettoyer vous prendrait des heures et vous ne cessez donc de repousser cette vaste tâche…

Depuis le début de l'année, un nouveau site s'occupe de ce problème : Simplewash, anciennement Facewash. Le principe est très simple : vous connectez votre page à ce site qui s'occupe de la scanner. De vos simples statuts en passant par les commentaires laissés sur le mur de vos amis jusqu'aux articles « likés », tout y passe ! **Chaque mot considéré comme vulgaire ressort en quelques instants.** Ensuite, c'est à vous de décider si vous souhaitez ou non garder ces éléments dans votre profil. Sachez que vous pouvez vous-mêmes entrer les mots-clefs à chercher sur votre page.

Le site permet aussi de nettoyer les comptes Twitter. Votre identité virtuelle sera alors parfaitement propre !

**www.simplewa.sh**

# Pourquoi dit-on... Comme un coq en pâte ?

Être comme un coq en pâte signifie mener une existence confortable, ne manquer de rien, être magnifiquement traité. Plusieurs explications sont possibles quant à l'origine de cette expression.

La première proviendrait directement des XIX^e^ et XX^e^ siècles. À l'époque, **chaque ferme était fière de pouvoir présenter son plus beau coq** lors de concours régionaux. Afin que les plumes de l'animal soient les plus belles possible, elles étaient recouvertes d'une pâte censée les rendre lisses et luisantes.

La deuxième explication est assez proche de la première et semble être la plus probable. L'expression ferait référence au transport des coqs jusqu'au marché. Pour pouvoir les vendre le plus cher possible, les animaux ne devaient pas être abîmés par le voyage. Les vendeurs prenaient ainsi énormément de précautions pour les transporter. On parlait alors de « coq de panier » ou « coq de bagage ».

L'expression telle qu'on la connaît aujourd'hui n'arrive qu'au XVII^e^ siècle. Elle fait alors référence à **ces pauvres coqs qui finissent leur vie dans des pâtés en croûte** et qui ne peuvent plus qu'apprécier le confort de la pâte moelleuse qui les entoure...

Autre explication possible : le coq en pâte était la recette préférée du célèbre écrivain Rabelais. Il était très bien soigné par ses domestiques... qui lui servaient régulièrement son plat favori !

# Qu'est-ce qui sert à dormir, manger et se brosser les dents ?

**Solution**

Un lit, une fourchette et une brosse à dents. Pourquoi ne cherchiez-vous qu'un seul objet ?

Margot, 16 ans, va voir sa mère et lui confie que, depuis deux mois, elle n'a pas eu ses règles. La mère, morte d'inquiétude, achète un test de grossesse. Le résultat est positif : sa fille est enceinte !
À la maison, c'est la panique complète. Tout le monde s'agite, hurle et s'énerve. Sa mère lui dit :
– **Je veux savoir qui t'a fait ça !** Tu vas lui dire de venir voir ton père.
Margot monte dans sa chambre, prend son téléphone portable et passe un appel.
Une demi-heure plus tard, une Porsche blanche s'arrête devant leur maison. En sort un type d'une cinquantaine d'années, très bien habillé, qui s'assoit entre le père et la mère…
– Bonjour, dit-il. Votre fille m'a expliqué la situation… Mais je vous l'avoue tout de suite, je ne peux pas l'épouser car j'ai déjà une situation familiale stable. Donc, pas de possibilité de ce côté-là.
Cependant, si c'est une fille qui naît, je peux faire mettre à son nom : 4 magasins, 3 appartements, une villa à Miami, une autre à Paris et un compte de **500 millions**.
Si c'est un garçon, je fais mettre à son nom 3 usines, en plus des 500 millions.
Si ce sont des jumeaux, je double la mise.
Et si elle perd l'enfant…
Le père, qui jusque-là écoutait sans rien dire, lui coupe la parole, pose sa main sur son épaule et lui dit :
– **À ce moment-là, tu lui refais l'amour !**

# SUDOKU

*Niveau facile*

|   |   |   |   |   |   |   |   |   |
|---|---|---|---|---|---|---|---|---|
|   |   |   |   | 2 |   |   |   |   |
|   | 2 | 3 | 9 | 7 |   |   |   | 1 |
|   | 7 |   |   |   | 1 | 4 |   |   |
| 8 | 6 |   | 5 |   |   | 3 |   |   |
|   |   |   |   |   | 2 |   |   |   |
| 4 |   |   |   | 8 |   | 9 | 5 |   |
| 6 |   |   |   |   | 8 |   | 3 |   |
|   |   |   | 3 |   |   |   |   |   |
|   |   | 5 | 2 | 6 |   |   | 8 | 9 |

***Solution page 680***

# Quand les abeilles deviennent amatrices d'art

Saviez-vous que **les abeilles sont capables de différencier un tableau de Monet d'un Picasso** ? C'est en tout cas ce qu'ont prouvé des scientifiques australiens. Ils ont placé un certain nombre d'abeilles face à deux tableaux : l'un de Monet, l'autre de Picasso. Derrière l'un des deux se cachait une récompense sucrée. Condition sine qua non pour les insectes : s'approcher au plus près des tableaux pour déceler celui qui cachait la nourriture.

La seconde phase de l'expérience pouvait ensuite avoir lieu. Les scientifiques ont ainsi placé ces mêmes abeilles devant d'autres œuvres de Monet et Picasso. Les insectes se dirigeaient alors naturellement vers le tableau de l'artiste derrière lequel se cachait leur précédente récompense, et ce, quelle que soit l'œuvre, la luminosité ou les couleurs utilisées.
Judith Reinhard, de l'université de Queensland, a ainsi résumé cette expérience : « Notre étude suggère que reconnaître des styles artistiques n'est pas une fonction cognitive supérieure unique aux humains, mais une simple capacité des animaux à extraire et catégoriser des caractéristiques visuelles issues d'images complexes. »

• J'allais donner 2 € à un SDF quand j'ai lu sur sa pancarte : « Vous auriez pu être à ma place ! » Du coup j'ai préféré garder mon argent ; on sait jamais…

**• Idée défi : placer une bombe sur un daltonien et lui dire qu'il a 30 secondes pour couper le fil rouge…**

• Mon chéri a enfin demandé ma main… Juste pour lui tenir sa bière, le temps qu'il aille faire pipi !

**• Je suis pour le mariage pour tous. Je ne souhaite pas me mettre les gays à dos.**

• Proverbe de chien : Si ça ne se baise pas et que ça ne se mange pas non plus, pisse-lui dessus !

• Pour mettre quelqu'un en bière, le maître qu'enterre doit creuser avec des pelles fortes...

**• Si vous deviez choisir entre la paix dans le monde et la fortune de Bill Gates, quelle serait la couleur de votre Porsche?**

• Le problème des Français c'est qu'ils passent leur temps à râler et ça m'énerve.

**• Polémique :**
**Les acteurs français sont-ils trop payés ?**
**Scandale :**
**Christian Clavier est payé !**

• Quand je me moque des handicapés, on me dit que c'est pas bien, qu'il faut se mettre à leur place.
Mais quand je me mets à leur place, ça me coûte 135 € !

**• Vladimir Poutine accorde la nationalité russe à Depardieu : c'est ce qu'on appelle se faire la vodka du diable.**

• Quand mon ordinateur me demande si je souhaite « quitter le système », je me vois déjà dans le Larzac produire du fromage de chèvre.

**• J'ai été voir une voyante qui m'a dit que j'allais mourir puceau. Je l'ai violée et j'ai repris mes 50 €.**

• T'es tellement con qu'tu crois qu'une flash mob, c'est un radar pour Mobylette.

• Tomber amoureux, c'est donner la possibilité à quelqu'un de pouvoir te détruire...

**• Le changement d'heure est une grosse arnaque : on te prend une heure d'été quand il fait beau et chaud, et on te la rend (sans intérêts en plus) en hiver, quand il fait froid et nuit !**

• Cherche esclave du nom de « Swamaim », parce qu'on n'est jamais mieux servi que par Swamaim !

**• Tout le monde dit que Mozart est mort, mais quand j'ouvre mon frigo, mozzarella.**

• À cause de Facebook, les jeunes écrivent moins bien qu'à les pokes...

# DIEU ORDONNA...

Dieu ordonna à Mara de donner... et **Maradona** !

Dieu ordonna a Hélène de s'égarer... et **Hélène Ségara** !

Dieu ordonna à David de guetter... et **David Guetta** !

Dieu ordonna à Katy de mourir... et **Katy Perry** !

Dieu ordonna à Jack de sonner à la porte... depuis **Jackson** !

Dieu ordonna à Thierry d'en rire... et **Thierry Henry** !

Dieu sema le blé et **Marc Lavoine** !

Dieu ordonna à Fatou de mater... et **Fatoumata** !

Dieu ordonna à Mme Sarkozy de bronzer... et **Carla Bruni** !

Dieu ordonna à Mouss de taffer... et **Mustafa** !

Dieu ordonna à Bruce de lire... et **Bruce Lee** !

Dieu ordonna au Coca de coller... et le **Coca-Cola** !

Dieu ordonna à un Castor de ramer... et **Castorama**.

Dieu ordonna à Hugo de bosser et depuis **Hugo Boss**.

Dieu ordonna à Rex de sonner... et **Rexona** !

Dieu ordonna au chaud de coller... et le **chocolat**.

Dieu a dit : « Ton petit lira »... et le **Petit Lu**.

Dieu ordonna à Lustu de croire... et **Lustucru**.

Dieu ordonna que le riz colle... et le **Ricola** !

Dieu interdit aux gendarmes d'être tristes et depuis, la **gendarmerie** !

# Quand le monde coule

Quel est le point commun entre Manhattan, Bangkok, Venise, Tokyo, Miami, Alexandrie et les Maldives ? **Tous ces lieux sont susceptibles de disparaître** (en partie) en 2100, à cause du réchauffement climatique ! Avec le temps, ils devraient être rayés de la carte du monde, l'eau montant petit à petit... Notre siècle devrait ainsi logiquement voir les entreprises d'endiguement devenir la première industrie au monde. Car, oui, même si les climatologues ne sont pas toujours pris au sérieux, les municipalités concernées se tournent les unes après les autres vers ce type de solution. **Chaque année, le niveau de l'eau augmente de 3,2 mm**, selon la climatologue Anny Cazenave, qui prédit d'ailleurs dans les colonnes de *Paris Match* une hausse « de 50 à 80 cm en moyenne, voire de 1 m dans certaines régions ».

Venise a été l'une des premières villes à réagir, puisque le chantier Moïse a été lancé dès 2003. Objectif : gérer au mieux les marées. Pour ce faire, 78 digues mobiles ont été réparties aux trois entrées de la lagune. Ces énormes boîtes immergées en temps normal sont remplies d'air pour émerger progressivement lorsque la situation le réclame.

*Le touriste admire l'écusson de la Suisse.*

**LE TOURISTE ADMIRE LES SUÇONS DE LA CUISSE.**

# How to Tie a Tie

How to Tie a Tie : c'est le guide complet pour savoir comment nouer sa cravate. Grâce à cette application, et avec ses 20 façons différentes de nouer une cravate, vous ne serez plus jamais pris au dépourvu !

Disponible sur Android – Gratuit

# Top 5 des enterrements les plus écolos !

L'heure est à l'écologie et à la sauvegarde de la planète. On pense à éteindre la lumière en quittant une pièce, à fermer le robinet quand on se brosse les dents et on trie nos ordures. Très bien. Mais pourquoi faire tout cela si c'est pour polluer une fois mort ?

Pour garder une ligne de conduite irréprochable (et complètement verte) jusqu'au bout, voici notre top 5 des enterrements les plus écolos !

## 5 – Un cercueil biodégradable comme dernière demeure

On n'y pense pas assez de notre vivant, mais le choix du cercueil est primordial. Si vous souhaitez vous faire incinérer, choisir un cercueil en bois massif augmentera le temps de crémation et sera donc plus nocif pour la planète. Si vous souhaitez vous faire enterrer, vous risquez de polluer les sols avec tous les produits chimiques contenus dans votre dernière demeure. Heureusement, de plus en plus d'entreprises proposent des cercueils biodégradables et sans polluants. Vous pouvez par exemple choisir un cercueil en carton (rien à voir avec ceux de votre dernier déménagement !), qui a l'immense avantage d'être moins cher qu'un traditionnel. Le prix moyen d'un cercueil en bois massif est de 800 à 3 000 €, contre 100 à 600 € pour un cercueil en carton. En plus, les décorations proposées sur les modèles écolos sont très réussies ! Dernier avantage : le temps de crémation passe de 2 h à 45 min. Un beau dernier geste pour la planète !

## 4 – Quand la crémation devient *has-been* et trop peu écolo !

Pour moins polluer lors de votre dernier voyage, pourquoi ne pas abandonner la crémation et vous orienter vers la promession ? Encore peu connue en France, elle est très pratiquée en Suède. Elle consiste à plonger le corps du défunt dans un bain d'azote liquide à – 196 °C. Une fois refroidi, le corps devient friable. Il est alors posé sur une table vibrante qui, par son action, le réduit en fines particules.

Si la promession ne vous emballe guère, vous pourrez peut-être vous diriger vers la technique de la *resomation*... Venue d'Écosse, elle est en pleine progression aux États-Unis. Cette fois-ci, le corps est plongé dans de l'eau alcaline à 150 °C pendant trois heures. À la fin, il ne reste qu'une poudre blanche... Et la planète vous remerciera, puisque cette technique économise 85 % d'énergie par rapport à une crémation habituelle !

## 3 – Devenir le compost d'un bel arbre allemand

Quitte à mourir, autant que votre corps serve à quelque chose de beau, non ? En Allemagne, et plus précisément à Sarrebruck, vous pouvez devenir du compost pour une belle et grande forêt, véritable poumon de la ville. Au *Friedwald*, (littéralement le cimetière dans la forêt), on peut ainsi louer un arbre pour une durée de 10 à 99 ans et se faire enterrer à son pied. Comptez 2 700 € pour une concession de deux places et 770 € si vous acceptez de partager les racines de votre arbre avec une dizaine de personnes. Une fois l'enterrement terminé, une pancarte en bois très discrète rappellera votre présence aux promeneurs.

## 2 – Un enterrement sobre et sans pierre tombale

À Sydney, il existe un parc pour « enterrement naturel ». Le principe est simple et pourrait se résumer à « Tout doit disparaître ! » Ici, on n'installe pas de pierre tombale, pas de plaque commémorative. On choisit un cercueil en osier non traité, on prépare le défunt sans aucun produit désinfectant ou chimique et on lui choisit des vêtements biodégradables. Mais comment vais-je retrouver mon proche me demanderez-vous fort justement ? Tout simplement avec votre téléphone portable, votre GPS ou encore *via* Google Earth. Car, oui, les Australiens ont équipé les cercueils d'une puce ! Ainsi, la famille sait avec précision où déposer sa gerbe.

## 1 – Transformez-vous en récifs éternels !

Laisser son corps aux asticots, c'est surfait. Démarquez-vous tout en respectant votre éthique d'écologiste en offrant votre corps aux poissons, aux crustacés et autres mollusques ! L'initiative provient d'une entreprise de pompes funèbres américaine et s'appelle *Eternal Reefs,* – les récifs éternels. Les cendres du défunt sont mélangées à du ciment pour former un bloc qui servira ensuite d'habitat à toute une faune maritime puisque sa forme aura été calculée pour les inciter à venir s'y fixer. Là encore, vos proches pourront vous suivre grâce à une puce GPS intégrée au bloc de ciment, uniquement constitué de matières naturelles ! L'originalité et l'amour des fonds marins ont toutefois un prix : 6 000 €.

# Un site de recettes pour allergiques

Ce soir, vous avez décidé d'inviter vos amis à la maison pour un apéro dînatoire de fin de semaine, mais problème : vous aviez presque oublié que Nico est allergique au gluten. Une vrai galère pour réussir à cuisiner sans cet aliment, vous le savez ! Avant que la panique ne s'empare de vous, connectez-vous sur le blog Papilles et Pupilles, option allergies, vous y trouverez **les rubriques Apéro, Entrées, Plats, Desserts et Douceurs & Petits Biscuits classées par allergies**, soit sans gluten, sans œufs, sans lait, etc. Une mine de recettes qui vous assureront un Nico heureux et un apéro réussi !

Pour concocter un bon petit plat, vous pouvez également vous rendre sur le site manger-sans-gluten.fr où vous trouverez une épicerie en ligne ne proposant que des produits sans gluten, comme son nom l'indique !

**Si vous privilégiez le papier au virtuel**, n'hésitez pas à vous procurer le livre de Delphine de Turckheim, *Une vie sans gluten* (éditions Tchou), dans lequel elle revient sur sa vie d'intolérante au gluten. Un témoignage sur un monde méconnu qui touche pourtant plus de 500 000 Français !

www.papillesetpupilles.fr/allergies
www.manger-sans-gluten.fr

Trois tortues sont dans un bocal. L'une d'elles meurt. Combien en reste-t-il ?

**Solution**

Trois. (Ce n'est pas parce que l'une d'elles meurt qu'elle disparaît !)

# Les Français : champions du monde des vacances !

Avec 30 jours de vacances par an, les Français sont les champions du monde des vacances !

La moyenne européenne des vacances se situe à 26 jours, tandis que la moyenne mondiale est de 15 jours.

12 % des Français préfèrent partir en vacances au printemps.

Plus de 75 % d'entre eux privilégient l'été pour leurs congés annuels et 41 % d'entre eux élisent la plage comme passe-temps favori.

60 % des Français déclarent n'avoir jamais annulé ou repoussé leurs vacances pour raisons professionnelles.

67 % des Coréens du Sud et 72 % des Taïwanais annoncent l'avoir déjà fait.

Plus de 25 % des Japonais disent ne jamais prendre de vacances.

Malgré tout, 53 % des Français consultent régulièrement leurs messages professionnels en vacances, alors que seulement 30 % des Européens en font autant !

Cette étude a été réalisée auprès de 8 687 adultes en septembre et en octobre 2012 en Amérique du Nord, en Europe, en Asie, en Amérique du Sud et en Australie.

# 6 000 étoiles visibles à l'œil nu !

Cela peut paraître incroyable comme chiffre, mais un homme peut voir 6 000 étoiles différentes durant sa vie, et ce, uniquement à l'œil nu !

**3 000 étoiles différentes sont visibles à l'œil nu dans chaque hémisphère.** Forcément, à cause de la pollution lumineuse, vous n'en verrez pas beaucoup si vous restez au cœur d'une ville. Mais en vous éloignant des sources de lumière, vous pourrez vous délecter de quelque 3 000 astres. En voyageant dans l'autre hémisphère, vous aurez la possibilité de multiplier ce chiffre par deux et pourrez alors vous targuer d'avoir vu 6 000 étoiles différentes à l'œil nu !

Un chiffre impressionnant mais tout relatif lorsque l'on sait que la Voie lactée, notre galaxie, contient **de 200 à 400 milliards d'étoiles** et que l'univers compte des milliards de galaxies...

***On se sent petit, non ?***

C'est un escargot qui rencontre une limace et lui dit : « **Vraiment pas facile, cette crise du logement !!!** »

# YouMag

Les infos, originales comme importantes, vous intéressent mais vous ne savez pas où aller les chercher ? D'autant qu'avec la multiplicité des sources d'informations, en trouver des fiables n'est pas chose aisée….

**Ne cherchez plus l'application qui saura combler vos attentes** : YouMag est arrivée. Cette application regroupe et synthétise différents articles autour d'un même thème (cinéma, mode, politique…) pour ne vous en délivrer que le meilleur.

Grâce à ses notifications, vous êtes régulièrement informé sur votre smartphone des nouveaux dossiers publiés… et vous restez à la pointe de l'actu !

Disponible sur Android, iPhone, iPod Touch et iPad – Gratuit

# QUAND LES STARS S'ENVOIENT DES PIQUES...

• **CAMERON DIAZ** : « Si vous voulez me torturer, attachez-moi à une chaise et passez-moi du Mariah Carey en boucle. Ce sera un enfer pour moi ! Je vous assure, le pire... »

• **JACK NICHOLSON**, après avoir tourné *Shining* : « Stanley Kubrick, perfectionniste ? Ce n'est pas parce que t'es perfectionniste que t'en es pour autant parfait. »

• **GÉRARD DEPARDIEU** : « Quel secret est censée cacher Juliette Binoche ? J'aimerais bien savoir pourquoi on l'estime depuis toutes ces années... Elle n'a rien ! Absolument rien ! »

• **SHARON STONE** : « Madonna a dit qu'elle voulait m'embrasser ? Certainement pas, pas dans cette vie. Pourquoi ? Parce que je suis la seule à qui elle ne l'a pas encore fait. »

• **JIM CARREY** : « Tom Cruise? C'est l'un des acteurs les plus travailleurs que j'ai jamais rencontrés! C'est un vrai gentleman... Mais quel con! »

• **NICOLE KIDMAN** : « Depuis mon divorce avec Tom Cruise, je suis heureuse... Je peux enfin porter des talons! »

• **GEORGE CLOONEY** : « Angelina [Jolie] est ennuyeuse, de mauvaise compagnie et méchante avec certaines personnes. »

• **ANGELINA JOLIE** : « George Clooney est un coureur de jupons beaucoup trop porté sur la boisson. »

• **MEGAN FOX** : « Je ne voudrais pas être comme Scarlett Johansson, aller dans des talk-shows et faire genre “Prenez-moi au sérieux, je suis intelligente, je sais parler”. »

• **SOPHIE MARCEAU** : « Leonardo DiCaprio a dit qu'il était mon plus grand fan ? Mais quel âge a-t-il ? 13 ou 11 ans ? Je pourrais peut-être jouer sa nourrice… »

• **CATHERINE DENEUVE** : « Jane Fonda, c'est la caricature de l'Amérique tonique, bon chic bon genre. Pas du tout une image qui m'attire ! »

• **BRIGITTE BARDOT** : « Je trouve pitoyable qu'une femme comme Deneuve, qui représente l'élégance française à travers le monde, soit couverte de cadavres. C'est monstrueux et grotesque ! »

# La première bobo était chez Maupassant

On ne le sait que trop peu, mais si, aujourd'hui, on utilise le terme « bobo » pour parler des bourgeois bohèmes, c'est en partie grâce à Guy de Maupassant. En 1885, il écrit dans *Bel Ami* : « Il se sentit… repris d'un brusque béguin pour **cette petite bourgeoise bohème et bon enfant** qui l'aimait vraiment peut-être ». Depuis, l'expression s'est grandement popularisée… Mais il ne faut toutefois pas la confondre avec celle de « hipster », qui désigne des jeunes gens rétifs à la culture de masse et reconnaissables à leur façon de s'habiller : chemise à carreaux, casquette (si possible *old school*) et barbe (plus ou moins travaillée).

La contrepèterie
est l'art de décaler
les sons.

**LA CONTREPÈTERIE
EST L'ART DE
DESSALER LES CONS.**

C'est un élève qui arrive
en retard au lycée.
Le principal lui dit :

**– ANATOLE, POURQUOI T'ES ENCORE EN RETARD ?!**

– Désolé m'sieur mais ma mère, elle tapait mon petit frère !

– Euh… Je ne vois pas le rapport !

– Elle le frappait avec ma chaussure !

# Être assis tue !

Publiée dans *The Archives of Internal Medicine*, une étude australienne a récemment prouvé que **plus on restait assis, plus on augmentait ses chances de mourir** ; dingue, non ? On nous le répète régulièrement, il faut « bouger plus ». Mais jusque-là, personne n'avait réellement prouvé à quel point rester assis pouvait nuire à la santé. C'est maintenant chose faite !

**On compte 40 % de décès supplémentaires chez les personnes assises plus de 11 h par jour que parmi celles qui restent assises moins de 4 h.** Et ce, indépendamment de l'âge des personnes, de leur activité physique, de leur genre, de leur indice de masse corporelle, de leur taux de diabète ou de leur risque de maladie cardiovasculaire !

11 h assis semble un chiffre impressionnant mais quand on y réfléchit, on l'atteint très vite. Prenez un travail de bureau ou, à la rigueur « d'université » de 7 h, une pause déjeuner d'une heure, 2 h de télévision et une heure de transport. On y est.

Pour l'instant, les scientifiques n'arrivent pas à démontrer en quoi cette position assise est si néfaste. Tout juste sait-on que le manque de contraction des muscles des membres inférieurs n'est pas recommandé et que l'on s'éloigne des mécanismes protecteurs de l'activité physique.

**En tout cas, la prochaine fois que vous prendrez le métro, restez debout !**

***Source : Slate.fr***

# LES AUBERGES DE JEUNESSE : UN BON PLAN POUR TOUS LES ÂGES

Si le nom prête à confusion, sachez que les auberges de jeunesse ne sont pas réservées qu'aux « jeunes ». Eh oui, il n'y a pas d'âge pour être hébergé pour quelques euros !

## LES AUBERGES DE JEUNESSE : PAS QUE POUR LES JEUNES !

Il y en a plus de 160 en France. Elles représentent une excellente alternative d'hébergement lorsque vous partez en vacances. Conviviales et pas chères (à partir de 15 € par personne), les auberges de jeunesse ne sont en aucun cas réservées aux jeunes !

Et il n'y a pas que des dortoirs. Vous avez la possibilité, si vous le souhaitez, de louer une chambre privative avec 1, 2, 3 ou 4 lits.

Le gros avantage des auberges de jeunesse, après leurs tarifs, bien évidemment, c'est leur localisation. Souvent situées en centre-ville, **elles sont un très bon plan pour être logé au plus près des musées, magasins et autres restaurants**.

Sachez cependant que pour pouvoir séjourner dans l'une d'elles, en France comme à l'étranger, vous devez être adhérent de l'une des deux associations françaises d'auberges de jeunesse (la FUAJ ou la LFAJ).

Si ce n'est pas le cas ou si vous n'êtes pas Français, à votre arrivée, vous n'avez qu'à acheter un timbre de bienvenue (2,90 €) pour chacune de vos 6 premières nuits, puis vous recevrez une *guest card* qui vous donnera droit à une adhésion internationale définitive, valable un an.

# Pourquoi dit-on... La quille ?

La quille signifie être libéré d'une obligation et renvoie pour beaucoup au monde militaire... Mais à la fin du XIXe siècle, *La Quille* était surtout le nom du bateau qui ramenait en France métropolitaine les bagnards de Cayenne ayant purgé leur peine.

On ne sait pas exactement quand l'expression « la quille » a pris ce sens symbolique mais elle a toujours marqué la fin du service militaire. À 100 jours de la fin de celui-ci, **les conscrits célébraient le « Père cent » lors d'une belle soirée fortement alcoolisée**. Il était ensuite d'usage de compter les jours qui les séparaient de leur retour à la vie civile. Au fil des années, les commerçants proches des casernes ont commencé à vendre des quilles en bois, que les militaires rapportaient chez eux après les avoir personnalisées avec l'aide de leurs collègues.
Aujourd'hui « la quille » est utilisée pour désigner la fin d'une période pénible ou simplement un départ.

# Trouve ta mosquée.fr

Baddre-Edine Bentaïb, ingénieur commercial, voulait en finir avec la stigmatisation des mosquées. Il a donc décidé d'être le plus transparent possible en lançant le site www.trouvetamosquee.fr. Le principe est très simple : **il a regroupé toutes les mosquées de France sur une carte** avec leur géolocalisation, leurs horaires et leur position par rapport à La Mecque.

On y trouve même les mosquées en construction, leur emplacement, le coût des travaux et leur surface ! Toutes les infos pratiques concernant l'heure des prières et le Ramadan sont également disponibles sur ce site.

www.trouvetamosquee.fr

Les scorpions attaquent pas mal.

**LES MORPIONS ATTAQUENT PASCAL.**

# Junk Food Emergency

Vous vous retrouvez dans un endroit que vous ne connaissez pas, il est midi et les rues sont désertes. **Vous avez faim et rêvez d'un bon hamburger ou d'une pizza** avec du fromage qui fait plein de fils. Vous pensez que jamais vous ne trouverez un endroit où vous rassasier et vous vous imaginez déjà mourir de faim sur place, ici, au milieu de nulle part. Une fois au Paradis, vous apprendrez qu'il y avait un McDo à 100 m, mais que vous êtes parti dans la direction opposée !

Pour éviter ce genre de désagrément, téléchargez vite l'application Junk Food Emergency. Cette dernière vous localise et vous indique tous les établissements à proximité. Plus de 3 000 Quick, Flunch, Starbucks et autres Subway sont répertoriés sur le territoire français pour satisfaire toutes vos envies.

**Disponible sur Android – Gratuit**

# Sauvez un morpion, cessez l'épilation !

Messieurs dames, vous êtes actuellement en train de commettre un génocide ! Non, ce n'est pas une énième blague de ce WC Book. **À trop vous épiler, vous détruisez l'habitat naturel des morpions.** L'épilation définitive est à l'origine de la disparition de ces poux du pubis se transmettant lors de l'acte sexuel en s'accrochant aux poils pubiens. Ces petites bêtes ressemblent à de minuscules crabes, puisqu'ils ne mesurent que 2 à 3 mm, et se nourrissent de sang. Mais, à cause du diktat de la mode voulant que l'on soit imberbe, les morpions deviennent SDF et meurent les uns après les autres.

La prochaine fois que vous vous pomponnerez avant un rendez-vous galant, souvenez-vous que si nous avons des poils pubiens, c'est pour une bonne raison ! Non seulement ils nous défendent contre les bactéries mais, en plus, ils nous protègent des écorchures et autres blessures causées par le frottement.
Alors, dites non à l'épilation et sauvez les morpions !

## Ce que les hôtesses de l'air pensent de vous

26 % des hôtesses de l'air et des stewards sont agacés par le fait d'être appelés par un claquement de doigts.

13 % d'entre eux sont irrités par ceux qui se lèvent avant que le voyant lumineux ne soit éteint.

11 % en ont marre des personnes cherchant à faire entrer trop de sacs dans les coffres à bagages

et 10 % ne supportent plus ceux qui se plaignent du manque de place dans ces mêmes coffres.

9 % du personnel de bord trouve déplacé de voir les passagers parler pendant les consignes de sécurité.

8 % rechignent à apporter couvertures ou oreillers supplémentaires.

7 % en ont marre de ramasser l'importante quantité de déchets que les passagers laissent derrière eux.

6 % boudent lorsqu'on leur demande un plateau-repas différent.

6 % sont agacés par les personnes se plaignant de la température dans l'avion

et 4 % d'entre eux vous trouveront énervant si vous demandez une marque de boisson en particulier.

*Ce sondage a été réalisé par Skyscanner auprès de 700 hôtesses et stewards travaillant sur des vols internationaux et originaires de 85 pays.*

# Pourquoi dit-on…
# Un tube ?

Lorsqu'une chanson connaît un grand succès, on dit que c'est un tube.

**Mais saviez-vous que l'on doit ce terme à Boris Vian ?** À l'époque, les ingénieurs du son qualifiaient de « saucisson » une chanson creuse rencontrant un certain succès populaire. Boris Vian, n'aimant guère ce terme, qu'il trouvait sale, proposa celui de « tube ». C'est vrai, les paroles sont souvent aussi creuses qu'un tube, non ? Après avoir longtemps occupé uniquement le jargon professionnel du monde de la musique, le mot tube est entré dans le langage courant.

*Il faut brancher les colonnes.*

**IL FAUT BRANLER LES COCHONNES.**

Quatre canards marchent jusqu'à l'étang à la queue leu leu.

Le premier dit : « Devant moi, il n'y a personne. Derrière moi, il y a un canard. »

Le second dit : « Devant moi, il y a un canard et derrière moi, il y a un canard. »

Le troisième dit : « Devant moi, il y a un canard et derrière moi, il y a un canard. »

Le quatrième dit : « Devant moi, il y a un canard et derrière moi, il y a un canard. »

Comment est-ce possible ?

**Solution**

Le dernier canard est un menteur.

# Pourquoi dit-on... Être un cordon-bleu ?

Aujourd'hui, un « cordon-bleu » est une personne qui cuisine très bien. Mais au Moyen Âge, l'expression renvoyait à une décoration. Et pas n'importe laquelle : l'insigne des Chevaliers du Saint-Esprit, soit **la plus haute distinction de l'époque** ! Pendant deux siècles, elle honorera l'élite française, avant d'être abolie à la Révolution et remplacée par la Légion d'honneur. Elle était facilement reconnaissable à son ruban bleu, auquel était accrochée la célèbre croix de Malte. Les chevaliers de cet ordre ont donc rapidement été surnommés les « cordons-bleus ».

Par la suite, l'expression est entrée dans le vocabulaire français pour désigner tout ce qui était d'une qualité rare, puis a fini par ne s'appliquer qu'aux très bons cuisiniers. Certains justifient ce déplacement de langage par le fait que les seigneurs décorés de cet illustre insigne prenaient plaisir à se réunir régulièrement en une sorte de club pour manger des plats gastronomiques et boire de grands crus.

Un couple décide d'utiliser un langage codé à cause des enfants qui grandissent et deviennent très éveillés. Il décide d'employer la phrase « Je vais checker mes mails » à la place de **« Je veux faire l'amour »**.

Après une dispute, le couple ne se parle plus et communique uniquement via les enfants.

Une semaine passe. Le père envoie le fils chez sa mère avec le message : « Maman, papa veut checker ses mails ! »

La mère répond : « Va dire à ton père qu'il y a un problème de réseau et que la connexion est mauvaise. »

Le père dit alors à l'enfant : **« Va lui dire que, si c'est comme ça, j'utiliserai les cabines publiques. »**

La mère répond : « Dis à ton père que s'il tente ça, moi je crée un cybercafé à la maison, ouvert à l'international, avec accès illimité… »

# Free Music Download Pro

La musique c'est votre vie et vous n'avez jamais le temps de transférer vos titres de votre ordinateur à votre smartphone ? Vous êtes toujours à la recherche de nouveaux sons ? Pourquoi ne pas télécharger l'application Free Music Download Pro ?

Elle vous permettra de télécharger légalement de la musique sur votre téléphone. Vous pourrez rechercher votre bonheur par artistes, par genre musical et par titres. Ensuite vous n'aurez qu'à cliquer sur "Download" pour que le son arrive sur votre téléphone ! Si vous êtes un boulimique de la musique, sachez que vous pourrez télécharger jusqu'à dix titres en même temps.

Disponible sur Android, iPhone,
iPod Touch et iPad - Gratuit

**821 000 000**, c'est le nombre de pizzas vendues en France en 2012.

**22 000** défibrillateurs sont installés un peu partout en France.

**300 000 000** d'iPod ont été vendus en **10** ans.

# Le Dakota Building, lieu du meurtre de John Lennon, mais pas seulement...

On ne compte plus les histoires liées à cet immeuble new-yorkais du XIXe siècle. Toutes les sphères sont représentées : cinéma, littérature, télévision, sport, danse... et musique ! Car c'est à cause du décès tragique de John Lennon que le Dakota Building est devenu mondialement célèbre.

## L'un des premiers immeubles résidentiels

L'immeuble Dakota a été dessiné par Henry J. Hardenbergh, l'architecte également auteur du Plaza Hotel. Construit sur dix étages, du 25 octobre 1880 au 27 octobre 1884, il constitue l'une des premières résidences de la ville.

## L'assassinat de John Lennon

John Lennon s'y installe en 1973. Le chanteur est d'ailleurs propriétaire de cinq appartements dans l'immeuble. Il utilise l'un d'eux comme bureau, habite dans un deuxième avec Yoko Ono et les autres sont utilisés pour stocker leurs effets personnels. C'est devant le Dakota que John Lennon est tué par balles le 8 décembre 1980 par Mark David Chapman. Yoko Ono possède toujours un appartement dans l'immeuble.
Chaque année, elle rend hommage à John Lennon à la date de sa mort en organisant un pèlerinage désormais public jusqu'au mémorial Strawberry Fields construit à Central Park, sur l'avenue de Central Park West, juste en face du Dakota Building.

## Le domicile des stars

De nombreuses célébrités ont résidé au Dakota Building, parmi lesquelles le compositeur Leonard Bernstein – 2e étage, angle nord-est –, la journaliste Connie Chung et son mari présentateur Maury Povich, l'actrice Lauren Bacall, le chanteur Bono, la chanteuse

Roberta Flack, l'acteur José Ferrer, les actrices Judy Garland, Gilda Radner et Judy Holliday, les acteurs Steve Guttenberg, Jason Robards, Boris Karloff et Robert Ryan – ce dernier a d'ailleurs loué son appartement au couple John-Yoko qui l'a racheté à sa mort. Le célèbre John Madden, joueur de football, entraîneur et commentateur sportif, a aussi habité au Dakota Building, à l'instar de la romancière Carson McCullers, du danseur Rudolf Noureev, du critique Rex Reed et des chanteurs Neil Sedaka, Paul Simon et Sting.

## Une résidence sélecte

Melanie Griffith et Antonio Banderas, quant à eux, se sont vus formellement refuser l'entrée par le conseil d'administration du Dakota Building en 2005, au grand dam d'Albert Maysles qui souhaitait leur vendre son appartement. Gene Simmons, du groupe Kiss, et le chanteur Billy Joel se sont également vus refuser le droit d'y habiter au début des années 2000.

## *Rosemary's Baby* et *Vanilla Sky* : l'immeuble maudit

Le réalisateur Roman Polanski a choisi l'extérieur du Dakota Building pour son film *Rosemary's Baby* en 1968, tout comme le réalisateur Cameron Crowe, pour son film *Vanilla Sky*. Les scènes d'intérieur, quant à elles, furent tournées en studio car il est interdit de filmer dans l'immeuble.

Le film *Rosemary's Baby* commence ainsi par des images de la résidence Bramford, le nom fictif attribué au Dakota Building. C'est dans cette résidence que le couple Woodhouse – Guy, alias John Cassavetes, et Rosemary, incarnée par Mia Farrow – s'installe pour fonder une famille. Les cadres de portes gothiques, les poutres apparentes et les fenêtres sont restées intactes depuis l'année de construction de l'immeuble.

Les lieux sont utilisés dans *Vanilla Sky*, au tout début ; c'est l'endroit où vit David Aames, incarné par Tom Cruise.

# Le fromage a plus de 7 000 ans !

C'est l'apanage de la France et pourtant : les traces du plus vieux fromage du monde ont été retrouvées en Pologne ! Si **les hommes préhistoriques de la Mésopotamie se sont lancés dans la fabrication de fromages, il y a de cela 7 000 ans**, des scientifiques de l'université de Bristol ont relevé des traces encore plus anciennes de lait caillé (l'équivalent de nos faisselles actuelles) sur des tessons de poteries extraites d'un site de fouilles de Cujavie, région située au nord de la Pologne.

# Pocket Heat

Au cœur de l'hiver, les mains sont les premières à en prendre un coup. Avant de voir les vôtres devenir violettes, téléchargez l'application Pocket Heat.

Le principe est simple : **l'appli va faire chauffer les composants de votre smartphone**, qui va ainsi pouvoir vous servir de bouillotte ! Évidemment, c'est sans danger pour votre téléphone… et cela consomme beaucoup de batterie. Mais garder l'usage de ses mains n'a pas de prix, si ?

Disponible sur iPhone, iPod et iPad – 0,89 €

# Pourquoi les hommes sont les êtres les plus heureux?

– Leur nom de famille ne change pas.

– Ils peuvent jouer avec des joujoux toute leur vie.

– Ils n'ont jamais à conduire jusqu'à une autre station essence pour faire pipi parce que les toilettes de la précédente étaient trop dégueulasses.

– Ils peuvent s'arranger les ongles avec un canif de poche.

– Les conversations téléphoniques sont finies en 30 secondes.

**– La même coupe de cheveux dure des années, peut-être même des décennies.**

– Ils ne sont pas obligés de réfléchir au sens dans lequel un écrou doit tourner.

– Ils peuvent faire les courses de Noël pour 25 personnes en 25 minutes le 24 décembre.

– Ils font le même travail qu'une femme et ils sont plus payés.

– Robe de mariée, 2 000 € location de smoking, 50 €.

**– Les gens ne fixent pas leur poitrine quand ils leur parlent.**

– Une seule humeur et c'est la même tout le temps !

– Leurs sous-vêtements coûtent au plus 15 € pour un paquet de 3.

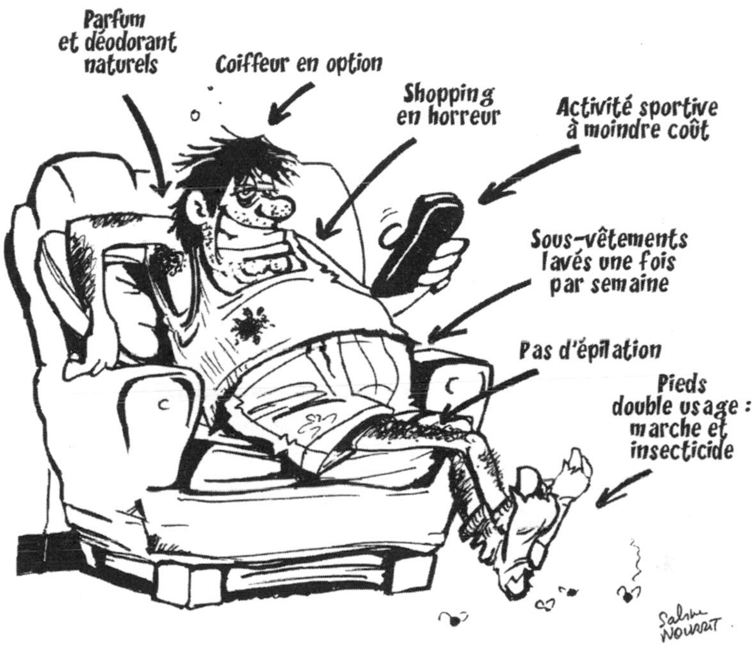


Conclusion :

En temps de crise, il est plus économique de sortir avec un homme qu'avec une femme !

– Ils n'ont besoin que d'une valise pour des vacances de cinq jours.
**– Ils peuvent ouvrir eux-mêmes leur pot de confiture.**
– Si quelqu'un a oublié de les inviter, cette personne peut quand même rester leur ami(e).
– Les rides leur donnent de la personnalité.
– Une seule couleur pour toutes les saisons.
– Le moindre geste agréable de leur part leur vaut de la reconnaissance.
– Ils peuvent se promener en short, quel que soit l'état de leurs jambes.
– 3 paires de chaussures sont plus que suffisantes.
– Ils n'ont presque jamais de problèmes de bretelles en public.
**– Ils sont incapables de voir si leurs vêtements sont froissés ou tachés.**
– Tout, sur leur visage, reste de la même couleur tout le temps.
– Les frites, le chocolat, les viandes en sauce, le pain avec la pizza ne leur posent aucun problème.
– Les chaussures neuves ne leur donnent pas d'ampoules.
**– Ils n'ont que leur visage à raser.**
– Un seul sac ou portefeuille, peu importe la couleur.
– Ils ont le libre choix quant au port d'une moustache.
– Ils peuvent s'extasier sur leur sexe…

# Les noms de villes les plus imprononçables

Dans le livre *Guiness des records*, le nom de lieu le plus long du monde a été attribué à une colline de Nouvelle-Zélande : **Taumatawhakatangihangakoauauotamateaturipukakapikimaungahoronukupokaiwhenuakitanatahu**. Soit 85 lettres sans aucun espace ! On vous laisse le soin d'essayer de le prononcer !

En 2e position, on trouve une gare située au pays de Galles : **Gorsafawddacha'idraigodanheddogleddollônpenrhynareurdraethceredigion**, soit 68 caractères sans espace. Et pour la 3e place du podium on reste au Royaume-Uni avec la bourgade de **Llanfairpwllgwyngyllgogerychwyrndrobwllllantysiliogogogoch** (58 caractères), située au nord-ouest de Liverpool.

Dans le même esprit, connaissez-vous le nom complet de la ville de Bangkok ? Non ? Alors accrochez-vous bien et lisez ce qui suit : **Krung Thep Mahanakhon Amon Rattanakosin Mahinthara Ayutthaya Mahadilok Phop Noppharat Ratchathani Burirom Udomratchaniwet Mahasathan Amon Piman Awatan Sathit Sakkathattiya Witsanukam Prasit**. Pour tous ceux qui ne lisent pas le thaïwannais, cela veut dire, dans les grandes lignes, que Bangkok est la plus belle ville du monde !

On aurait également pu vous citer le village mexicain de **Parangaricutirimícuaro**, le hameau de **Gasselterboerveenschemond** aux Pays-Bas, ou encore le lac américain de **Chargoggagoggmanchauggagoggchaubunagungamaugg**... mais l'espace vient à manquer sur cette page.

# Je prends soin de moi... grâce à l'eau !

Vous n'avez pas forcément le temps ni l'argent pour aller dans les spas profiter des soins d'hydrothérapie, d'accord. Mais ce n'est pas une raison pour vous laisser abattre ! Pourquoi ne pas vous faire ces soins vous-mêmes ?

## Mes soins au naturel : l'hydrothérapie

Pour ceux qui ont encore des doutes et qui pensent que prendre soin de soi rime avec souffrance et frustration, pour ceux qui sont convaincus qu'il faut appliquer des quantités impressionnantes de crèmes dites « spectaculaires » pour obtenir des résultats, lisez plutôt ce qui suit...

Eau gazeuse, eau minérale, eau de mer ou tout simplement du robinet, rien n'est meilleur que l'eau pour stimuler les canaux lymphatiques et la circulation sanguine, ainsi que pour débarrasser le corps de ses toxines afin de le régénérer complètement.

## Mon conseil malin : la douche à affusion

Principe de l'affusion : la douche à affusion est une pluie d'eau de mer chaude sur tout le corps, généralement en position allongée. L'eau y est transmise par plusieurs petits pommeaux qui envoient des microjets.

Vous n'avez pas la chance d'être aussi bien équipé... Ne vous inquiétez pas, votre douche suffira à vous procurer les plus grands bienfaits de l'affusion ! Si vous avez une douche à pression réglable, sachez qu'elle agit par micromassages, ce qui facilite l'élimination des toxines.

**AVERTISSEMENT** : toute personne souhaitant occuper la salle de bains après vous devra attendre… au moins 20 minutes, le temps de faire le soin !

Commencez par vous passer de l'eau tiède sur un bras en insistant sur la paume de la main. Remontez jusqu'à l'épaule, en restant du côté intérieur, puis redescendez via le côté extérieur. L'autre bras fait, passez au bas du corps : arrosez vos jambes en remontant le long de la face antérieure puis continuez sur la face postérieure.

Il reste maintenant le centre à contenter :

Effectuez trois cercles, en tournant dans le sens des aiguilles d'une montre, au niveau du bas-ventre, du plexus solaire puis du haut de la poitrine.

Enfin, attaquez-vous au dos, en partant des fessiers. Remontez en zigzagant le long de la colonne, en insistant mais sans brutalité, sur les omoplates et les trapèzes.

Voilà, c'est fait, 20 minutes de relaxation qui vous auront permis d'éliminer les toxines parasites !

Évidemment, ne monopolisez pas la salle de bains tous les jours, par respect pour vos « colocataires ». Ou alors, faites installer une cabine personnelle dans votre chambre !

# Les 10 noms de sites les pires au monde

10 – **MasterBaitOnline.com**, que l'on peut prononcer *masturbate online*, soit « la masturbation en ligne ».

9 – **AmericanScrapMetal.com**, que l'on peut lire *Americans crap metal*, soit « les Américains chient du métal » !

8 – **LesBocages.com**, que l'on peut lire *lesbo cages*, soit « cages à lesbiennes ».

7 – **GoTahoeNorth.com**, que l'on peut lire *got a hoe, North*. Le mot *hoe* désignant une prostituée, cela donne « J'ai une prostituée dans le nord » !

6 – **Nobjs.org**, que l'on peut lire *No BJS,* est un peu plus compliqué à comprendre. BJS est l'abréviation de *blowjobs*, soit une fellation. Donc, on peut interpréter cette adresse comme « pas de fellation ».

5 – **SpeedOfArt.com**, que l'on peut lire *speedo fart*, soit « le pet de string » !

4 – **ExpertsExchange.com**, que l'on peut lire *expert sex change*, soit « expert du changement de sexe » !

3 – **PenIsland.net**, que l'on peut lire *penis land*, soit « la terre du pénis » !

2 – **WhoRepresents.com**, que l'on peut lire *whore presents*, soit « la prostituée vous présente » !

1 – **ITscrap.com**, que l'on peut lire *it's scrap*, soit « c'est de la merde » !

Source: www.boredpanda.com

*Ça m'a tout l'air d'un poids ferreux.*

**ÇA M'A TOUT L'AIR D'UN PET FOIREUX.**

# Starwalk

Qui n'a jamais rêvé, levant les yeux au ciel par une belle nuit étoilée, d'être capable d'identifier les astres au-dessus de sa tête ? Ne rêvez plus, Starwalk est là, qui va vous permettre de tous les reconnaître, sans passer des heures à apprendre l'astronomie.

Pas de panique ! Si vous avez décidé de camper au fin fond de la campagne pour mieux voir les étoiles, l'application n'a pas besoin de connexion Internet. Avec Starwalk, vous saurez enfin si ce que vous regardiez était bel et bien la Grande Ourse !

Disponible sur iPhone, iPod Touch et iPad – 2,69 €

Patrick est un jeune chef d'entreprise qui voyage beaucoup. Un soir, à Tokyo, il rencontre une jolie Japonaise et en tombe amoureux. Quelques jours plus tard, il rentre en France… avec elle ! Fous amoureux l'un de l'autre, ils ne tardent pas à se marier. La jeune femme profite alors de cette nouvelle vie en France pour apprendre la langue de Molière. Pour elle, le plus compliqué est de se faire comprendre par les commerçants du quartier lorsque Patrick n'est pas avec elle.

Un beau jour, elle se rend chez le boucher pour acheter des cuisses de poulet. Ne sachant pas comment le demander, **elle lève sa jupe jusqu'aux cuisses, les désigne du doigt et imite un poulet**. Le boucher comprend ce que la jeune femme désire et lui vend donc quelques cuisses de poulet.

Le lendemain, elle a besoin de poitrines de porc.

Encore une fois, ne sachant quoi dire au boucher, **elle ouvre sa chemisette et montre sa poitrine au boucher en imitant le cochon**. De nouveau, la dame est comprise et le boucher lui sert ce qu'elle veut.

Le surlendemain, elle a besoin de saucisses. Mais comme on est samedi, Patrick est disponible et l'accompagne chez le boucher.

Comment va-t-elle réussir à se faire comprendre, cette fois-ci ?

**RÉPONSE**

À quoi pensiez-vous, bande de pervers ?
Son mari parle français !

# À quoi ressemblera l'homme de l'an 3000 ?

Âmes sensibles s'abstenir : **l'homme du futur n'est pas franchement sexy**, c'est le moins que l'on puisse dire ! Des experts en anatomie se sont amusés à imaginer l'homme de l'an 3000.

Oubliez les sourires éclatants, celui-ci n'aura quasiment plus de dents ! La faute à des repas de plus en plus liquides, qui seront régulièrement constitués de pilules. Mais au moins, il disposera d'un bon rempart contre l'obésité : ses intestins seront plus courts que les nôtres, afin d'absorber le moins de graisse et de sucre possible.

L'homme se laissant de plus en plus assister par les technologies, **son cerveau sera également plus petit**. Une conséquence logique ! Pour cette même raison, il verra ses doigts et ses bras s'allonger, ainsi que les extrémités de ses doigts devenir de plus en plus sensibles. Ses yeux, quant à eux, seront plus grands, car l'homme communiquera de moins en moins avec la parole (sa bouche va donc rapetisser), et de plus en plus « au moyen d'expressions faciales et de mouvements oculaires », selon Gary Cooper de l'université de Lancaster.

De manière générale, l'homme de l'an 3000 sera plus grand que celui d'aujourd'hui, mais également plus ridé, avec un cou affaissé et beaucoup moins de cheveux !

*Source* : The Sun

# Les repas des jeunes Français

61 % des 15-25 ans mangent leurs repas devant un écran au moins une fois sur deux.

31 % de cette même classe d'âge sont prêts à sacrifier la qualité et la quantité de leurs repas au profit de leur habillement, et 25 % sont prêts à ce même sacrifice au profit de la téléphonie mobile.

54 % des 15-25 ans avouent ne pas manger à heure fixe au moins un repas sur deux, et 48 % ne prennent pas de petit déjeuner un matin sur deux.

9 minutes, c'est le temps moyen qu'ils consacrent à leur petit déjeuner, contre 24 pour le déjeuner et 27 pour le dîner.

Enfin… quand ils prennent le temps pour le faire, puisque 32 % sautent leur déjeuner à cause de leur vie professionnelle, et 59 % prennent un repas sur le pouce.

23 % de ces mêmes jeunes gens disent boire souvent du soda pendant les repas, alors que seulement 1 sur 6 boit très souvent de l'eau.

Seulement 38 % d'entre eux consomment des fruits et légumes tous les jours.

38 % des jeunes confient ne pas faire de sport.

19 % des Français de 15 à 25 ans sont en surpoids ou obèses, alors que 30 % d'entre eux se considèrent minces ou de corpulence normale.

*Enquête Ipsos/Logica Business Consulting réalisée du 15 au 25 septembre 2012 auprès d'un échantillon représentatif de 1 000 jeunes âgés de 15 à 25 ans, interrogés via l'Access Panel Online d'Ipsos, méthode des quotas.*

*Une aveugle sans le sou veut écouter un concert de musique. Elle s'installe devant l'Olympia et dit à une musicienne qui s'est arrêtée devant elle : « Si j'écris l'instrument dont tu joues sur une feuille, tu m'offres la place. »*

*La musicienne, intriguée, accepte le pari ; elle se dit que, même si la femme devine, elle pourra dire qu'elle s'est trompée ! Pourtant, elle lui offre sa place… Pourquoi ?*

**Solution**

La femme a écrit « L'instrument dont tu joues » sur sa feuille.

# Pourquoi dit-on… Aller au bistrot ?

Si, aujourd'hui, un bar est communément appelé un bistrot, **c'est grâce aux Russes**. Au début du XX^e^ siècle, ils arrivèrent en nombre en France et notamment à Paris, où beaucoup se lancèrent dans une carrière de chauffeur de taxi. Entre deux courses, il leur arrivait fréquemment de s'arrêter dans un bar pour boire un verre, qu'ils demandaient toujours en disant bistro, bistro, ce qui signifie « vite » dans leur langue maternelle. Ce court mot envahissant les cafés, les Français n'ont pas tardé à l'utiliser ironiquement… pour finir par l'utiliser normalement aujourd'hui.

Michel revient au bureau après 15 jours de congés maladie.

– Alors, comment ça va ? Mieux ?

– Oui ! Ça a été pour moi une expérience géniale !

– La grippe, une expérience géniale ?

– Oh que oui ! **J'ai compris à quel point ma femme m'aimait !**

– Comment ça ?

– À chaque fois que le facteur sonnait, elle ne pouvait s'empêcher de crier sa joie : « Mon mari est à la maison, mon mari est à la maison ! »

Chérie...
J'irai pas bosser
ce matin...
appelle mon
patron...
Mon mari
a la grippe !
Salim
NOURRIT

# CONSEILS POUR ACHETER VOS CIGARETTES DANS L'UE

Si vous êtes accro à la cigarette, pensez à faire vos provisions dans d'autres pays qui affichent des prix bien plus attractifs que ceux pratiqués en France. Le plus économique restant bien entendu d'arrêter de fumer !

## CE QUE VOUS POUVEZ RAPPORTER

* 5 cartouches de cigarettes (ou 1 kg de tabac) sans aucune formalité.

* De 6 à 10 cartouches, vous devez faire établir un DSA (document simplifié d'accompagnement). Pour cela, rendez-vous dans le premier bureau de douane français, après la frontière.
Si vous êtes contrôlé et que vous n'avez pas le DSA, vous encourez des sanctions (saisie de la marchandise + pénalité).
Vous ne pouvez en aucun cas rapporter plus de 10 cartouches de cigarettes ou 2 kg de tabac.

## CONSEILS DE PRUDENCE...

* Si vous utilisez un moyen de transport collectif (plus de 9 personnes dans le véhicule, chauffeur compris

ou bien avion, bateau, train...), les seuils donnés s'appliquent par personne âgée de plus de 17 ans.

* Si vous utilisez un moyen de transport individuel, ces seuils s'appliquent pour le véhicule et non par personne.

## DES RÈGLES À CONNAÎTRE

* Attention ! Si les prix bas affichés par certains nouveaux entrants dans l'Union européenne vous tentent, sachez que des mesures transitoires sont appliquées sur les cigarettes en provenance de la Bulgarie, l'Estonie, la Lettonie, la Lituanie, la Roumanie, ainsi que sur les tabacs à fumer en provenance d'Estonie.

* Les quantités admises en franchise douanière sont identiques à celles applicables aux pays hors UE, à savoir :
- 200 unités pour les cigarettes ;
- 100 unités pour les cigarillos ;
- 250 g pour le tabac à fumer ;
- 50 unités pour les cigares.

Maintenant que vous avez toutes les infos utiles, faites vos comptes et partez pour la destination de votre choix !

# Top 5 des morts les plus abracadabrantes

Ce Top 5 est issu du livre *Das Kaninchen, das den Jäger erschoß. Und andere bizarre Todesfälle* (Le lapin qui a tué le chasseur, et autres morts étranges).

## 5 – Un train peut en cacher un autre

Un Mexicain a réussi à survivre à quatre accidents de chemin de fer en moins de deux mois. Un homme chanceux, à première vue… Mais à première vue seulement ! Ce père de famille va décéder quelque temps plus tard des suites d'une électrocution. Il avait voulu jouer avec le petit train électrique de son fils !

## 4 – Une mort qui fait boum !

À Guayaquil, en Équateur, Alberto Alvadoros se fait opérer de l'intestin suite à quelques menus soucis de santé. Mais le chirurgien qui l'opère va commettre une erreur de débutant fatale ! Il chauffe son scalpel trop longtemps. Résultat : lorsqu'il incise l'intestin, les gaz contenus à l'intérieur s'enflamment et son patient explose sous ses yeux !

## 3 – Une mort lumineuse

Au Texas, les employés d'un entrepôt décèlent une forte odeur de gaz à l'intérieur du bâtiment. La direction fait évacuer le bâtiment, en prenant bien soin de couper l'électricité pour éviter toute source d'étincelle.

Une compagnie de gaz envoie deux techniciens pour résoudre le souci. Ces deux derniers doivent se déplacer dans le noir, suite à la coupure volontaire d'électricité. C'est alors que l'un des deux a la lumineuse idée d'allumer son briquet pour pouvoir se repérer... Erreur fatale : des débris sont envoyés jusqu'à 5 km de distance ! Aucun reste de ces deux hommes n'a pu être retrouvé...

## 2 – Querelle familiale à multiples rebondissements

C'est l'histoire d'un jeune Américain qui se jette du toit d'un immeuble pour se suicider. Sauf qu'un filet a été posé au 8e étage par des ouvriers. Il est donc arrêté par celui-ci sans toucher le sol. Mais on l'y retrouva quand même mort. Pourquoi ? Parce qu'il a été abattu par une balle perdue ! Au 9e étage, un couple de personnes âgées se disputait et l'homme avait décidé de tirer sur madame au fusil de chasse. Une coutume chez eux, mais jusque-là, l'arme n'était pas chargée. Leur fils, qui avait une dent contre sa mère, avait chargé le fusil en espérant que son père la tue !

## 1 – Un plongeur... alpiniste !

En Grèce, l'île de Thassos subit un violent incendie. Des Canadair sont envoyés sur place pour tenter de contenir l'incendie. Une fois le feu maîtrisé, les secouristes partent à la recherche des victimes. Ils ne devaient certainement pas s'attendre à découvrir un plongeur au sommet d'une montagne ! Selon les explications fournies, l'homme nageait tranquillement dans la mer quand il s'est fait aspirer par un Canadair... qui l'a ensuite largué avec son chargement !

# Birthday

Vous avez tout organisé pour l'anniversaire de votre meilleure amie mais, au dernier moment, vous vous apercevez que **vous avez oublié les bougies**… Ne vous apitoyez pas sur votre sort et dépêchez-vous de télécharger l'application Birthday ! Choisissez l'âge de votre meilleure amie et apportez-lui votre iPhone en même temps que son gâteau. **En soufflant sur le micro du téléphone, elle pourra faire s'éteindre les bougies !**

Cela fonctionne également si vous devez fêter votre anniversaire tout seul et sans bougie…

Disponible sur iPhone, iPod Touch
et iPad – Gratuit

# Faites venir vos groupes de musique à vous !

Vous êtes fan d'un groupe de musique encore assez confidentiel ? Ou alors vous êtes déçu de voir que votre star préférée ne passe jamais dans une salle de concert proche de votre domicile ? Nous avons déniché deux sites pour faire bouger (musicalement) les choses !

Le premier se nomme Koalitick. Ici, vous pouvez préréserver un concert proposé par des organisateurs. **Dès que le nombre de souscripteurs requis est atteint, le concert a lieu.** En revanche, si ce nombre n'est pas atteint, aucune somme d'argent ne vous est débitée.

Beelivers est le second. **Pas de panique, cela n'a rien à voir avec Justin Bieber !** Ici, vous créez un profil dans lequel vous indiquez votre ville de résidence. Ensuite, vous tapez le nom du groupe que vous aimeriez voir en concert dans votre ville. Les professionnels de la musique suivent ce site et dès qu'une demande est forte, ils essaient de programmer un concert proche de votre domicile. Quand cela se concrétise, un e-mail vous est envoyé afin de ne surtout pas louper l'événement !

www.koalitick.com
www.beelivers.com

# Trop facile de pirater la Banque de France !

Voilà ce qu'a dû se dire un habitant de Fougères, en Ille-et-Vilaine. Sans même s'en rendre compte, cet homme a réussi à neutraliser le service de surendettement de la Banque de France, pourtant réputé très protégé, pendant deux jours ! Comment a-t-il fait ? Tout simplement **en tapant 123456 en guise de mot de passe !** Hallucinant, non ?

En 2008, cet homme, vivant du RSA, passait une bonne partie de son temps sur Internet. Un beau jour, il a trouvé un site donnant des codes d'accès permettant de contourner les numéros de téléphone surtaxés. Ni une ni deux, il s'est rendu sur ce qu'il croyait être le site de Skype mais qui s'est en fait avéré être celui de la Banque de France. « Lorsqu'on lui a demandé le mot de passe, il a rentré 1 2 3 4 5 6 et c'était le bon. **Un enfant de 10 ans aurait été capable de pirater le site de la Banque de France !** Il n'a jamais voulu bloquer le système », a expliqué son avocate, Me Hélène Laudic-Baron.

Jugé par le tribunal correctionnel de Rennes en 2010, l'homme a été relaxé.

Suite à cette affaire, en 2012, *Le Canard Enchaîné* a mené sa petite enquête. Il s'est avéré que les plateformes des ministères de l'Emploi, de l'Économie, du Redressement productif et de la Fonction publique étaient elles aussi très mal sécurisées. En effet, pour se connecter en tant qu'administrateur, il suffisait de taper password en guise de mot de passe. En théorie, ce n'est plus le cas aujourd'hui.

Un disciple s'en va trouver son maître spirituel pour quelques conseils :

– Très sage et très honorable Maître, pourriez-vous m'enseigner quelle est la différence entre une perle et une femme ?

– La différence, humble petit scarabée, c'est que **tu peux enfiler une perle des deux côtés**. Alors qu'une femme, c'est seulement d'un côté.

– Mais Maître, honte à moi de vouloir contredire votre himalayenne sagesse, mais j'ai entendu dire que certaines femmes se laissaient enfiler des deux côtés !

– **Alors, ce n'est pas une femme, c'est une perle.**

# SÉLECTIONNÉES PAR **JEAN-CLAUDE DREYFUS**

Avant, le CAPITAINE CROCHET s'appelait le CAPITAINE MAIN ?

Je me demande si, à TAHITI, ils se lavent au PAS-DE-CALAIS DOUCHE.

Qu'est ce qui va plus vite qu'un HANDICAPÉ ? Un HANDICAPÉ MOTEUR.

Comment repère-t-on les TOILETTES pour dames en Écosse ?

Si je vous dis qu'il n'existe aucun LÉGUME commençant pas la lettre J, pourquoi allez-vous quand même en chercher un ?

Pourquoi la CIGARETTE fait-elle un tel TABAC ?

# QUESTIONS À LA CON

Pourquoi n'y a-t-il aucune **PUBLICITÉ** sur les **COTONS-TIGES** à la télé ?

Quand les **FOURMIS** restent immobiles trop longtemps, ressentent-elles des **HUMAINS DANS LES JAMBES** ?

Un **INCINÉRÉ** peut-il se retourner dans sa **TOMBE** ?

Comment font les **AVEUGLES** pour savoir qu'ils ont terminé de se **NETTOYER** quand ils vont aux **TOILETTES** ?

S'il fait **0°C** et que la **MÉTÉO** annonce deux fois plus froid pour le lendemain, quelle sera la **TEMPÉRATURE** ?

Pourquoi le vainqueur du **TOUR DE FRANCE** ne fait-il jamais un **TOUR D'HONNEUR** ?

Pourquoi les **KAMIKAZES** portent-ils des **CASQUES** ?

Un homme **COURTOIS** doit-il, avant d'entrer dans la mort, faire passer sa **FEMME** avant lui ?

## QUESTIONS À LA CON

Pourquoi est-il plus **FACILE** de faire sortir le dentifrice du **TUBE** que de l'y faire **RENTRER** ?

On ne frappe pas un **ENNEMI À TERRE**. Mais alors, quand ?

Si mon **CLONE** me tue, est-ce un **SUICIDE** ?

Pourquoi ne voit-on jamais **D'AVEUGLES** dans un **CAMP DE NUDISTES** ?

Comment savoir si mon **ROQUEFORT** est en train de **MOISIR** ?

Si ce sont les **MEILLEURS** qui partent les **PREMIERS**, que penser des **ÉJACULATEURS PRÉCOCES** ?

On dit que seulement **DIX PERSONNES** au monde comprendraient **EINSTEIN**.
Personne ne me comprend.
**SUIS-JE UN GÉNIE** ?

Aux jeux **PARALYMPIQUES**, y a-t-il des stationnements pour les personnes non **HANDICAPÉES** ?

Pourquoi les **PIZZAS** sont-elles livrées dans des **BOITES CARRÉES** ?

Comment se fait-il que la **COLLE** ne **COLLE** pas à l'intérieur du **TUBE** ?

Pourquoi le **JUS DE CITRON** est-il fait de saveurs artificielles, tandis que le **LIQUIDE VAISSELLE** est fait avec de **VRAIS CITRONS** ?

**POURQUOI** y a-t-il écrit « fin » à la fin des **FILMS** et pas « début » au **DÉBUT** ?

Vous avez remarqué que tout ce qui se passe dans le **MONDE** au cours d'une **JOURNÉE** rentre parfaitement dans un **JOURNAL** ?

Mais que foutait **DIEU** avant la **CRÉATION** ?

Les **SOURDS**, quand ils pètent, est-ce qu'ils savent que ça fait du **BRUIT** ?

Si le **SEXE** est ce qu'il y a de plus naturel au monde, pourquoi existe-t-il autant de **LIVRES** sur le sujet ?

# QUESTIONS À LA CON

Quand un **DIABÉTIQUE** meurt carbonisé, ça sent le **CARAMEL** ?

Pourquoi le mot « **PHONÉTIQUE** » ne s'écrit-il pas avec un « **F** » ?

Pourquoi, quand je me **LAVE**, ce putain de rideau de douche veut-il à tout prix se **COLLER À MOI** ?

Que s'est-il passé en **L'AN 40** pour que tout le monde **S'EN FOUTE** à ce point ?

Si voler en **AVION** est si sûr, pourquoi appelle-t-on un **AÉROPORT**, le « **TERMINAL** » ?

Sur les **BOITES POUR CHATS**, on retrouve parfois la mention « **SAVEUR AMÉLIORÉE** ». Quelqu'un a-t-il déjà goûté pour savoir si c'était **VRAI** ?

Pourquoi les **FEMMES** ouvrent-elles grand la bouche quand elles se **MAQUILLENT LES YEUX** ?

Si **ARETHA FRANKLIN** épouse **SEAN CONNERY**, osera-t-elle s'appeler **ARETHA CONNERY** ?

Si on se penche sur son **PASSÉ** et qu'il n'y a pas de **GARDE-FOU**, tombe-t-on dans **L'OUBLI** ?

# Twitter et nous...

**200 millions**, c'est le nombre d'utilisateurs actifs sur Twitter.

**53 %** des utilisateurs mondiaux sont des femmes, contre seulement **40 %** en France.

Environ **75 %** des utilisateurs possèdent un iPhone.

**81,1 %** des usagers comptent moins de 50 followers et **6 %** n'ont carrément aucun follower !

**208**, c'est le nombre moyen de followers d'un profil sur Tweeter, un chiffre possible grâce aux mastodontes comme Lady Gaga avec ses 30 millions d'abonnés !

Les femmes ont une moyenne de **610** tweets, contre **567** pour les hommes.

**22 %** des femmes ont un fond d'écran violet, **13,9 %**, un fond d'écran rose, **13,7 %**, un marron, **12,1 %** ont préféré la sobriété du noir et **11,2 %**, le Bondi Blue, le bleu turquoise des premiers iMac.

*Sources avril 2013 : GigaOM.com et Beevolve.com*

Expatriée à Strasbourg, une bande de faussaires belges travaille nuit et jour pour mettre au point et imprimer de faux billets en euros. Plusieurs mois plus tard, ils ont enfin terminé. Leur technique est parfaite... jusqu'à ce que l'un d'eux se rende compte qu'**ils ont créé des billets de 18€ et que cette coupure n'existe pas en Europe**! D'un commun accord, ils décident de retourner dans leur pays natal, l'endroit le plus adapté pour écouler ce genre de billets selon eux.

Le petit groupe prend la route et se présente dans la première épicerie après la frontière en demandant la monnaie sur un billet de 18€.

La caissière ouvre son tiroir-caisse et leur demande:
**« Qu'est-ce que vous préférez: deux billets de 9 ou trois billets de 6? »**

# SUDOKU

*Niveau moyen*

| | | | | | | | | |
|---|---|---|---|---|---|---|---|---|
| | | | | 7 | 3 | | | 8 |
| 1 | 3 | | 5 | | | | | 7 |
| | | | 6 | 8 | | | 2 | 3 |
| 4 | | | | | | | 5 | |
| | 7 | | | 5 | | | 4 | |
| | 5 | | | | | | | 2 |
| 3 | 1 | | | 4 | 7 | | | |
| 5 | | | | | 6 | | 7 | 9 |
| 7 | | | 3 | 2 | | | | |

*Solution page 680*

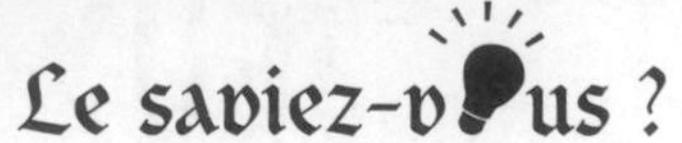


# Top 10 des friandises américaines les plus insolites !

10 – ***Zombie Mints***, des pastilles à la menthe… au doux parfum de cerveau, comme le précise la boîte !

9 – ***Roast Beef Bubble Gum*** : des chewing-gums au rôti de bœuf.

8 – ***Bacon Frosting***, un tube de nappage pour gâteaux au bon goût de… bacon !

7 – ***Alligator Cajun Style***, de la viande d'alligator en boîte de conserve.

6 – ***Les Fugu Mints***, qui sont des bonbons à la menthe. Au Japon, le fugu est un poisson dont la préparation nécessite d'avoir été agréée par l'État. Une mauvaise préparation et ce plat raffiné devient mortel !

5 – ***Delicious Onion Ring Mints***, soit des pastilles à la menthe aromatisées aux beignets de rondelles d'oignon. Aucune garantie n'est offerte sur l'haleine…

4 – ***Pickle Gumballs***, des chewing-gums aux cornichons.

3 – ***Buffalo Wing Soda***, un soda à la côte de buffle. Avec nos chicken wings, on fait bien pâle figure en France face à eux !

2 – ***Bacon Toothpaste***, même le dentifrice peut être parfumé au bacon outre-Atlantique.

1 – ***Thanksgiving Gumballs***, ou comment s'offrir un véritable repas de Thanksgiving à base de chewing-gums. À l'intérieur, on trouve trois goûts différents : dinde, airelles et tarte à la citrouille !

# RunKeeper

Si vous faites partie de ceux qui se disent souvent **« Demain je fais du sport ! »** et qui ont toujours mieux à faire le moment venu, l'application RunKeeper est faite pour vous. En mémorisant toutes vos performances, elle vous donnera la motivation de vous surpasser à chaque fois ! Vous aurez les statistiques détaillées de votre rythme de course, de la distance parcourue, des calories brûlées…

**Le tout étant de réussir à se motiver la première fois !**

Disponible sur iPhone, iPod Touch et iPad – Gratuit

# Les 10 villes les plus chères du monde (2012)

Vous en avez marre de vivre au même endroit ? Vous avez le projet de partir loin de chez vous ? De reconstruire votre vie ailleurs ? Très bien... Mais, avant de vous lancer, regardez ce ***top 10 des villes les plus chères du monde***, établi par l'Economist Intelligence Unit. L'agence britannique a pris en compte le coût de la vie dans 131 villes du monde sur les bases du logement, de l'approvisionnement en nourriture, des transports, de la santé, des loisirs...

10. Genève, Suisse (-7)
9. Caracas, Venezuela (+25)
8. Paris, France (-2)
7. Zurich, Suisse (-6)
6. Singapour, République de Singapour (+3)
4ex-æquo. Melbourne, Australie (+4)
4ex-æquo. Oslo, Norvège (+1)
3. Sydney, Australie (+4)
2. Osaka, Japon (+1)
1. Tokyo, Japon (+1 place)

## Alors, si votre budget est restreint, pourquoi ne pas regarder du côté des 10 villes les moins chères du monde ?

10. Téhéran, Iran
9. Djeddah, Arabie Saoudite
8. Panama City, Panama
7. Colombo, Sri Lanka
5ex-æquo. Bucarest, Roumanie
5ex-æquo. Alger, Algérie
4. Katmandou, Népal
3. New Delhi, Inde
1ex-æquo. Mumbai, Inde
1ex-æquo. Karachi, Pakistan

# Un tueur à gages tombe amoureux de sa cible… et maquille le crime !

**L'amour fait faire des folies**. Ainsi, un tueur à gages de Pindobaçu, au Brésil, engagé pour régler son compte à une jolie jeune femme… en tombe éperdument amoureux ! Pour toucher l'argent du contrat, le couple met en scène un faux meurtre. Mais voilà : la commanditaire s'aperçoit de la supercherie et décide alors d'agir en portant plainte pour **« non-exécution de contrat rémunéré » !** Ni une ni deux, Maria Nilza Simoes est aussitôt arrêtée pour tentative d'assassinat !

Quand elle a engagé Carlos pour tuer Iranildes Araujo Aguia, qu'elle soupçonnait d'être la maîtresse de son mari, elle ne s'attendait pas à ce dénouement improbable. D'ailleurs, quand Carlos a accepté le contrat moyennant 400 euros, il ne s'attendait pas non plus à tomber fou amoureux de sa cible ! Comme l'amour est plus fort que tout, **les deux amants ont décidé de maquiller le crime à coups de ketchup et machette.** Des photos du « corps » d'Iranildes ont été envoyées à Maria qui, satisfaite, a payé le tueur à gages. L'histoire aurait pu s'arrêter là. Mais Maria a croisé, dans les rues de Pindobaçu, Iranildes et Carlos se promenant main dans la main (au moins, elle est sûre que sa rivale n'a pas de vue sur son mari). Mécontente de s'être fait rouler, elle s'est alors dirigée droit au commissariat… et vous connaissez la suite. Mais il y a encore une suite à cette suite : les deux amants ont été arrêtés… pour escroquerie ! Ah, ils sont forts ces scénaristes brésiliens. Quoi ? C'est pas une telenovela ?

Le samedi matin, **c'est jour de marché à Oyonnax**, une petite bourgade du fin fond de l'Ain. Annette, qui en a marre d'y aller toute seule, motive son mari pour qu'il s'y rende avec elle. Contre toute attente, il accepte. Une fois arrivés sur place, Annette propose que le couple se sépare pour gagner un peu de temps :

– Tu peux aller acheter une brique de crème, s'il te plaît ? **Et s'il y a des œufs, prends-en six !**

Une demi-heure plus tard, le couple se retrouve :

– Mais, pourquoi t'as acheté six briques de crème ?

– Ben, parce qu'il y avait des œufs !

# Les Craypions 2012 !

On trouve de très belles productions sur le Net… Tout comme d'autres complètement ringardes ! C'est de ce constat que sont nés les Craypions, du nom de leur créateur. Ce concours, **« sans moquerie mais avec une franche sympathie »**, est annuel. Pour chaque édition, les internautes peuvent soumettre les sites Web qu'ils trouvent dignes de recevoir ce prix… récompensant des sites « venus d'ailleurs, aux couleurs chatoyantes et au look qui pique les yeux ».

Retour sur les résultats de 2012 :
* Le Craypion d'Or a été remis au site Internet de la ville de Beuzeville.
* Le Craypion du patrimoine a été décerné au site de l'élevage de yorkshires de Villardières.
* Le Craypion du site de service public est revenu au lycée Jean-Perrin de Lyon
* Le Craypion d'Or de la vidéo municipale a récompensé le Territoire de Thau.
* Le Craypion d'Or de l'analyse politique a été remis à Marie Roca pour la beauté de son texte « Un homme politique français reptilien ? »
* Le Craypion de l'article de presse en ligne a mis à l'honneur le journal *Le Dauphiné* pour l'information titrée **« Un castor mort, assommé par un arbre »**. Le journal doit ce prix au « regard acerbe et sans concessions sur une actualité souvent ignorée ».

# Comment savoir qui couche le premier soir ?

« Aimez-vous le goût de la bière ? ». « Messieurs, ne penseriez-vous pas qu'en un sens, une guerre nucléaire serait une expérience intéressante ? ». Voilà deux questions que vous feriez mieux de mémoriser afin de pouvoir les poser lors de votre prochain rendez-vous amoureux. **Si votre « cible » répond par l'affirmative, il y a de très grandes chances qu'elle accepte de coucher le premier soir !**

C'est en tout cas ce que révèle le site de rencontres *OkCupid*. Pour s'y inscrire, il faut répondre à un florilège de questions (parfois embarrassantes) et donner les réponses que vous toléreriez de la part de votre potentielle future partenaire. L'étude de ces données a permis aux concepteurs d'OkCupid d'en conclure que c'est ce genre de questions qu'il faut poser.

# Trainyard Express

Sans grande prétention, le jeu de stratégie Trainyard Express a déjà séduit de nombreux utilisateurs. L'apparence est aussi simple que son principe : des trains colorés partent d'une gare et doivent arriver dans la gare de la même couleur qu'eux. Pour ce faire, c'est à vous de tracer leur itinéraire… **Mais attention aux carambolages !**

Minuté et très addictif, ce jeu saura vous occuper de longues heures durant.

Disponible sur iPhone, iPod Touch et iPad – Gratuit

# Quel âge ont ces célébrités ?

Reliez chaque célébrité à son âge en 2014.

| | |
|---|---|
| Charles Aznavour | 82 ans (30 août 1932) |
| Geneviève de Fontenay | 89 ans (26 juillet 1925) |
| Michou | 86 ans (2 juillet 1928) |
| Gérard Hernandez | 90 ans (22 mai 1924) |
| Jeanne Moreau | 83 ans (18 juin 1931) |
| Robert Hirsch | 85 ans (18 août 1929) |
| Michel Galabru | 94 ans (29 février 1920) |
| Juliette Gréco | 87 ans (7 février 1927) |
| Hugues Aufray | 86 ans (23 janvier 1928) |
| Line Renaud | 92 ans (27 octobre 1922) |
| Jean Piat | 81 ans (20 janvier 1933) |
| Michèle Morgan | 90 ans (23 septembre 1924) |

***Réponses page suivante***

# Réponses :

**Charles Aznavour** : 90 ans (22 mai 1924)

**Geneviève de Fontenay** : 82 ans (30 août 1932)

**Michou** : 83 ans (18 juin 1931)

**Gérard Hernandez** : 81 ans (20 janvier 1933)

**Jeanne Moreau** : 86 ans (23 janvier 1928)

**Robert Hirsch** : 89 ans (26 juillet 1925)

**Michel Galabru** : 92 ans (27 octobre 1922)

**Juliette Gréco** : 87 ans (7 février 1927)

**Hugues Aufray** : 85 ans (18 août 1929)

**Line Renaud** : 86 ans (2 juillet 1928)

**Jean Piat** : 90 ans (23 septembre 1924)

**Michèle Morgan** : 94 ans (29 février 1920)

Un couple de Français, en voyage en Algérie, s'arrête faire une pause dans un café. Ils commandent un thé et deux croissants. Son croissant étant sec, l'homme s'adresse au serveur :

– Il est d'hier, ce croissant ?

– Ah ! Tu veux un croissant d'aujourd'hui ?

– Ben oui... Je préférerais largement !

**– Eh ben, tu reviens demain !**

# LES PSEUDOS DES STARS VOULANT PASSER INCOGNITO

Après avoir tout fait pour devenir célèbres, les stars aiment pouvoir partir en vacances incognito. D'ailleurs, elles aiment particulièrement voyager sous de faux noms. En voici quelques-uns :

– Yves Saint-Laurent voyageait sous le pseudonyme de M. Swann.

**– Justin Bieber adopte le nom de Chandler Bing, en référence à la série *Friends*.**

– Brad Pitt et Angelina Jolie deviennent Bryce et Jasmine Pilaf.

– Kristen Stewart ose carrément changer de sexe en devenant Chuck Steak !

– Justin Timberlake se fait appeler M. Woodpond.

**– Johnny Depp réserve ses hôtels sous le nom de Drip Noodle.**

– Tom Cruise utilise l'identité de Cage Hunt.

– Usher a choisi l'alias M. Dinero.

– Ben Stiller a opté pour Clyde Tibenus.

– Jay-Z se fait passer pour Frank Sinatra.
**– George Clooney loue ses chambres sous le nom d'Arnold Scharzenegger.**
– Mila Kunis devient Señor Pants.
– Chris Rock est Slappy White lorsqu'il est en déplacement.
– Fergie voyage sous le nom de Penny Lane, en hommage à la chanson des Beatles.
– Kate Beckinsale se transforme en Sigourney Beaver (*beaver* signifiant « castor », en anglais).

La famille Kardashian est hors compétition tant ses membres sont allés loin dans leur recherche de pseudonymes. **Kim Kardashian se fait passer pour Ava Tar**, Kourtney Kardashian a choisi Betty White comme alias, leur sœur Khloe devient Joe Dash (la combinaison du prénom du père de son mari avec le nom de sa collection de vêtements). La palme du sobriquet revient tout de même à leur maman, Kris Jenner, qui a opté pour Snow White, soit Blanche-Neige en français !

*Source* : US Weekly

Un jour, alors que je me rendais
à Notre-Dame,

J'ai croisé la femme aux 12 enfants.

Chaque enfant avait 12 grandes
peluches ;

Dans chaque grande peluche
se cachait un jouet.

Femme, enfants, peluches, jouets ;

Combien allaient à Notre-Dame ?

**Solution**

Moi seul ! Les autres en revenaient, je vous l'ai dit !

# On peut estimer l'âge d'une girafe grâce à ses taches

Des naturalistes de Zambie et du Japon ont démontré qu'il était possible d'estimer l'âge d'une girafe mâle d'après ses taches. Ils ont ainsi constaté que ces marques sur la peau commençaient à devenir plus sombres quand l'animal avait 7 ou 8 ans. **Elles deviennent noires à ses 10 ans, au moment de la maturité sexuelle.** « La principale contribution de notre travail est que nous pouvons associer des âges spécifiques aux changements de couleur de la robe, qui fournissent une sorte de bio-marqueur du vieillissement chez les girafes », a expliqué le Pr Bercovitch à la BBC. Selon lui, ce changement de couleur serait une « annonce publique signalant aux autres girafes qu'un mâle est pubère ». L'information est passée !

*Source : maxisciences.com*

Jordan, 17 ans, raccompagne sa petite amie chez elle après avoir passé la soirée en amoureux, au cinéma. Arrivés à la porte d'entrée de l'immeuble, il pose une main contre le mur et lui dit en la prenant par la taille :

– Bébé, fais-moi une petite pipe pour m'aider à tenir jusqu'à la semaine prochaine, s'il te plaît…

**– Quoi ? Mais t'es cinglé ?!?!?!**

– S'il te plaît… Il n'y en a pas pour très longtemps…

– Non ! Quelqu'un pourrait nous voir… Imagine, si mon frère arrive là…

– Mais non, à cette heure, il est déjà rentré, tu le sais !

– Bon, arrête d'insister : je te l'ai déjà dit c'est NON, NON et NON !

– Allez mon cœur, c'est juste une petite pipe, quoi… Je sais que tu aimes ça, toi aussi…

**– NON ! J'ai dit NON!!!**

– Enfin chérie… Sois sympa avec moi. Je vais passer toute la semaine sans te voir, seul à l'internat…

À ce moment-là, la sœur cadette ouvre la porte d'entrée. Elle est en pyjama, les cheveux en bataille, les yeux rouges de fatigue. Elle lui dit :

– Papa m'a dit de te dire : soit tu lui tailles une pipe, soit moi, je lui fais une pipe, soit il rentre à la maison et papa lui fait une pipe, mais pour l'amour de Dieu, dis à ton petit ami de retirer sa main de l'interphone !

# Les Français et l'hygiène...

Plus de 20 % des Français ne se lavent pas les mains avant de s'apprêter à manger.

12,5 % des Français ne se lavent pas les mains après être passés aux toilettes.

20 % des Français ne prennent une douche qu'un jour sur deux, voire moins.

Alors que 54 % des Français trouvent que la barre de métro ou de bus est l'objet le moins propre de la vie courante,
55 % avouent ne pas se laver les mains systématiquement après avoir emprunté les transports en commun.

Les Franciliens font un peu plus attention à leur santé puisque 57 % d'entre eux se lavent les mains après chaque voyage en transports en commun.

*Source : Sondage réalisé par BVA pour la marque Tork*

# L'insolite chez les animaux

Les **girafes** ne dorment que 2h par jour, debout, et pas plus de 3minutes d'affilée, afin de pouvoir surveiller l'horizon en permanence.

Pour dormir, les **loutres** se tiennent la patte pour éviter d'être séparées pendant leur sommeil.

Un **crocodile de Bornéo** a été baptisé Hollande en l'honneur du président français. Il pèse une demi-tonne, mesure 4mètres et demi... mais n'a aucune dent!

Pour goûter, les **papillons** utilisent leurs pattes!

Alors qu'on les pensait adorables, les **koalas** deviennent très cruels lorsqu'on les dérange pendant leur sieste. Ils émettent alors un violent son, proche de celui des cochons, pour défendre le lieu où ils se reposent de 16 à 18h quotidiennement.

La Norvège a déjà fait chevalier un **manchot**: Sir Nils Olav, colonel de la garde royale norvégienne.

# AVPlayerHD

L'un des défauts de l'iPad est de ne pas pouvoir lire tous les formats vidéos…

Et il faut bien dire qu'il est usant de télécharger un nouveau logiciel à chaque fois que l'on veut lire un format différent. Télécharger AVPlayerHD vous permettra de résoudre tous ces soucis en même temps. **Toutes vos vidéos seront lues de manière fluide, sans à-coups et avec les sous-titres**, si vous aimez regarder vos films en VOST-FR, pour votre plus grand plaisir !

À vous les soirées ciné sous la couette et sans prise de tête !

Disponible sur iPad – 2,69 €

# Les hôtels les plus insolites du monde

À l'heure de partir en voyage, on a toujours envie d'être original, de se faire plaisir tout en épatant famille et amis. Voici une petite sélection d'hôtels plus originaux les uns que les autres :

## Une nuit dans un colon

Le *WC Book* ne pouvait passer à côté de ce Bed & Breakfast très original ! Oui, vous avez bien lu, nous vous proposons de dormir dans un hôtel-intestin répondant au doux nom de Casa Anus. Construite en polyester et peinte avec des couleurs fort suggestives par l'atelier AVL, cette création artistique permet de dormir dans une reproduction d'un gros intestin de 10 m de long. Après avoir emprunté une passerelle, vous atterrirez sur un petit îlot appartenant à la Fondation Verbeke où a été déposée cette chambre d'hôte très insolite. À l'intérieur (totalement blanc, rassurez-vous !), vous disposerez de l'électricité, de l'eau courante, de toilettes et même d'une douche !

Tarif : 120 € la nuit pour deux personnes avec petit déjeuner

**CASA ANUS**

Westakker

9190 Kemzeke (Stekene)

Belgique

Tél : 0032 (0)3 789 22 07

http://www.verbekefoundation.com/casanus_joep_van_lieshout.html

## Un retour aux sources

Dans ce monde ultra moderne où l'on ne sait plus vivre sans téléphone ni Internet, il devient important de se ressourcer dans un paysage naturel et silencieux. Le Carré rouge est un immense cube posé au milieu d'un champ, face à un étang, dans lequel on peut vivre à six personnes. La face sud de cette œuvre d'art signée Gloria Friedmann a été peinte en rouge, tandis que la face nord est complètement vitrée sur ses deux étages. Ici, la part belle est faite à la nature. On savoure ces moments d'intense tranquillité, au milieu de nulle part... et sans eau courante, ni électricité.

Tarif: 130€ le week-end plus 30€ par jour supplémentaire ou 280€ la semaine

**LE CARRÉ ROUGE**

Route de Santenoge

52160 VILLARS-SANTENOGE

Tél: 03 25 84 22 10

## Une nuit en prison

Amateurs de sensations à la fois luxueuses et hors du commun, rendez-vous vite au Het Arresthuis! Comme vous l'avez sûrement deviné, il s'agit d'une ancienne prison... réhabilitée en hôtel de luxe! Les coursives et les imposantes portes de cellules ont été conservées et transformées en un établissement plein de charme. En séjournant dans cet hôtel pour le moins original, vous pourrez dîner dans son restaurant gastronomique, vous détendre au sauna et profiter de pass VIP pour les magasins de l'Outlet Center, situé à deux pas. Si votre anniversaire a lieu au cours de votre séjour, n'hésitez pas à le dire à la réception: une belle surprise vous attendra!

Tarif: 129€ la nuit

**HET ARRESTHUIS**

Pollartstraat 7

6041 GC Roermond

Pays-Bas

Tél: +31 475 870 870

www.hetarresthuis.nl

## Un séjour minimaliste

La douceur des nuits dans les hôtels habituels vous a lassé? Optez donc pour le Das Park Hotel, en Autriche. Le concept est aussi simple qu'insolite: vous faire dormir dans un énorme cylindre de béton! Les nuits sont rustiques car le confort se résume à un lit deux personnes, une lampe, un petit rangement, une fresque murale et un hublot pour voir le ciel. Lors de votre réservation, un code vous est transmis : gardez-le précieusement puisqu'il vous servira à déverrouiller la porte de votre chambre. Le prix est tout à fait abordable... puisque c'est « à vot' bon cœur »! Vous ne payez rien lors de la réservation et vous laissez la somme que vous souhaitez en repartant.

Tarif : à définir vous-même

**DAS PARK PIPE HOTEL**

Donaulände 21

4100 Ottensheim

Autriche

Tél : 0650 8415850

www.dasparkhotel.net

## Une haute nuitée

On a tendance à dire que les amoureux planent, qu'ils sont sur leur petit nuage... Et si vous preniez ce cliché à la lettre en dormant en haut d'une grue ? C'est en tout cas possible dans le port d'Harlingen, aux Pays-Bas. Empruntant l'ascenseur de l'édifice, vous vous envolerez à 17 m de hauteur pour découvrir les 60 m² de la salle des machines, réhabilitée en une chambre très confortable. La vue est à couper le souffle... D'autant que vous pouvez en changer à tout moment, grâce à la cabine du grutier et à sa commande permettant de faire pivoter la grue à 360° ! Le matin, votre petit déjeuner vous sera envoyé via l'ascenseur et vous pourrez le déguster sur la terrasse à votre disposition.

Tarif : 319 € la nuit pour deux personnes

**GRUE DE HARLINGEN**

Dokkade 5

8860 Harlingen

Pays-Bas

Tel : + 31 (0) 517 414410

www.vuurtoren-harlingen.nl

# Et si vous visitiez une entreprise ?

Les musées et leur apparente rigidité en font fuir plus d'un. **Alors, pourquoi ne pas vous instruire de manière ludique en partant à la découverte d'entreprises françaises ?** Que vous soyez à la maison ou sur votre lieu de vacances, vous devriez facilement trouver un professionnel acceptant de vous ouvrir ses portes, sur le site www.entrepriseetdecouverte.fr. Plus de 5000 entreprises partout en France sont disposées à vous faire visiter leurs locaux et à partager avec vous la passion de leur métier. Le top 5 des secteurs d'activités les plus impliqués sur ce site est composé de l'alimentaire (35 %), l'artisanat (20 %), l'agriculture et la pêche (11 %), les vins et spiritueux (10 %) et les industries technologiques (10 %).

Chaque société fixant le tarif de la visite et sa durée, à vous de partir en repérage pour allier connaissance, petit prix ainsi qu'une dimension participative et ludique !

www.entrepriseetdecouverte.fr

Quand il est cloche,

il ne sonne pas.

Quand il est melon,

on ne le mange pas.

Qui est-il ?

**Solution**

Le chapeau.

À Bouxwiller, en Alsace, Mme Schneider retrouve sa voisine, Mme Kieffer :

**– Bouchour màdàm Kieffer ! Commend allez-fous ?**

– Àh, bouchour màdàm Schneider ! Ça fa bien, merchi !

– Et comment fa fotre petite chienne ?

– Yé ! Elle a eu des petits.

– Décha ?

– Non, des chiots !

• J'ai une vie sexuelle très chargée : je me fais baiser par la vie chaque jour.

• Johnny :
L'idole déjeune, mais elle a dû changer de régime.

• Je pense que le mec qui a inventé le mot dyslexique devait détester les dyslexiques.

• Fini, les blagues antisémites. Je dois vous l'avouer : je suis moi-même juif. Ha, ha !
Je déconne. Sinon mon compte aurait été payant !

**• Si parfois tu te sens la chose la plus inutile sur Terre, pense à un couvercle de McFlurry !**

• Les cigarettes à 6 € ? Autant demander aux fabricants de les faire en forme de suppos, parce qu'à 6 €, ça m'fait franchement mal au C** !

**• J'ai vu un médicament anti-ronflement qui fonctionne en « lubrifiant la gorge », dès demain, je fais croire à ma copine qu'elle ronfle à mort !**

• Mika qui révèle son homosexualité, c'est un peu comme si on te révélait que, dans *Titanic*, le bateau allait couler !

• On ne fait pas d'homélie sans casser Dieu !

**• À force de vouloir ressembler à tout le monde, on finit par ne plus ressembler à rien…**

• Après Hollande comme président, il ne faudrait pas non plus prendre Harlem Désir pour une réalité !

**• Dans les semaines qui ont suivi l'affaire Lewinski, on pouvait lire sur les boîtes de cigares : « Usage externe exclusivement. »**

• Mario défonce des briques à mains nues mais meurt dès qu'il touche une tortue…

• Je me suis toujours demandé si un manchot transpirait sous les aisselles…

**• Le plus beau compliment qu'un homme puisse faire à une femme ? Je suis aussi bien avec toi que si j'étais tout seul.**

• Cacher un boudin sous une burqa, c'est halal ?

**• Il fait tellement chaud que t'as envie qu'Uma Thurman t'offre VRAIMENT un Schweppes plutôt qu'un plan cul.**

• Ikea lance une chaîne d'hôtels. Maintenant tu sais où démonter ta femme.

# Les records dont tout le monde se fout

Lorsqu'on ouvre le *Livre Guiness des records,* c'est souvent pour rechercher les records les plus absurdes et pouvoir dire : « Tu te rends compte ? Ce mec il a carrément fait ça ! » Avec l'application Les records dont tout le monde se fout, plus besoin de chercher, le tri a déjà été fait ! **Vous allez pouvoir animer les repas de famille en étonnant tout le monde avec vos informations insolites !** D'ailleurs, saviez-vous que le plus gros hamburger du monde pesait 84 kilos et qu'il était vendu 499$ dans le Michigan ?

Disponible sur iPhone, iPod Touch et iPad – Gratuit

# Combien d'espèces différentes d'animaux Moïse a-t-il emmené sur son arche ?

**Solution**

Aucune, ce n'est pas Moïse, c'est Noé !

Raymonde et Germaine, toutes deux ayant largement dépassé l'âge de la retraite, ont décidé de partir faire quelques courses ensemble. Elles sont donc sur la route, à l'avant d'une grosse voiture. L'une et l'autre sont de très petite taille : elles peinent à voir ce qui se passe au-dessus du tableau de bord.

À un moment, elles arrivent à une intersection et grillent un feu rouge.

Germaine, assise sur le siège passager, se dit :

**– Je dois perdre la tête : je jurerais qu'on vient de passer au rouge !**

Elle attend quelques minutes et la voiture arrive à un autre croisement. Là encore, le feu est rouge et, malgré tout, la voiture passe sans même ralentir ! Cette fois, elle sent la panique qui commence à la gagner et elle se promet de bien observer la route.

Au croisement suivant, là encore, le feu est rouge depuis quelques instants, mais la voiture passe comme s'il était vert. Alors Germaine se tourne vers sa copine à gauche et lui hurle :

– Mais enfin Raymonde ! Ça fait trois feux rouges que tu grilles à la file… Tu as manqué de nous tuer trois fois !

**– Ah bon ? C'est moi qui conduis ?!**

# « Les narcissiques s'approprient Facebook pour faire leur promotion »

« Les narcissiques s'approprient Facebook pour faire leur **promotion aux yeux des autres** » : telle est la conclusion de Laura Buffardi, doctorante en psychologie, qui a mené une étude sur les réseaux sociaux et le narcissisme. Elle a pu mettre en place un taux de narcissisme des utilisateurs de Facebook en se basant sur leur nombre d'amis et de publications. Selon la psychologue, les personnes s'aimant beaucoup ont tendance à avoir des amitiés « peu profondes » et des photos « bien plus glamour » que la moyenne. « **Les narcissiques, qui pullulent sur Facebook, se servent de leur entourage pour se mettre en avant.** Mais, sur le long terme, ils finissent par nuire non seulement à cet entourage mais également à eux-mêmes », conclut-elle.

Une étude que l'on peut rapprocher de celle de Kevin Wise, professeur en communication stratégique à l'École de journalisme du Missouri. Lui s'est intéressé au comportement des utilisateurs du réseau social et en a conclu : « Sur Facebook, le plaisir est surtout de partir à la chasse, une chasse aux nouveaux amis, et la quête d'une nouvelle existence, virtuelle. »

*Source* : Society for Personality and Social Psychology Bulletin *et* Cyberpsychology, Behavior, and Social Networking

# MOTS CROISÉS

### *Horizontalement*

1 : Décuiter
2 : Assiste – Terre émergée
3 : Partie d'un tout – Enlevas
4 : Anagramme de pire – Possessions
5 : Offre publique d'échange – Roche
6 : Embouchure du Tibre - Denses – Pas AM
7 : Écrivain hongrois – Supplément
8 : Argot américain – Prénom
9 : Semblable – Lourde infraction
10 : Infection du derme et de l'hypoderme

### *Verticalement*

A : Gouvernement tyrannique
B : Disperser
C : Crottée – Vague très violente
D : Célèbre pagode – Unités de mesure de force
E : Bière blonde anglaise – Dessinateur belge
F : Au centre du cœur – Femmes des fils – Code postal
G : Gros canards – Étendue d'herbes folles
H : Stratifies – Bande
I : Fougue – Perdu
J : Imiter

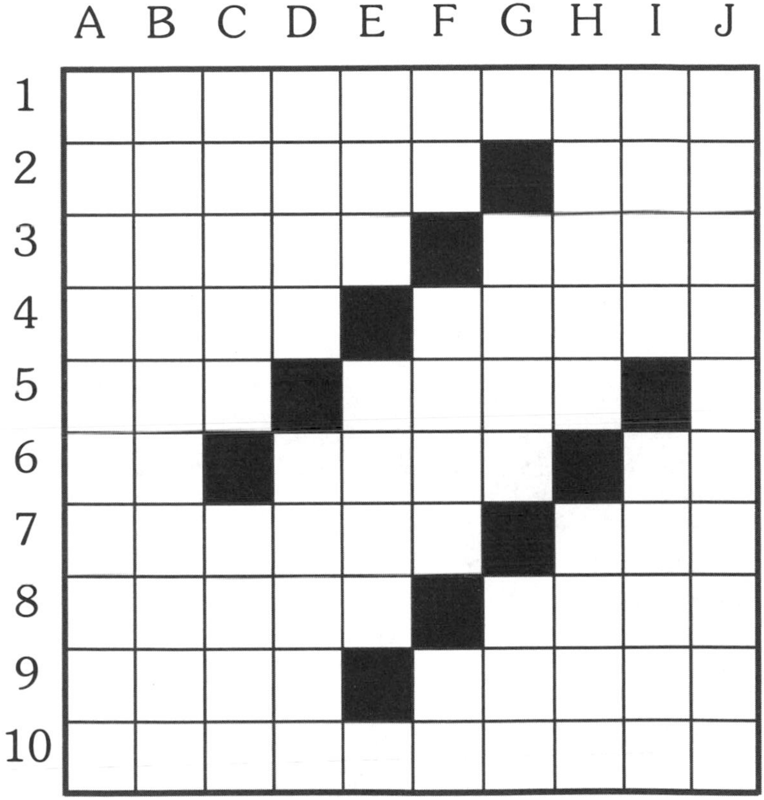

| | A | B | C | D | E | F | G | H | I | J |
|---|---|---|---|---|---|---|---|---|---|---|
| 1 | | | | | | | | | | |
| 2 | | | | | | | ■ | | | |
| 3 | | | | | | ■ | | | | |
| 4 | | | | | ■ | | | | | |
| 5 | | | | ■ | | | | | ■ | |
| 6 | | | ■ | | | | | ■ | | |
| 7 | | | | | | | ■ | | | |
| 8 | | | | | | ■ | | | | |
| 9 | | | | | ■ | | | | | |
| 10 | | | | | | | | | | |

***Solution page 678***

# Les massages bienfaisants faciles à faire chez soi

Si vous n'avez pas le temps ou que vous n'êtes pas décidé à sauter le pas et à aller en institut, pratiquez l'automassage à la maison ! Réflexologie plantaire, massage du visage, autostimulation des yeux… Autant de gestes simples qui contribuent chaque jour à l'éveil et au bon fonctionnement de l'organisme. Faciles à faire et efficaces, ils ne nécessitent que quelques minutes quotidiennes.

## Massage du foie

Tout d'abord, travaillez l'énergie de votre foie : posez les mains à plat sous la dernière côte, du côté droit du corps, à l'emplacement du foie. Imaginez qu'un courant d'énergie sort de vos mains et visualisez votre foie captant cette énergie afin de vous régénérer.

## La réflexologie plantaire

Massez les zones correspondant au foie et à la vésicule biliaire : ce sont les deux organes dont il faut prioritairement s'occuper pour éliminer les toxines.

## Le palming

Une minute suffit pour reposer et défatiguer les yeux !
Frottez vos mains pour y amener de l'énergie et les échauffer, puis placez-les en coque de chaque côté du nez afin d'entourer vos yeux d'un écran protecteur.

Vos paumes ne doivent pas appuyer sur vos globes oculaires. Profitez de cette pause dans l'obscurité pour imaginer que vos yeux roulent comme des billes. Concentrez-vous sur l'énergie qui passe de vos mains à vos yeux.
Quand vous souffrez de troubles ou de fatigue oculaires, frottez vos mains l'une sur l'autre. Faites ensuite glisser vos paumes et vos doigts sur vos yeux fermés de la racine du nez jusqu'aux tempes en massant délicatement vos globes oculaires.

# Urban Pulse

Si vous voulez sortir de chez vous mais que vous ne savez pas quoi faire, cette application totalement gratuite vous permet en un seul *touch* de **découvrir quelle activité branchée se trouve dans vos environs** et l'itinéraire à emprunter (en transports ou à pied). Vous aurez aussi la possibilité de connaître les nouvelles promotions, que vous auriez sans doute ratées, dans les commerces alentour. Vous pouvez même planifier vos sorties et les partager avec vos amis !

Cette application couvre actuellement les villes de Paris et sa région, Lyon, Avignon, Strasbourg, Rennes, Chambéry ainsi que Boston et New York ! Elle est annoncée très prochainement pour Marseille, Bordeaux, Nice, Cannes, Aix-en-Provence, Lille et Grenoble.

Disponible sur Android, iPhone, iPod Touch et iPad – Gratuit

## Et si nous mangions moins sainement que les Américains ?

En 2003, les Français de 3 à 17 ans consommaient 10,9 aliments différents sur trois jours.

En 2010, ils n'en mangeaient plus que 9,2 sur la même période.

Les Français ont un apport énergétique quasiment identique à celui des Américains, puisque nous consommons 2095 kilocalories, contre 2073 kilocalories aux États-Unis.

Le problème vient donc de la variété de notre alimentation.

En France, nous mangeons 6 fois plus de fromage qu'aux États-Unis, 5 fois plus de charcuterie, 4 fois plus de viennoiserie, 3 fois plus de viandes et d'œufs.

Les Américains consomment tout de même 4,5 fois plus de sodas que nous, et 3 fois plus de jus de fruits !

Autre facteur important à prendre en compte : outre-Atlantique, on passe 4 h 53 par jour devant sa télé. En France, on n'y reste « que » 3 h 47.

Résultat : aux États-Unis, 35 % des adultes sont obèses, contre « seulement » 15 % en France.

En 2008, la mortalité cardio-vasculaire française était de 190 pour 100 000.

Aux États-Unis, elle était de 290 pour 100 000.

*Source : Note de synthèse du Credoc (Centre de recherche pour l'étude et l'observation des conditions de vie)*

# La chienne la plus riche du monde

En France, on ne la connaît guère, mais Leona Helmsley, surnommée **« la reine des avares »** outre-Atlantique, a fait les beaux jours des tabloïds américains. L'épouse du magnat de l'immobilier, Harry Helmsley, dont l'empire comprenait la gestion de l'Empire State Building, avait un caractère bien trempé… et une fortune colossale.

À sa mort, **elle a choisi de léguer 12 millions de dollars à son bichon maltais**, baptisé Trouble (« ennuis » en français). Son frère, n'ayant reçu « que » 10 millions de dollars, devait s'occuper de la petite chienne. Pour se faire, il disposait de consignes très strictes laissées par sa propriétaire. Il faut dire que Trouble était habituée à une vie de luxe : **l'animal ne mangeait que dans des plats en argent ou en porcelaine**. Ses repas étaient constitués de poisson frais, de poulet, de carottes et d'épinards cuisinés par un chef ! Trouble est décédée en 2010. Elle devrait avoir rejoint un mausolée près de la tombe de sa maîtresse, comme celle-ci l'avait demandé. L'argent qui lui restait a été remis à l'association Leona et Harry Helmsley. De son vivant, Leona Helmsley avait quatre petits-enfants, mais seuls deux d'entre eux ont reçu à sa mort 5 millions de dollars, à la condition expresse qu'ils aillent se recueillir au moins une fois par an sur la tombe de leur défunt père. Ses deux autres petits-enfants n'avaient rien reçu « pour des raisons connues par eux ».

Il est difficile de condamner un automobiliste qui a écrasé un piéton parce qu'il téléphonait en conduisant, car, pour le coup, il avait un mobile !

J'espère que
tuas un
bon mobile...
Oui... Mais désolé,
là j'ai plus de
forfait !
Salim
NOURRIT

# Ricard : une marque française des plus innovantes !

*Forbes* a publié son classement 2012 des 100 entreprises les plus innovantes et, grande surprise : Pernod Ricard est dans le top 20 ! La marque à la célèbre boisson anisée est en effet classée à la 15e place. **Étonnant pour une entreprise qui vante une recette inchangée depuis 80 ans, non ?**

Un fait d'autant plus surprenant quand on regarde la suite du classement : Pernod Ricard devance des entreprises beaucoup plus jeunes et à la technologie bien plus avancée ! Par exemple, on retrouve Google à la 24e place, Apple à la 26e, L'Oréal à la 34e ou encore Dior à la 88e.

**Alors, qui a dit que le Ricard était ringard ?**

*Source* : Forbes

# Drivy ou le site de location de voitures écolo et pas cher !

Que vous viviez en ville ou à la campagne, que vous soyez propriétaire d'une voiture ou à la recherche d'une location, Drivy va vite devenir votre meilleur ami !

**Avoir une auto, c'est beaucoup de frais, sans pour autant l'utiliser chaque jour.** Alors pourquoi ne pas la mettre en location ? Sur Drivy, c'est gratuit. Vous publiez une annonce en indiquant où se trouve votre voiture, les jours où elle est disponible et le prix auquel vous souhaitez la louer. Les personnes intéressées pourront vous joindre via le site et ce sera à vous d'accepter ou non leur offre. Vous fixez ensuite un rendez-vous. Le locataire vous présente ses papiers et vous signez tous deux un contrat téléchargé sur le site. 70 % du prix de la location vous revient directement. Les 30 % restants servent au paiement du fonctionnement du site… et de l'assurance. Car, oui, passer par ce site, c'est bénéficier d'une assurance aussi bien pour le propriétaire que pour le locataire.

Une démarche écolo et financièrement avantageuse pour les deux parties, car **les tarifs n'ont rien à voir avec ceux pratiqués par les géants de la location de voiture**. Pour vous donner une idée, vous pouvez trouver des voitures dès 10 €/jour !

www.drivy.com

# Ruzzle

Ruzzle est le jeu qui va faire travailler vos méninges et celles de vos amis ! Avec les 16 lettres données à l'écran, **le but est de construire le maximum de mots comportant au moins deux lettres**. Plus le mot est long, plus vous gagnez de points. Mais, attention : pour que le mot soit validé, les lettres doivent être en contact via au moins un coin.

Et quand on commence à se mesurer à ses amis de Facebook et Twitter, comme l'application le permet, ce jeu devient rapidement très addictif.

**Disponible sur Android, iPhone, iPod Touch et iPad – Gratuit**

# Royaume-Uni : le « mystère de Barnes » résolu 132 ans plus tard !

Après la découverte d'un crâne près de Londres en octobre 2011, la victime d'un meurtre digne d'un feuilleton à l'anglaise a pu être identifiée et a permis à la police britannique de résoudre un crime commis 132 ans plus tôt !

**Il s'agit du crâne d'une veuve de 55 ans, qui avait été assassinée par son employée de maison en 1879.** Son identification a permis de résoudre le célèbre « mystère de Barnes » !

Il était enterré dans une boîte dans le jardin de David Attenborough, réalisateur pour la BBC. Sa propriété de Richmond, au sud-est de Londres, abritait à l'époque un pub anglais où la bonne se rendait régulièrement.

En 1879, Katie Webster, employée de maison, tue sa riche patronne, Julie Thomas : elle la pousse dans l'escalier puis l'achève en l'étranglant. **Elle découpe ensuite le corps à la hache, le fait bouillir… puis donne le gras à des enfants des environs !** Quelque temps après, une boîte contenant de la chair humaine et un pied de la victime avait été retrouvés flottant sur la Tamise.

Avant d'être arrêtée et condamnée à mort, Katie Webster a usurpé l'identité de sa patronne et même utilisé ses fausses dents ! Le genre d'histoire qu'on ne trouve que dans les séries noires… Et pourtant.

# Pourquoi dit-on… Pique-niquer ?

Il ne faut rien voir de vulgaire dans cette expression née au XVIIe siècle. À l'époque, « piquer » signifiait manger peu, picorer et **une « nique » était un élément peu cher**. Un pique-nique est donc un repas qui ne coûte pas très cher, puisque chacun apporte ce qu'il souhaite consommer, et au cours duquel on mange moins que d'habitude.

Simon, un jeune Juif du Marais rencontre dans son quartier une très belle fille. Il comprend qu'il a affaire à une Américaine.

– Bonjour mademoiselle, cela me plairait beaucoup d'avoir un rendez-vous avec vous demain.

– Never !

**– Never ? Never et demie… ?**

# PRATIQUEZ-VOUS LE COLIS-VOITURAGE ?

Pourquoi faire la queue à la poste et payer une somme astronomique pour envoyer un colis en France ou à l'étranger quand on peut faire du colis-voiturage ? Découvrez vite ce concept innovant et économique !

## LE COLIS-VOITURAGE : UN TRANSPORT ÉCONOMIQUE

Chaque jour, des milliers de personnes font des trajets à travers le pays. Alors, pourquoi ne pas profiter de ces déplacements pour leur faire transporter des colis ?

Une bonne occasion pour l'expéditeur et le « messager » de faire des économies. L'expéditeur contribue aux frais de route mais paie moins que s'il envoyait son colis par la poste, ou via un transporteur traditionnel s'il s'agit de colis lourds ou volumineux, donc très chers à envoyer par les moyens conventionnels.

De plus, on fait un geste pour l'environnement en optimisant les déplacements !

C'est un site Internet, www.colis-voiturage.fr, qui propose de mettre en relation les deux parties. L'inscription est gratuite pour l'expéditeur. Un abonnement annuel de 5 € est demandé au messager, car il peut demander une contribution aux frais de route.

Une excellente occasion de s'entraider, basée sur la confiance, chose tellement rare de nos jours.

*Le ministre est assez ferme quant au sport.*

**LE MINISTRE EST ASSEZ FORT QUANT AU SPERME.**

Je suis le frère
de deux aveugles,
pourtant ces deux
aveugles ne sont
pas mes frères.

Comment est-ce
possible ?

**Solution**

Ce sont mes soeurs. Ce n'est pas parce que je suis un garçon que je n'ai que des frères !

## Les 10 mensonges les plus utilisés :

1) Moi, je l'aime ? Nooooon…

2) Mais non, t'es pas grosse !

3) Toi aussi, t'es belle…

4) Je suis en route, je suis là dans 5 minutes.

5) Demain, je rangerai ma chambre.

6) Oui, ça va, merci.

7) C'était mon dernier chewing-gum, m'sieur !

8) Je l'ai oublié.

9) Mais non, je suis pas jaloux(se).

10) J'ai lu et j'accepte les conditions d'utilisation.

# Discovr Movies

Discovr est la contraction du verbe anglais *discover*, soit découvrir en français. Le but de cette application est donc dévoilé : **il s'agit de vous faire découvrir de nouveaux films**. Fini les longues minutes passées à choisir quoi regarder ! Avec Discovr Movies, il vous suffit d'entrer le titre d'un film qui vous plaît. L'application se charge alors de vous proposer six films en relation avec celui que vous appréciez. Vous les avez déjà tous vus ? Pas de problème, cliquez sur l'une des propositions faites par l'application, qui se chargera alors de vous trouver six nouveaux films en rapport avec votre choix... Et cela de manière quasiment infinie puisque **Discovr Movies regroupe près de 500 000 films** ! Sur chaque fiche, vous retrouverez un résumé du film, son casting, ses critiques et des vidéos le concernant. Vous pouvez également rentrer vos films favoris dans l'application pour les retrouver facilement.

Il existe également Discovr Musics et Discovr Apps, pour découvrir de nouvelles chansons et de nouvelles applications.

Disponible sur iPhone, iPod Touch et iPad – 0,89 €

Chaque seconde, 100 000 recherches sont faites sur Google… Soit plus de 3 150 600 000 000 par an !

Chaque seconde, 2 304 € sont dépensés pour un service à caractère pornographique… Soit 73 milliards d'euros dépensés annuellement dans ce domaine !

27 tubes de rouge à lèvres sont vendus chaque seconde dans le monde, soit 850 000 000 par an.

# Le bio n'est pas forcément bon pour la santé !

Le bio, le bio, le bio ! On en entend énormément parler en ce moment, et toujours en des termes positifs… Mais si le bio n'était pas si bon que ça pour notre santé ?

Des médecins de l'université de Stanford se sont intéressés à 237 études scientifiques comparant les produits biologiques à ceux considérés comme « conventionnels ». Le résultat est sans appel : il n'y a pas de réelle différence entre ces deux catégories d'aliments ! Même l'instigatrice de l'étude, le Dr Dena Bravata a, selon ses propres termes, « été totalement surprise » !

**Si l'on consomme de plus en plus de produits bio, c'est souvent pour leur apport en vitamines, en protéines et en minéraux.** Sachez désormais que ces taux sont environ les mêmes dans les produits bio et non bio. Ce résultat est particulièrement significatif pour les fruits et les légumes, puisque les scientifiques n'ont trouvé aucune différence !

La deuxième grande raison de consommer bio, c'est que l'on veut ingérer moins de produits chimiques néfastes pour la santé. Le Dr Bravata a prouvé que les produits « conventionnels » ne dépassent pas les limites sanitaires autorisées et, plus encore, que **manger bio ne garantit pas une exposition zéro aux pesticides !**

Cette étude américaine est loin d'être isolée puisque, dès 2003, l'Agence française de sécurité sanitaire des aliments notait que « les faibles écarts » entre les produits bio et les « conventionnels » « n'apparaissent pas significatifs en terme d'apports nutritionnels ». Bien d'autres études allant en ce sens ont été réalisées un peu partout dans le monde.

**Alors, est-il vraiment utile de dépenser 25 % de plus en se nourrissant bio ?**

*Source* : Annals of Internal Medicine

Les **câlins** libèrent
de l'ocytocine,
une **hormone** qui
peut aider les personnes
blessées à guérir
de leurs **blessures**.

# Pourquoi dit-on... Chut ?

Lorsque l'on réclame le silence, il est d'usage de placer un doigt devant sa bouche et de dire « **Chuuuut !** »... Mais pourquoi ? Cette onomatopée est tout simplement utilisée car elle rappelle le bruit de fond que fait un murmure.

**On invite donc l'assemblée à faire autant de bruit qu'un murmure.**

# Connard ou Canard ?

Lorsque deux filles se retrouvent, l'un des premiers sujets abordés sonne toujours un peu comme ça : **« Alors les amouuuuurs ? »** Et là, il y a plus d'une oreille qui se met violemment à siffler ! Les nanas ont besoin de « balancer » sur leur mec et de se sentir soutenue par leurs copines. Plus elles ont de compassion, mieux elles se sentent. Partant de ce constat, deux jeunes Parisiennes ont lancé le site MonConnard.com. Ici, les femmes racontent un passage marquant de leur relation. **Les internautes peuvent ensuite voter entre « connard » et « canard ».** Tout le monde visualise bien la première proposition.... Sachez que la seconde qualifie « un homme romantique, attentionné et généreux ». Et ici, pas de compromis : « si c'est pas un canard, c'est un connard ! » C'est écrit en orange sur blanc, dès la page d'accueil.

Le site, lancé lors de la Saint Valentin 2013, a enregistré plus de 20 000 visites le premier mois ! Qu'attendez-vous pour les rejoindre ?

www.monconnard.com

# TOP 10 des pires « connards »

10 – Le mec me dit qu'il m'aime, qu'il tient à moi mais préfère me quitter car il n'a pas le droit d'aimer : **« Mon frère jumeau n'a jamais eu de copine, je n'ai pas le droit d'être heureux... »** Un mois après, j'apprends qu'il ressort avec son ex.

9 – Le mec, mon mari, me dit que la Journée de la femme ne devrait pas exister, que la femme est l'égale de l'homme, qu'elle mérite d'être payée comme un homme, que c'est injuste qu'elle soit considérée comme une sous-catégorie... C'est bien joli tout ça mais, en attendant, c'est moi, TA femme qui lave tes fringues, nettoie la maison, fais la bouffe et débarrasse ton assiette. **Donc arrête de faire ton beau parleur et donne-moi un coup de main, stp.**

8 – Le mec qui pense que te claquer une fessée pendant que vous faites l'amour va t'exciter. Euh, **arrête de mater des pornos, stp !**

7 – Le mec, le tien, depuis quelques mois, qui t'engueule de (très) bon matin parce que tu n'as pas envie de manger un petit dèj en speed et que tu veux le prendre toute seule au café d'en bas car lui est pressé. « Si tu prends pas le petit dèj avec moi, c'est un plan cul et moi, je ne suis pas ok avec ça

donc tu manges ! » Donc, tu manges. En fait, tu apprends bien plus tard qu'**il était surtout pressé de te savoir loin pour accueillir son autre copine**.

6 – Le mec qui te dit « Ça te dit, on se marie ? » entre le jambon et les rillettes du rayon charcuterie à Carrefour. Hein ? T'aurais au moins pu mettre les formes, chéri !

5 – Le mec qui t'avoue, juste après la première nuit, avoir voulu coucher avec toi uniquement parce que tu lui rappelles son ex, qu'il ne peut évidemment pas oublier, et qui pousse le vice jusqu'à te demander s'il peut t'appeler par son prénom.

4 – Le mec qui se plaint bien haut et fort en plein milieu du RER blindé que **tu as vraiment un balai dans le cul** parce que tu ne pratiques pas la sodomie !!!

3 – Le mec qui te tire les cheveux pendant l'amour… **On n'est pas chez les Pierrafeu, non plus !**

2 – Le mec qui ne veut pas te dire « Je t'aime », car dans le passé, il le disait trop à tout va, sans y réfléchir, et maintenant, il préfère attendre, pour que le « Je t'aime » ait plus d'importance.

**1 – Le mec que tu fréquentes depuis un petit moment, qui refuse d'aller BOIRE UN VERRE avec toi parce que tu as tes règles !**

C'est l'histoire de trois jeunes couples qui partent en vacances ensemble. Tous séjournent à l'hôtel. Dès le premier matin, les trois mecs se retrouvent pour le petit déjeuner. Évidemment, la discussion porte sur leurs performances de la nuit dernière :

Le premier :

**– Hey ! Les mecs… cette nuit, j'ai tiré 3 fois !**

Le deuxième :

– Ah, toi aussi ?

Le troisième :

– Moi aussi, les gars, trois coups dans la nuit.

Le maître d'hôtel s'approche alors de nos trois compères : « Désolé de vous importuner, messieurs, mais vous séjournez dans un établissement à la clientèle variée. Des familles vous entourent et vous pourriez choquer certaines personnes. Je vous saurais gré de bien vouloir être plus discrets, s'il vous plaît. »

Les trois jeunes hommes acceptent et s'excusent… Mais ne renoncent pas pour autant à leur sujet de discussion préféré. Ils décident d'adopter un code. Chaque matin, ils commanderont un nombre de croissants équivalent à leur performance de la nuit précédente.

Le lendemain matin, le premier arrive et annonce fièrement :

– Je prendrais 4 croissants, s'il vous plaît.

Le second :

– Pour ma part, ce sera également 4 croissants, record égalé.

Le dernier :

**– Moi ce sera seulement 3 croissants, mais avec 2 pains au chocolat !**

Si **THIERRY ARDISSON** est toujours habillé en noir, ce n'est pas par amour pour cette sombre « couleur ». Non, c'est tout simplement pour dissimuler au mieux son corps, qu'il n'aime pas. Il se trouve trop gros et pas assez musclé.

**AXEL BAUER** a un papa célèbre : Franck Bauer, qui n'a rien à voir avec l'agent de la série *24 Heures chrono*. Non, il est connu pour sa voix, puisque pendant la Seconde Guerre mondiale, c'est lui qui prononçait la célèbre phrase « Les Français parlent aux Français. »

**MICHEL LEEB** a un secret pour avoir de si belles dents : il concocte lui-même son dentifrice ! La base de son produit d'hygiène est très simple : du citron vert et du bicarbonate de soude.

**JEAN TEULÉ**, le célèbre auteur du *Magasin des suicides, Je, François Villon* et de *Ô Verlaine !*, est en couple avec l'actrice **MIOU-MIOU**, qui doit d'ailleurs son surnom à **COLUCHE**, qui se moquait de sa voix.

# Le sperme bientôt prescrit pour les dépressives ?

Aussi étrange que cela puisse paraître, des chercheurs new-yorkais viennent de prouver que **le sperme aurait une influence bénéfique sur la santé mentale des femmes** ! Ils avancent même qu'il contiendrait trois antidépresseurs (la mélatonine, la sérotonine et la thyrotropine). Selon eux, une fois dans le sang des femmes, ces trois substances entraîneraient un « bien-être mental et un sentiment d'affection ».

Pour cette étude, 293 étudiantes ont été interrogées sur leur sexualité (moyen de contraception utilisé, fréquence et nombre de jours écoulés depuis le dernier rapport) et leurs éventuels symptômes de dépression. **Il en résulte que les femmes ayant régulièrement des rapports sexuels non protégés sont moins déprimées que celles utilisant un préservatif.** Ces dernières seraient carrément autant touchées par la dépression que les abstinentes !

L'étude démontre que c'est l'usage du préservatif qui entraînerait la dépression chez ces femmes. Les différentes contraceptions, la fréquence des rapports ou l'engagement sentimental n'interviendraient en rien.

Mais le principal auteur de cette étude scientifique, le Pr. Gallup, tient à rappeler que « se protéger d'une grossesse non désirée ou d'une MST demeure beaucoup plus important » ! **À bon entendeur…**

*Sources* : Archives of Sexual Behaviour Journal
*et* National Health Service

# GreenBureau

Trois jeunes Français ont décidé de vous simplifier la vie, tout en assurant une démarche écologique. Avec GreenBureau, **vous avez enfin l'opportunité de répertorier toutes vos factures au même endroit**! Après avoir gratuitement créé un compte chez GreenBureau, vous entrez vos données de connexions vers vos comptes EDF, de téléphone, d'assurance-maladie, de mutuelles et tout autre organisme qui vous envoie des factures. GreenBureau rassemble alors tous ces documents sur votre compte et archive toutes vos factures. Plus besoin de fouiller dans vos papiers pendant des heures pour enfin mettre la main sur ce document qu'on vous réclame depuis des jours !

L'application permet également de créer un graphique de vos consommations et plante un arbre à chaque fois qu'une facture électronique remplace la version papier.

**Disponible sur iPhone, iPod Touch et iPad – Gratuit**

*Il faut de fortes bottes aux dames de la piste.*

**IL FAUT DE FORTES BITES AUX DAMES DE LA POSTE.**

# SUDOKU

*Niveau difficile*

| | | | | | | | | |
|---|---|---|---|---|---|---|---|---|
| 1 | | 5 | 3 | | | | | |
| | 2 | | | | | | 5 | |
| 7 | | | 4 | 6 | 5 | | | |
| | 1 | 7 | | 5 | | | | |
| 4 | | | | | | | | 7 |
| | | | | 4 | | 9 | 3 | |
| | | | 1 | 9 | 4 | | | 6 |
| | 7 | | | | | | 1 | |
| | | | | | 8 | 5 | | 4 |

*Solution page 680*

# Pourquoi dit-on… Jet-set ?

Le mot « jet-set » renvoie à un terme anglais : la *Jet-Society*, qui désignait les personnes aisées qui avaient la chance de voyager en avion (donc en « jet »), puisque ce moyen de déplacement a longtemps été très cher. **En 1950, le terme « jet-set » arrive en France** pour désigner ces personnes revendiquant leur grande fortune et leur mode de vie différent.

Julien, jeune papa, va coucher son fils, Tom, trois ans. Il lui raconte une histoire pour l'endormir. Avant de dormir, le petit fait une prière qu'il termine en disant :

**– Protège ma maman, protège mon papa, protège ma grand-mère et au revoir grand-père.**

Le papa demande :

– Pourquoi dis-tu au revoir Papi ?

– Je ne sais pas, papa… C'est sorti tout seul.

Le lendemain, le grand-père meurt. Le père se dit que c'est une étrange coïncidence. Quelques mois plus tard, le père couche à nouveau son petit Tom et écoute ses prières qui se terminent par :

**– Protège ma maman, protège mon papa et au revoir Mamie.**

Le lendemain, la grand-mère meurt. Le père est complètement sous le choc ! Son fils est en contact avec l'au-delà ! Quelques semaines plus tard, alors qu'il vient de lui raconter une histoire, il écoute à nouveau ses prières :

**– Protège ma maman et au revoir papa.**

Julien n'en dort pas de la nuit. Au petit matin, il va au travail la peur au ventre. Nerveux toute la journée, il regarde sa montre sans arrêt. Il finit même par rédiger son testament et reste à son bureau en attendant minuit. À minuit et une minute, il est toujours vivant. Il décide alors de rentrer chez lui. Sa femme, étonnée, lui dit :

– C'est bien la première fois que tu rentres si tard du travail… Tu vas bien ? Ta journée s'est bien passée ?

– J'ai passé la pire journée de ma vie, mais je n'ai franchement pas envie d'en parler…

– Tu as eu une mauvaise journée, mais tu n'imagines pas ce qui m'est arrivé ! Ce matin, j'ai ouvert la porte et le facteur est tombé raide mort sur le paillasson…

# Pourquoi dit-on... Un chèque en bois ?

Aujourd'hui, si l'on vous remet un chèque en bois, c'est que vous êtes la victime d'un chèque sans provisions et que vous ne toucherez donc pas votre dû. On trouve l'origine de cette expression au XIIIe siècle, époque à laquelle le bois était si abondant qu'on l'utilisait régulièrement pour produire des répliques de nombreux objets. Un chèque en bois est donc un chèque imitant très bien l'original… mais qui ne vous rapportera rien !

Lorsqu'on a besoin
de moi on me jette
et lorsque
je deviens inutile
on me reprend.
Qui-suis-je ?

**Solution**

Une ancre.

# Snapseed

Vous connaissez Instagram, la célèbre application de retouche photos ? **Il faudrait songer à vous mettre à jour en téléchargeant Snapseed !** Alors qu'Instagram ne vous propose qu'une petite quantité de filtres pour embellir vos clichés, Snapseed, qui en compte bien plus, vous permet d'en modifier la luminosité, le contraste, la saturation, le flou, de recadrer votre photo, d'ajouter des bords à votre image ou encore de mettre en avant certains détails. Le tout de manière intuitive et fluide. Évidemment, vous pouvez partager vos œuvres sur Twitter, Facebook, Google+, les enregistrer sur votre téléphone ou les envoyer par mail...
Sans pour autant vous faire piquer chacun de vos clichés par le réseau Instagram.

Disponible sur Android, iPhone et tablettes – Gratuit.
Comptez 19,99 $ pour installer le logiciel sur votre ordinateur.

# Manger des œufs tue !

Au plat, durs, mimolette ou mimosa, l'œuf se cuisine sous toutes les formes pour le plus grand plaisir des petits et des grands. Mais aujourd'hui, cela risque de changer… Le Dr Spence, de la Western University, vient de prouver que **manger du jaune d'œuf serait quasiment aussi nocif pour la santé que de fumer une cigarette**…

L'étude, menée sur 1 231 patients, démontre que consommer cette partie grasse de l'œuf augmente le risque d'athérosclérose. En clair, les lipides contenus dans le jaune se déposent sur la paroi des artères et finissent par les boucher. Un fumeur a seulement 30 % de chances supplémentaires qu'un mangeur de jaunes d'œufs de développer ce problème de cœur. Au-delà de trois œufs par semaine, les risques deviennent importants car les jaunes d'œufs sont très riches en cholestérol. Selon le Dr Spence : « Pour les diabétiques, un œuf par jour peut multiplier par deux, et même parfois par cinq, les risques coronariens. »

Les médecins ont déjà recommandé aux personnes dites « à risque » de ne plus consommer de jaunes d'œufs.

*Source : Eurekalert.org*

*Il faut rassembler beaucoup de fonds pour former des cliques.*

**IL FAUT RASSEMBLER BEAUCOUP DE CONS POUR FORMER DES FLICS.**

# Le mur de la presse

Vous en avez marre de faire votre propre revue de presse quotidienne ? D'acheter les versions papier ou de naviguer entre les sites Internet du *Monde*, de *Libé*, du *Figaro* et de *20 minutes* ? Rendez-vous sur lemurdelapresse.com. Ici, sur une seule page, **vous avez les titres des principaux journaux et magazines français, classés par catégories**, de l'économie au people en passant par la culture, les sciences et le sport. L'ergonomie du site permet d'y naviguer très facilement et d'être ainsi informé des dernières actualités en quelques instants, quels que soient ses centres d'intérêts.

www.lemurdelapresse.com

# Deux petites filles obtiennent un chien grâce à Facebook !

Tous les enfants ont un jour ou l'autre demandé à avoir un chien à la maison, mais la réponse des parents n'a pas toujours été positive... Pour lutter contre le refus paternel, deux petites Américaines ont décidé de faire un pari avec lui : si elles obtenaient un million de likes sur Facebook, leur papa accepterait de leur offrir un chien.

Les deux jeunes filles ont alors créé la page TwoGirlsAndAPuppy, soit « Deux filles et un chiot ». Elles y ont posté une photo d'elles et de leurs frères portant un carton sur lequel était inscrit : « Salut le monde ! **Nous voulons un chiot. Notre père a dit que nous pourrions en avoir un si nous obtenions 1 million de likes.** Il pense que nous ne pouvons pas y arriver ! Alors LIKEZ ça ! ». En moins de six heures, l'objectif est atteint ! La petite famille a alors accueilli Millie, dont vous pouvez suivre les aventures sur la page des jeunes filles, qui compte aujourd'hui près de 300 000 fans !

## Quels sont les animaux qui tuent le plus d'hommes ?

Forcément, lorsque l'on parle d'animaux tueurs d'hommes, on pense très vite aux requins.

50 à 100 attaques de requins contre l'homme sont certes répertoriées chaque année depuis 10 ans, mais elles n'aboutissent jamais à plus de 10 morts annuels.

Les méduses tuent environ 100 personnes par an.

Mais ce n'est rien comparé aux 600 personnes tuées chaque année par des éléphants, aux 5 000 morts provoquées par des scorpions, ou encore aux 100 000 décès imputés à des serpents par an !

*Source :* RTL.fr

Une prostituée passe au tribunal. Elle est interrogée par le juge en charge de l'affaire :

– Nom, prénom, âge ?

– Bratschka, Natalia, 28 ans.

– Nationalité ?

– Tchèque.

– Profession ?

**– Mais enfin, Jacques !**

# Que faire aujourd'hui

Comme son nom l'indique, cette application va vous permettre de trouver comment occuper votre journée. Vous rentrez vos paramètres (heure, prix, distance et type d'activités) et Que faire aujourd'hui se charge de vous proposer une sélection d'événements ponctuels ou permanents, dès qu'elle vous aura localisé.

**Très utile quand on ne sait pas quoi faire de son dimanche !**

Disponible sur iPhone, iPod Touch
et iPad – Gratuit

Quel est le moment le plus douloureux pour une poule ?

**Solution**

Passer du coq à l'âne.

Connaissez-vous le point commun entre une femme et une piscine ?

**Solution**

Elles coûtent cher à l'entretien pour le peu qu'on est dedans.

Comment appelle-t-on un dinosaure homosexuel ?

**Solution**

Un tripotanus !

# Top 10 des bars insolites à Paris

## 10 – Le Merle moqueur

Amateurs de shooters de rhum, rendez-vous au Merle moqueur ! Ici, on danse toute la nuit dans une ambiance décalée... Et on n'oublie pas de s'hydrater régulièrement grâce à leurs superbes cocktails !

Le Merle moqueur, 11, rue de la Butte-aux-Cailles, 75013 Paris

## 9 – Culture rapide

On vient d'abord au Culture rapide pour le décor : des poupées dans les tables, des panthères roses qui vous regardent siroter votre verre, le tout dans une lumière très travaillée. Un bar à tester au moins pour le plaisir des yeux !

Culture rapide, 103, rue Julien-Lacroix, 75020 Paris

## 8 – Le Trucmush

Le quartier de Bastille est réputé pour faire la fête... Mais encore faut-il en avoir le budget. Avec le Trucmush, vous êtes assuré de passer une bonne soirée peu onéreuse et surtout dans un cadre sympa, puisque construit à base de pare-chocs de Twingo ! Une soirée décalée en prévision.

Le Trucmush, 5, Passage Thiéré, 75011 Paris

## 7 – Le Popul'air du Reinitas

Envie d'une bonne tranche de rire ? Courez au Reinitas ! Ce bar du quartier de Belleville ouvre sa scène à des artistes venus d'horizons divers dont le seul mot d'ordre est le rire.

Les spectacles n'y sont vraiment pas chers, ou carrément gratuits.

Le Popul'air du Reinitas, 36, rue Henri-Chevreau, 75020 Paris

## 6 – Le Footsie

L'argent est le nerf de la guerre… Mais aussi celui de la bière ! Ici, le prix des consommations est basé sur la demande. Plus la demande est forte, moins le prix est élevé. De quoi passer une soirée ludique dans un canapé confortable.

Le Footsie, 10, rue Daunou, 75002 Paris

## 5 – Le Barapain

Comme il n'y a pas que l'alcool dans la vie, nous attribuons notre 5e place au Barapain, qui, comme son nom l'indique, œuvre dans notre spécialité française : le pain. Ici, vous dégusterez du pain pistache-abricot miel, aux épices, au pastis ou encore au beaujolais-coppa-noisettes et cannelle. On vous conseille de vous y rendre le dimanche midi pour profiter de leur joli brunch.

Le Barapain, 27, boulevard du Temple, 75003 Paris

## 4 – Le Zéro de conduite

Dans chaque adulte se cache un enfant, non ? Alors partez sur les traces de votre enfance au Zéro de Conduite. Ici, les cocktails se sirotent dans des biberons et on gagne des bonbons en participant à des concours de Trivial Pursuit !

Le Zéro de conduite, 14, Rue Jacob, 75006 Paris

## 3 – La Lucha Libre

Vous vous sentez l'âme d'un guerrier ? Osez donc grimper sur le ring de catch installé au sous-sol de ce bar. Protégé par

une belle combinaison en mousse, vous pourrez affronter les cadors du ring en (presque) toute sécurité !
En ces temps de crise, sachez que chaque jeudi soir, un ticket pour combattre est offert pour tout verre commandé. De quoi oublier tous les soucis du quotidien !

La Lucha Libre, 10, rue de la Montagne-Sainte-Geneviève, 75005 Paris

## 2 – Le Molotov

Bienvenue au cœur de la Russie de la Belle Époque ! Certes, la devanture n'est guère accueillante, mais une fois passée la porte, vous vous retrouvez dans un appartement communautaire divisé en deux étages, vieilles affiches soviétiques au mur comprises. Installez-vous dans un canapé et sirotez donc un Trotski (vodka, basilic, gingembre), un Youri Gagarine (vodka, gin, tequila, rhum, limonade, curaçao bleu) ou, plus classiquement, une vodka pure parmi les meilleures du monde ! Attention, le tarif n'est pas très communiste : comptez 15 € en moyenne pour un cocktail.

Le Molotov, 4, rue de Port-Mahon, 75002 Paris

## 1 – Espit Chupitos

Vous aimez l'ambiance des soirées barcelonaises mais vos finances ne vous permettent pas de partir en Espagne ? Rendez-vous à l'Espit Chupitos, directement importé de cette festive ville espagnole. Sur le mur face au bar, vous trouverez le nom de plus de 600 cocktails différents (dont le Pulp Fiction, La Mort ou encore le Dark Vador), que les charmants barmen se feront un plaisir de vous concocter. Verres enflammés, à boire les yeux fermés ou encore à partager avec vos amis, sont au programme. De quoi s'amuser à très petits prix puisque les shooters sont à 2,50 €.

Espit Chupitos, 117, rue Saint-Maur, 75011 Paris

# Quelques curiosités typiquement françaises :

1. « Oiseaux », est, avec 7 lettres, le plus long mot dont on ne prononce aucune des lettres : [o], [i], [s], [e], [a], [u], [x].

**Il est également le plus petit mot français comportant toutes les voyelles !**

2. Le plus long palindrome de la langue française est « ressasser ». Il est possible de le lire de gauche à droite comme de droite à gauche.

3. Dans certains cas, « Délice », « amour » et « orgue » ont la particularité d'être de genre masculin et de devenir féminin à la forme plurielle.

4. **Le mot « triomphe » ne rime avec aucun nom commun de la langue française.** De même pour les mots « belge », « quatorze », « meurtre » ou encore « larve ».

5. « Institutionnalisation » est le plus long lipogramme en « e », c'est-à-dire le plus long mot français ne comportant pas la voyelle « e ».

6. L'anagramme de « guérison » est « soigneur ».

7. « Endolori » est l'anagramme de son presque antonyme « indolore ».

8. **« Squelette » est l'unique mot masculin se terminant en « ette ».**

9. « Où » est le seul mot de la langue française contenant un « u » avec un accent grave. Vous en profiterez pour noter qu'il a également une touche de clavier rien que pour lui !

Présentes élections.

**PLAISANTES ÉRECTIONS.**

# Lampe-torche

Avant, on avait tous une lampe-torche dans sa voiture ou à la maison. Aujourd'hui, on télécharge l'application Lampe-torche. Comme son nom l'indique, elle vous permettra de mieux vous éclairer dans le noir qu'avec le flash intégré à votre smartphone.

Mais pas seulement ! **Les amateurs de randonnée perdus sauront l'apprécier à sa juste valeur** puisqu'elle renferme un compas qui les aidera à se repérer dans le noir, ainsi qu'un mode SOS permettant de donner l'alerte facilement. Pour les citadins, les 10 fréquences du stroboscope sont très amusantes…

Disponible sur iPhone, iPod Touch et iPad – Gratuit

# Pourquoi dit-on… Lambda ?

Aujourd’hui, une chose lambda est une chose très ordinaire, qui n’a rien de spécifique. **Parfois, ce mot est même utilisé pour désigner une personne quelconque.** Il faut chercher l’apparition de ce mot dans l’alphabet grec, puisque « lambda » est l’une de ses lettres. Elle se trouve au milieu de l’alphabet et n’a donc rien de spécial, contrairement à l’oméga, qui le clôt, ou l’alpha, qui l’ouvre.

# « Ta ville me réchauffe ! »

Voilà ce que l'Alaska, la Chine et le Canada pourraient reprocher à certains pays. En effet, des chercheurs de l'université de Californie ont récemment prouvé que la chaleur dégagée par les grandes villes – notamment via leurs activités et leurs nombreux transports – était transportée par les courants aériens sur des milliers de kilomètres. Résultat, chaque année, de l'automne à l'hiver, la température d'une belle partie du Canada, de la Chine et de l'Alaska monte jusqu'à 1 °C de plus !

En Europe, c'est l'inverse. Les courants aériens emportent dans leur sillage une baisse de nos températures… **À vos bonnets !**

Je suis ce que je suis, mais je ne suis pas ce que je suis, car si j'étais ce que je suis, je ne serais pas ce que je suis.

Qui suis-je ?

**Solution**

Le verbe suivre.

# Sytadin pour connaître le trafic parisien en temps réel

Toute personne ayant déjà conduit à Paris sait à quel point le trafic peut avoir une influence sur le temps de parcours nécessaire pour aller d'un point A à un point B…

**Le site Sytadin est donc l'arme absolue contre ces désagréments de la circulation parisienne.** Avec lui, on connaît en temps réel les endroits où l'on devra avancer au pas, les travaux et autres désagréments de la route. On peut également connaître son temps de parcours de manière très précise, ou même savoir à quel moment il vaut mieux prendre la voiture. Bref, le site à enregistrer dans ses favoris !

www.sytadin.fr

# Une Américaine vend ses enfants sur Facebook

Misty Van Horn, 22 ans, a un gros problème : son petit ami est en prison. Cette jeune Américaine a toutefois trouvé une solution pour payer la caution qui lui permettra de lui rendre sa liberté : elle va vendre ses enfants sur Facebook. Elle publie alors une annonce : **lot de deux enfants pour 4 000 $**. Elle a même pensé aux personnes ne souhaitant avoir qu'un enfant et propose également une vente séparée : sa fille de 10 mois pour 1 000 $ et son fils de 2 ans pour 4 000 $.

Lorsqu'une femme de l'Arkansas se montre intéressée par cette offre, Misty lui répond : « Venez à Sallisaw [son lieu de résidence], ce n'est qu'à 30 minutes de chez vous et je vous donnerai toutes ses affaires. **Vous aurez l'enfant pour toujours et pour seulement 1 000 $ !** »

Elle a été arrêtée pour trafic de mineurs.

Le moine rêve d'être
en curé avec une
calotte.

**LE MOINE RÊVE D'ÊTRE ENCULÉ AVEC UNE CAROTTE.**

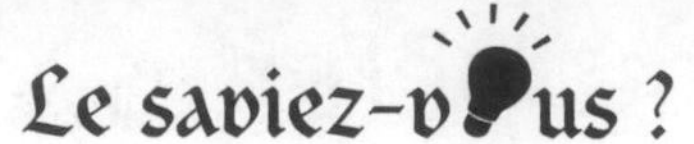


# Vacances : trois jours suffisent !

Alors qu'on rêve tous de prendre des semaines de congés pour vraiment couper les ponts avec la routine, le boulot et la famille, le chercheur britannique David Lewis vient de démontrer qu'il ne nous suffirait que de trois petits jours de vacances...

Suite à la demande de l'hôtelier Holiday Inn, le chercheur a mis au point une formule mathématique permettant de déterminer **le temps de vacances parfait pour revenir en pleine forme au bureau**.

En clair, il a pris en compte de nombreux paramètres tels que le coût des vacances, le nombre de jours de congés que l'on peut prendre, le niveau de relaxation procuré, le stress lié au départ...

Résultat : selon David Lewis, **« plus les vacances sont longues, plus les risques pour la santé sont importants »** [car] « trop de soleil, trop de nourriture et trop d'alcool » nous empêchent de nous reposer réellement.

Ses recommandations sont donc de ne partir que trois jours en vacances... mais de le faire plus régulièrement !

*Source* : Daily Mail

# Le hamburger en chiffre

En moyenne, un Américain mange 3 hamburgers par semaine.

Les États-Unis comptant 313 millions d'habitants, on arrive donc à près de 49 milliards de hamburgers dévorés par an.

Le CIR (Center for Investigative Reporting) a calculé que chaque steak de hamburger émettait presque 3 kg de $CO_2$.

En multipliant ce chiffre par 49 milliards, on se rend compte que la consommation de hamburgers aux États-Unis émet autant de $CO_2$ que 34 centrales à charbon !

*Source* : Center for Investigative Reporting (CIR)

# Brésil : la loi lui donne droit à 15 minutes de plaisir solitaire toutes les 2 h au travail !

En 2011, une femme de 36 ans atteinte d'un mal étrange a obtenu gain de cause devant la loi : **elle a été officiellement autorisée à se masturber sur son lieu de travail** ! Elle a même eu le droit de surfer sur des sites pornos.

Ana Catarina Bezerra Silvares est atteinte d'une maladie rare : l'orgasme compulsif. **Le jour où elle s'est masturbée 47 fois en 24 h, elle a compris qu'il y avait un problème !** Une altération chimique au niveau de son cortex la pousse à se caresser plusieurs fois par jour et à rechercher du plaisir de façon obsessionnelle. Cette mère de trois enfants, qui vit dans la ville de Vila Velha au Brésil, a décidé d'entamer une procédure judiciaire contre son entreprise pour protéger son emploi… et elle a eu gain de cause !

La loi l'autorise donc non seulement à se masturber sur son lieu de travail mais aussi à **utiliser le matériel informatique de l'entreprise pour regarder des images érotiques ou pornographiques** qui stimulent son désir. La Brésilienne a droit à 15 minutes de plaisir solitaire toutes les 2 h… Elle suit actuellement un traitement qui lui permettra de réduire de moitié ses séances de masturbation.

Un Marseillais et un Parisien s'affrontent au célèbre jeu « Des chiffres et des lettres » :

Le Marseillais : consonne.

Le Parisien : consonne.

Le Marseillais : consonne.

Le Parisien : consonne.

Le Marseillais : consonne.

Le Parisien : consonne.

L'animateur : Messieurs, vous rendez-vous compte que sans voyelles, vous ne pourrez pas proposer de mot… ?

Le Marseillais : consonne.

Après le temps de réflexion imparti, le Parisien n'a rien. Le Marseillais, lui, annonce un mot de 7 lettres.

L'animateur, dubitatif : Je vous écoute…

**Le Marseillais : PSGCDPD !**

*Il n'est pas difficile de mettre les chèques en valeur.*

**IL N'EST PAS DIFFICILE DE METTRE L'ÉVÊQUE EN CHALEUR.**

# Pourquoi dit-on... Apprendre par cœur ?

Dans l'Antiquité, on pensait que notre intelligence se trouvait dans notre cœur. Et pas seulement l'intelligence ! **On pensait que la mémoire et les sensations étaient elles aussi concentrées dans notre cœur**, puisqu'il y avait un changement de rythme cardiaque lors d'événements importants. Parvenue jusqu'au Moyen-Âge, cette croyance donne naissance à l'expression « apprendre par cœur » qui a déjà le sens qu'on lui connaît.

Il faudra attendre les XIX$^e$ et XX$^e$ siècles pour que la plupart des découvertes sur le cerveau aient lieu et que les scientifiques comprennent où siège réellement notre intelligence. Mais qu'importe, l'expression ayant été adoptée par le plus grand nombre, elle est restée.

# Songkick Concerts

Rien de pire pour un mélomane que d'apprendre qu'un grand concert s'est tenu dans sa ville la veille ! Soyez au courant des événements musicaux dans votre région avant tout le monde grâce à Songkick Concerts. **Cette application vous signale également en priorité les concerts des artistes récurrents dans vos playlists** : vous écoutez beaucoup Lana Del Rey en ce moment ? Soyez sûr qu'avec Songkick, vous serez le premier informé du passage de la chanteuse américaine près de chez vous !

Disponible sur iPhone, iPod Touch et iPad – Gratuit

# Les chiffres de nos achats en ligne

Malgré ce que l'on pourrait penser à première vue, les hommes dépensent plus d'argent sur Internet que les femmes. En moyenne, les achats de monsieur s'élèvent à 135 €, contre 95 € pour madame.

60 % des dépenses en ligne sont faites par des femmes, qui sont plus longues à se décider que les hommes, puisqu'elles mettent 14 minutes à concrétiser leurs emplettes, soit 4 minutes de plus que les hommes.

Et il faut dire qu'elles sont pointilleuses sur la marchandise, puisqu'elles retournent 19 % de leurs achats !

*Source :* Beste Product

*Le cuisinier se fait des nouilles, encore.*

**LE CUISINIER SE FAIT DES COUILLES EN OR.**

# Les 10 livres anglophones les plus difficiles à lire

Deux critiques, Emily Colette Wilkinson et Garth Risk Hallberg, du site spécialisé en littérature The Millions, ont passé **trois longues années à lire les livres les plus compliqués de l'histoire littéraire**. Le but : savoir lesquels sont les plus difficiles à lire.

Au terme de ces trois ans, ils ont chacun choisi 5 livres en argumentant leur choix selon « leur longueur, leur style, leur étrange structure, leur technique expérimentale ou leur abstraction ». Voici donc, ainsi qu'ils les présentent, ces **« *dix monts Everest* littéraires qui attendent d'être gravis par des lecteurs audacieux »** :

*Le Bois de la nuit* de Djuna Barnes (1936)
*A Tale of a Tub* de Jonathan Swift (1704)
*La Phénoménologie de l'esprit* de Hegel (1807)
*La Promenade au phare* de Virginia Woolf (1927)
*Clarissa or the History of a Young Lady* de Samuel Richardson (1748)
*Finnegans Wake* de James Joyce (1939)
*Être et Temps* de Martin Heidegger (1927)
*La Reine des fées* d'Edmund Spenser (1590)
*The Making of Americans* de Gertrude Stein (1925)
*Women and Men* de Joseph McElroy (1987)

Alors, prêts à relever le défi ?

# Le site plein d'amour

Vous êtes en mal d'affection ? Vous venez de subir une belle désillusion, qu'elle soit amoureuse ou amicale ? Rendez-vous vite sur le site The Nicest Place on the Inter et **laissez-vous envahir par l'attaque virtuelle de *free hugs*,** ces câlins offerts par de parfaits inconnus ! Une succession de vidéos défile sous vos yeux, dans lesquelles des personnes embrassent leur écran pour vous donner la sensation de vous prendre dans leurs bras. **Un flot d'amour vous envahira en un instant !**

Si le cœur vous en dit, vous pourrez vous aussi envoyer votre vidéo pleine de bons sentiments pour réconforter d'autres personnes en mal d'amour. Un monde de Bisounours vient de s'offrir à vous…

www.thenicestplaceontheinter.net

## Pourquoi dit-on... En file indienne?

Lorsque des personnes se déplacent les unes derrière les autres, on dit qu'elles avancent en file indienne.

Comme son nom l'indique, on doit cette locution à **une ruse de Sioux**. Lorsqu'ils devaient se déplacer non loin de leurs ennemis, ceux-ci avançaient les uns derrière les autres, plaçant chacun leurs pas dans ceux de la personne précédante. Ainsi, leurs opposants ne pouvaient pas savoir combien ils étaient!

# Le shiatsu : un massage pour des maux ciblés

Le shiatsu ou « pression des doigts » est une méthode japonaise de massage stimulant. Cette branche de la médecine traditionnelle mobilise à la fois le corps et l'esprit et aide à se débarrasser des petits tracas du quotidien. Comment ça marche ? L'énergie vitale, le Qi, assure l'équilibre entre le yin (force statique) et le yang (force dynamique). Le shiatsu libère le flux du Qi en dénouant les méridiens d'énergie. Les doigts exercent une pression sur les points d'acupuncture noués pour rétablir l'harmonie du yin et du yang, assurant ainsi une bonne santé physique et psychologique. Et voilà, l'énergie et l'harmonie sont de retour dans votre vie !

## Les bienfaits du shiatsu japonais sont :

* faire circuler les énergies
* renforcer les défenses immunitaires
* évaluer le stress
* stimuler la circulation
* alléger les jambes fatiguées
* soulager la toux, les troubles du ventre et de la poitrine, les maux de tête
* redynamiser le corps et l'esprit
* procurer un état de sérénité absolue

## Comment faire, en pratique ?

À des endroits bien définis, on applique des pressions de trois à sept secondes. Tout le corps peut être utilisé pour prodiguer le massage shiatsu : les mains (du bout des doigts à la paume entière) mais aussi les bras, les coudes et même les genoux et les pieds ! L'essentiel est de vous caler sur vos inspirations et vos expirations : en effet, la respiration rythme les mouvements doux de stretching. Afin de pratiquer l'empaumage, par exemple, vous ne devez pas forcer sur votre paume, mais laisser agir le poids du corps pour libérer les tensions.

Traditionnellement, le shiatsu se pratique sur futon, par-dessus les vêtements.

## Les pressions ciblées :

– contre les maux de ventre : exercez une pression de quelques secondes dans le sillon derrière le tibia, à quatre largeurs de doigt sous le genou.

– contre les règles douloureuses : effectuez une pression de part et d'autre de la cheville, juste derrière la proéminence osseuse, et sur l'intérieur de la jambe, à environ quatre largeurs de doigt au-dessus de la proéminence.

– contre la gueule de bois : pressez doucement le sommet du crâne.

– contre les maux de dents : pressez pendant quelques secondes la peau qui sépare le pouce et l'index.

À Marrakech, un mec s'en va trouver son garagiste :

– **Peux-tu équilibrer mon chameau** ? Il court un peu de travers depuis quelques jours…

– Pas de problème, dit le mécanicien, qu'il monte sur le pont.

Le mec fait monter son chameau sur le pont. Le mécanicien prend une grosse pince et **il écrase avec force les roubignoles du chameau**.

Le chameau, fou de douleur, saute du pont, fonce tout droit vers le désert… et disparaît de la vue de son propriétaire.

– Voilà, dit le mécanicien, il court parfaitement droit maintenant !

– Ça, c'est sûr… Mais comment je vais le récupérer, moi, maintenant ?

– Aucun problème pour ça, monte sur le pont !

?!
Pourquoi tu lui as mis des airbags à l'arrière ?
C'est pas des airbags, c'est les amortisseurs... Mais ils sont usés !

*Les nouilles, c'est pas pour les boxeurs.*

**LES COUILLES, C'EST PAS POUR LES BONNES SŒURS !**

Un Européen consomme en moyenne
13 kilos de papier toilette.

Le plus grand massage du monde
a regroupé1 282 personnes, soit
641 masseurs et autant de massés.

64 759 tonnes de tabac ont été vendues
par les buralistes français en 2010.

Si vous vous forcez à **rire** suffisamment longtemps, vous finirez par **rire** pour de bon. C'est prouvé et très bon pour la santé. C'est d'ailleurs l'un des principes fondateurs de la thérapie par le **rire**.

# StumbleUpon

Lorsque l'on se retrouve coincé dans les transports en commun, que ce soit dans un train, dans un bus ou dans un métro, on a tôt fait de prendre son iPhone pour tenter de se divertir. Mais voilà, quand on a fait le tour de ses applications habituelles, qu'on a surveillé tout ce qu'il se passait sur Facebook et Twitter, on ne sait plus quoi faire. C'est là que l'application StumbleUpon trouve tout son intérêt. **Vous lui expliquez vos goûts en trois clics et celle-ci se charge de trouver des sites, des vidéos et des photos qui sauront vous plaire.**

Un divertissement continuellement mis à jour par les utilisateurs !

Disponible sur iPhone, iPod Touch et iPad – Gratuit

# Quand Google lutte contre le suicide…

Récemment, **Google s'est rendu compte que la plupart des internautes s'apprêtant à se suicider cherchaient des informations sur le sujet** via leur moteur de recherche. Prenant ce problème à cœur, en France, la firme américaine a mis en place un partenariat avec *SOS Amitié*.

Dorénavant, lorsque l'on tape « suicide » dans la barre de recherche, le premier résultat est un téléphone rouge accompagné du message « Si vous avez besoin d'aide, appelez en France le 01 42 96 26 26 – ***SOS Amitié*** ».

La manœuvre fonctionne également avec « se tirer une balle », « se tailler les veines » ou « en finir avec la vie », mais pas avec « comment bien se pendre » ou « comment bien se tailler les veines ».

En somme, l'initiative est belle… mais incomplète.

On a évalué le poids de la Terre à 6 trillions de tonnes. De combien ce poids augmentera-t-il si l'on construit un gigantesque stade avec 8 millions de tonnes de béton et 6 millions de tonnes de ferraille ?

**Solution**

De rien du tout ! Tous les matériaux font déjà parti du poids de la Terre !

*La jeune paysanne rêve devant un beau vendeur.*

**LA JEUNE PAYSANNE RÊVE DEVANT UN VEAU BANDEUR.**

# Pourquoi dit-on… Merde ?

Lorsque l'on veut souhaiter bonne chance à quelqu'un, il est d'usage de lui dire : « Merde ! ». Cette tradition populaire remonte à la fin du XIXe siècle. À l'époque, lorsqu'il y avait une représentation de théâtre, les spectateurs se faisaient déposer devant l'entrée en fiacre et **beaucoup de chevaux profitaient de cet arrêt pour soulager leurs intestins**. Il était donc d'usage de mesurer la popularité et le succès d'une pièce à la couche de crottin devant l'entrée du théâtre.

Comme se souhaiter bonne chance est supposé porter malheur dans le milieu théâtral, les comédiens n'ont pas tardé à se souhaiter **« Beaucoup de merdes ! »** avant une représentation, expression qui s'est ensuite raccourcie en un simple « Merde ! ».

PS : N'oubliez pas qu'il ne faut jamais remercier quelqu'un vous souhaitant « Merde ! » sous peine d'inverser l'effet désiré.

# Des chiffres, des chiffres

## Les Français, pas vraiment généreux...

80 % des Américains font des dons, contre seulement 22 % des Français.

1 Français sur 5 fait régulièrement des dons significatifs, soit plus de 75 € par an.

Seulement 4 % de la population française donnent leur sang, et 22 % donnent de leur temps dans des associations.

70 % des donateurs ont plus de 50 ans.

Les plus riches consacrent 0,6 % de leurs revenus aux dons, contre 1 % chez les plus pauvres.

Cela paraît négligeable, mais si les plus riches donnaient également 1 % de leurs revenus, cela représenterait 200 millions d'euros de dons supplémentaires !

En 2010, les Français ont donné 3,7 milliards d'euros, tous dons confondus.

Résultat : la France est au 64e rang mondial en pourcentage de citoyens donateurs.

*Sources :* Recherches et Solidarité et France Générosités

# Habille ton Jésus

Besoin de décompresser après une journée exécrable ? Rendez-vous sur Jesus Dress Up ! **Vous allez pouvoir déguiser la star internationale selon vos envies** et, pourquoi pas, y passer votre énervement ! Divers costumes vous sont proposés, d'Halloween, de sadomasochiste, de Marilyn ou encore de super-héros.

Un site à ne pas conseiller à vos amis catholiques les plus fervents…

www.jesusdressup.com

# Les 20 pays les plus paresseux du monde

Il y a peu, *The Lancet* a publié le classement des ***pays les plus paresseux au monde***. Nous vous en révélons ici les 20 premiers, chacun accompagné du pourcentage de la population en manque d'activités physiques.

20 – Bhoutan (52,3 %)
19 – Afrique du Sud (52,4 %)
18 – Irlande (53,2 %)
17 – Italie (54,7 %)
16 – Chypre (55,4 %)
15 – Turquie (56 %)
14 – Irak (58,4 %)
13 – Namibie (58,5 %)
12 – République dominicaine (60 %)
11 – Japon (60,2 %)
10 – Malaisie (61,4 %)
9 – Émirats arabes unis (62,5 %)
8 – Grande-Bretagne (63,3 %)
7 – Koweït (64,5 %)
6 – Micronésie (66,3 %)
5 – Argentine (68,3 %)
4 – Serbie (68,3 %)
3 – Arabie Saoudite (68,8 %)
2 – Swaziland (69 %)
1 – Malte (71,9 %)

*Source* : The Lancet

Un type marche dans les rues de Lyon quand il croise un de ses copains.
– Tiens, salut ! Mais tu transportes quoi dans ces deux grosses valises ?
– Ouvre, tu verras bien…
Le type ouvre une des deux valises et se retrouve nez à nez avec une espèce de gros insecte gluant : une mite géante.
– Qu'est-ce que c'est que cette bestiole ?
– Comme tu le vois, c'est une grosse mite…
– Euh… Ouais, ok… Et tu as quoi de beau dans l'autre valise ?
– Ouvre, tu verras bien…
Le type ouvre la seconde valise et là, **d'un gros nuage de fumée s'échappe un génie** qui lui dit :
– Fais un vœu et je l'exaucerai.
Le type réfléchit un quart de seconde et demande :
– Je voudrais un milliard !
Alors, il lève la tête et il voit une fissure s'ouvrir dans le ciel. Un gros truc tombe au sol : une magnifique table de billard !
– Hé ! Il est sourd ou quoi, ton génie ? J'avais demandé un milliard, pas un billard !
**– Et moi, tu crois vraiment que j'avais demandé une grosse mite ?**

# TV Show Tracker

Tout amateur de séries le sait : il n'est pas toujours évident de se remémorer le numéro du dernier épisode vu... Alors on se retrouve souvent à tâtonner pour savoir où on en est pour pouvoir regarder la suite. Le danger étant évidemment de lancer un épisode que l'on n'a pas vu et de **se *spoiler* tout seul la suite de la série** !

Pour éviter ce genre de désagrément, téléchargez donc l'application TV Show Tracker. Vous pourrez y entrer, série par série, les épisodes que vous avez déjà vus... et vous tenir informé des prochaines diffusions à la télévision via des notifications.

**Disponible sur iPhone, iPod Touch et iPad – 0,89 €**

*Le pécheur approcha sa conquête du quai.*

**LE PÉCHEUR APPROCHA SA QUÉQUETTE DU CON.**

• J'ai balancé mon iPhone par la fenêtre
en mode avion : c'est de l'arnaque,
ça marche pas.

**• C'est à Hyères que se vivent les aventures sans lendemains, mais demain est un autre jour !!**

• Les nymphomanes sont un peu trop susceptibles… Elles prennent tout mâle !

**• Le premier qui me dit que je m'énerve pour un rien, je lui explose la gueule.**

• « Pour réussir, je n'ai pas couché. »
Actrice X mythomane

• Je rêvais de top model, et j'ai fait l'amour avec un mannequin.
Le gérant m'a demandé de quitter la vitrine de son magasin.

**• Quand vous dites que le jour de votre mariage est le plus beau jour de votre vie, c'est que vous savez que les moins beaux sont devant vous.**

• À Fukushima, qui vole un œuf, vole un œuf de la taille d'un bœuf.

**• Avec Findus, j'ai l'estomac dans l'étalon...**

• Le patron de Findus est un caractériel : qui s'y frotte, s'hippique !

• Pourquoi Mickey mousse?
Parce que Mario brosse et Bob l'éponge!

**• Toujours pas compris ce qu'avaient les antilopes contre les lopes...**

• Aimer c'est regarder ensemble dans la même direction... Tu vois le lit?

**• Voldemort n'a pas de nez, pas de cheveux et n'arrive même pas à tuer un ado binoclard de 17 ans. Pas étonnant que son surnom soit VDM!**

• Dans mon groupe d'amis, je suis le cerveau. Non, je déconne, on est tous débiles! :)

• À bâbord, c'est à gauche, à tribord, c'est à droite, à ras bord, c'est à l'apéro.

**• Boire ou conduire il faut choisir, j'ai pas le permis, j'ai pas le choix...**

• Sinon, y'a quelqu'un sous le fond de teint ?

**• 0 amis en commun... Habite en Tchéquie... Mais il m'a trouvé comment ?!**

• Une minute de silence pour la grammaire qui meurt chaque jour sur Facebook.

# À Paris, on érige les premiers murs « antipisse » !

Quelle que soit l'heure à laquelle on circule dans la capitale, il n'est pas rare de voir des hommes soulager leur vessie en pleine rue. Pour lutter contre ce souci de taille (et fort odorant), Étienne Vanderpooten, architecte voyer en chef à la Mairie de Paris, a eu une idée révolutionnaire : bâtir des murs « antipisse », comme il les a lui-même baptisés. L'idée, pourtant assez simple, est très novatrice car **Paris vient de s'équiper de cette première mondiale** !

Le tout premier mur a été installé dans le 10e arrondissement de la capitale, dans le passage des Petites-Écuries. **Un recoin avait été élu « toilettes du quartier » par quelques passants.** Étienne Vanderpooten y a installé un petit mur en tôle ondulée dont la forme impose à celui qui se soulage d'être mouillé par son propre jet ! Mais comme il l'a confié au magazine Vice : « Les résultats sont mitigés. Il faut un jet d'urine puissant pour arriver à l'effet d'arroseur arrosé. Un pipi de petit garçon, ça ne marche pas. Il faut y aller de tout son cœur. »

L'architecte a eu une autre idée pour empêcher ces débordements : créer des sols instables, peu encourageants à se laisser aller. Il a installé un plan incliné rue de Mazagran, toujours dans le 10e arrondissement.

Plus de 500 endroits de Paris ont été recensés comme particulièrement attractifs pour les personnes à petites vessies ne pouvant attendre de regagner leur domicile, et devraient prochainement être équipés d'installations « antipisse ».

# Un homme qui fait le ménage est un homme heureux !

Aussi incongru que cela puisse paraître, une étude scientifique vient de prouver qu'**un homme est plus heureux en s'occupant des tâches ménagères qu'en les laissant à sa compagne!** La Cambridge University est à l'origine de cette enquête des plus sérieuses. Ils ont prouvé que les hommes acceptant de participer au ménage étaient plus radieux que les autres.

Pourquoi? Tout simplement parce qu'ils évitent beaucoup de disputes et ne ressentent pas de culpabilité en restant vissés à leur canapé. En somme, l'homme préfère s'adonner à quelques heures de ménage pour s'assurer de vivre dans le calme.

**Alors messieurs, rangez au placard votre machisme mal placé et emparez-vous plutôt de l'aspirateur!**

*Source*: RTL

Paulette, 35 ans de prostitution, ne s'y retrouve plus dans la TVA. Elle a beau essayer de comprendre, elle n'y arrive pas. En désespoir de cause, elle finit par appeler son comptable :

**– Pour une pipe, c'est 7 % ou 19,6 % la TVA ?**

– Normalement, c'est 19,6 mais, si vous avalez, ça devient de la restauration rapide et ça diminue à 7 %.

Le lifting, on peut le passer en frais professionnels ?
Evidemment... Avec une TVA à 7 %, pour la rénovation dans l'ancien !
Déclaration d'impôts

La fille de cette femme est la mère de ma fille. Sachant que je ne suis pas un homme, quel est le lien de parenté entre cette femme et moi ?

**Solution**

C'est ma mère !

# Vendez vos services

**Rendre service, c'est bien beau, mais pouvoir gagner de l'argent en le faisant, c'est souvent mieux...** Si ce principe vous parle, enregistrez-vous sur le site Mini Deal. Vous aurez accès à toutes les demandes des internautes cherchant un service à moindre coût et vous aurez la satisfaction d'avoir pu aider quelqu'un tout en gagnant votre pécule. Vous pouvez également publier que vous recherchez un bricoleur pour vous aider à poser une étagère, un technicien pour vous créer un logo à destination de votre site Internet, ou même **une nounou pour garder votre enfant samedi soir**.

Si vous préférez la version mobile, téléchargez l'application Stootie. Le principe est le même, mais avec la géolocalisation en plus. Là encore, vous choisissez de publier votre demande ou de répondre aux offres proches de vous. L'occasion de gagner quelques euros qui ne feront pas de mal à votre compte en banque.

www.minideal.fr et www.stootie.com

# QUAND LES STARS S'ENVOIENT DES PIQUES...

**ISABELLE ADJANI :** « Si si, j'aime beaucoup Sharon Stone… Mais un film suffira. »

**SAÏD TAGHMAOUI :** « Un mec comme Gaspard Ulliel, qui arrive de nulle part, il fait plein de couv' de magazines parce qu'il a une belle gueule. C'est des mannequins, les keums ! »

**BRAD PITT :** « Je cherchais des films avec des personnages qui auraient une vie intéressante mais la mienne ne l'était pas. Je pense que mon mariage avec Jennifer Aniston avait quelque chose à y voir. »

**JIM CARREY :** « C'est difficile de faire quelque chose de mauvais de Brad Pitt, le seul problème c'est qu'il est avec Angelina Jolie. »

**GEORGE CLOONEY :** « Oui, je suis sorti avec Cindy Crawford… Mais je ne m'en souviens plus ! »

**HUGH GRANT :** « Julia Roberts ? Une très grande bouche ! Littéralement, physiquement elle a une très grande bouche. Quand je l'embrassais, j'entendais un faible écho. »

**SCARLETT JOHANSSON :**
« Ewan McGregor est un mec vachement sympa… mais il embrasse comme un ado de 16 ans ! »

**SAMUEL L. JACKSON :** « On me prend pour Morgan Freeman trois fois par semaine, et les plus idiots me prennent pour Denzel Washington. »

Après « L'islam est dangereux pour **LA DÉMOCRATIE** et en fait la démonstration tous les jours » tweeté par Véronique Genest

Mathieu Kassovitz lui a répondu, sur ce même réseau : « Julie Lescaut. Une œuvre. Une vie. **UNE FEMME**. »

Cette dernière lui a alors rétorqué : « Au moins il y a une œuvre. **RENDEZ-VOUS** au tas de sable. »

Un mec vient de découvrir un filon dans la campagne alsacienne. Il convoque une réunion pour trouver des mineurs aptes à l'exploiter.
Le premier candidat se présente. Le propriétaire de la mine lui demande s'il a de l'expérience et jusqu'à quelle profondeur il a été amené à travailler.
– Bien sûr, que j'ai de l'expérience ! Je suis descendu jusqu'à 6 m sous terre.
– Bien… **Quand on aura besoin d'un égoutier, on vous contactera.**
Le second est descendu jusqu'à 30 m, le troisième, jusqu'à 50 m, le quatrième, à 100 m, et ainsi de suite. Pour les uns comme pour les autres, l'entrepreneur trouve ça un peu léger.
Arrive alors un dernier candidat, Belge, qui affirme :
– Moi, je suis allé jusqu'à 2000 m !
L'entrepreneur est ravi : il tient son homme. Il est prêt à l'engager, mais une dernière question lui vient en tête :
– Vous deviez porter votre lampe à la main ou sur le casque, conformément à la tradition minière ?
– Ah ça, je ne sais, une fois, hein ! J'ai toujours fait partie de l'équipe de jour !

# Le nombril : un nid à bactéries

Qu'il soit rentré ou sorti, le nombril est « une jungle ». C'est en tout cas ainsi que des chercheurs de l'université de Caroline du Nord l'ont décrit. Sur les 60 personnes qu'ils ont étudiées, ils ont retrouvé **plus de 2 300 espèces de bactéries différentes** ! Bien que la très grande majorité soit inoffensive, ce chiffre fait réfléchir. Toujours selon ces chercheurs, le nombril est « susceptible de pouvoir héberger une communauté bactérienne peu perturbée si on la compare à celle des parties du corps fréquemment lavées ». Notons tout de même que certaines de ces bactéries nous rendent bien service en participant à la régulation des cellules du système immunitaire local.

*Source* : VSD

Chaque seconde, **10 400 €** sont investis dans des armes.

**10 Rolls-Royce** sont vendues quotidiennement dans le monde.

Chaque seconde, **2,5 Barbies** sont vendues dans le monde.

# TuneIn Radio

TuneIn est l'application qui vous permettra d'écouter 70 000 stations de radios et la bagatelle de 2 millions de programmes différents ! Autant dire que **vous y trouverez forcément votre bonheur**, que vous aimiez écouter de la musique, des émissions sportives ou encore vous tenir informé des dernières actualités.

En bonus, vous pouvez même faire une recherche par artiste ou par titre de chanson et sélectionner la radio qui est en train de la diffuser. Évidemment, l'application propose la fonction réveil, l'écoute en arrière-plan, la pause du programme et même le rembobinage.

**Disponible sur Android, iPhone, iPod Touch et iPad – Gratuit**

# SUDOKU

*Niveau facile*

| | | | | | | | | |
|---|---|---|---|---|---|---|---|---|
| | 3 | 4 | | 9 | 1 | 5 | | |
| | 5 | 2 | | | 4 | | | 7 |
| | | | | | | 3 | 4 | |
| | | | 9 | 4 | | 1 | | 8 |
| | 4 | | 5 | 7 | 8 | | | |
| 8 | | 7 | | 1 | 2 | | | |
| | 1 | 3 | | | | | | |
| 2 | | | 4 | | | 6 | 3 | |
| | | 6 | 1 | 8 | | 4 | 9 | |

*Solution page 680*

Les moules se parent à la mue de Novembre.

**LES MOULES SE PARENT À LA VUE DE NOS MEMBRES.**

Les poules se marrent à la vue de nos membres.

# Une femme de 75 ans prive toute l'Arménie d'Internet !

En avril 2011, près de Tbilissi, **la « hackeuse à la bêche »**, comme les médias la surnomment, a privé 90 % des connectés arméniens d'Internet pendant près de 5 h ! À la recherche de fils de cuivre pour les revendre, **elle a sectionné un câble de fibre optique en creusant la terre avec une bêche**.

Ce câble appartenant à un opérateur de télécoms, Georgian Railway Telecom, reliait à Internet pratiquement toute l'Arménie ainsi que l'est de la Géorgie et l'Azerbaïdjan. Hayastan Chakarian, 75 ans, a privé 3,2 millions d'Arméniens de leur connexion en sectionnant un unique câble près de Tbilissi, à Mtskheta, le 28 mars dernier. La « hackeuse à la bêche » a été arrêtée dans le village de Ksani et risque jusqu'à 3 ans d'emprisonnement pour dommages à la propriété.

Elle a toutefois été relâchée en raison de son âge avancé, d'après un porte-parole du ministère de l'Intérieur géorgien. Pourtant, la retraitée géorgienne d'origine arménienne clamait son innocence, vendredi 8 avril, **affirmant qu'elle ne savait même pas ce qu'était Internet**.

## Pourquoi dit-on... Être sur son trente-et-un ?

Aujourd’hui, lorsque l’on se prépare pour une soirée et que l’on met ses plus beaux vêtements, on a tôt fait de dire que l’on se met sur son trente-et-un. Oui, mais pourquoi ?

Il faut chercher l’explication dans les termes employés au Moyen Âge. À l’époque, **le « trentain » était un tissu très précieux**, composé de trente fois cent fils, qui était la matière première des habits revêtus lors de cérémonies. L’évolution de ce mot a donc engendré l’expression « être sur son trente et un ».

# Un chien meurt électrocuté sur une plaque d'égout

En janvier 2013, un chien de petit gabarit est mort dans le 20e arrondissement parisien... alors qu'il marchait sur une plaque d'égout. **Une femme a également reçu une décharge électrique** en tentant de venir au secours du pauvre animal. Heureusement, plus de peur que de mal pour cette courageuse passante... qui a tout de même été emmenée aux urgences par les pompiers.

Des fils dénudés dans le réseau souterrain ayant électrisé la plaque par capillarité semblent être à l'origine de ce fait-divers.

# La recette des crêpes bretonnes

Préparez la pâte. Buvez deux bolées de cidre. Faites chauffer une poêle. **Buvez encore 2 bolées de cidre.** Mettez de l'huile dans la poêle. Mélangez une cuillère avec la pâte. Buvez bolées de cidre 3 encore. Mettez un peu de poêle dans la pâte. **Patelez bien l'étale.** Cherchez une autre wouteille de cipre. Crépez la tourne. Faites cuire le cidre encore une petute minite. Sortez la poêle de la crêpe. La crêpe relevez du plancher. Beurrez du mettre cure la sêpe. Crêpez le sucre. **Tes la mable et loivà !**

# LA RECETTE DE LA CRÊPE FOURRÉE

1. Commencer par arroser abondamment...

2. Etaler la pâte dans la crêpière pour donner le gout fumé...

3. Faire sauter la crêpe plusieurs fois de suite...

4. Arrivée à la température maximum servir la crêpe encore chaude.

# Où vaut-il mieux acheter un bien immobilier ?

On a tous l'impression qu'il est plus rentable d'acheter que de louer un bien immobilier, mais où et au bout de combien de temps cela devient-il rentable ? C'est, en tout cas, la question qu'a posée *Le Parisien* au cabinet Asterès, et en voici les résultats :

5 – À Paris, où un appartement est rentable au bout de 21 ans avec un prix moyen du loyer de **24,40 €/m²**

4 – À Lyon, où un appartement est rentable au bout de 13 ans avec un prix moyen du loyer de **12,60 €/m²**

3 – À Nantes, où un appartement est rentable au bout de 9 ans avec un prix moyen du loyer de **11,60 €/m²**, et Lille, où un appartement est rentable au bout de 9 ans avec un prix moyen du loyer de **13,40 €/m²**

2 – À Marseille, où un appartement est rentable au bout de 6 ans avec un prix moyen du loyer de **12,40 €/m²**

1 – À Strasbourg, où un appartement est rentable au bout de 4 ans avec un prix moyen du loyer de **12,70 €/m²**, et Clermont-Ferrand, où un appartement est rentable au bout de 4 ans avec un prix moyen du loyer de **10,20 €/m²**.

# Quand la tour Eiffel donnait l'heure

De 1900 à 1914, la tour Eiffel a marqué le rythme des parisiens. **Chaque jour, à midi pile, un coup de canon retentissait dans la ville.** Il était tiré depuis la tour Eiffel et servait à donner l'heure aux Parisiens. Si jamais ces derniers n'avaient pas prêté attention au fameux « canon de midi », ils pouvaient toujours se rendre au Trocadéro pour lire l'heure sur une horloge géante composée de chiffres lumineux hauts de 6 m !

# Activitypedia, pour choisir ses loisirs

Seul, entre amis ou en famille, on est tout le temps à la recherche de quelque chose à faire. **On a toujours envie de découvrir de nouvelles activités**, mais attention : toujours en adéquation avec nos goûts ! Hors de question d'aller faire du canyoning si on a peur de l'eau ou de se lancer dans de longues heures de tricot si on n'est pas capable de rester assis plus de quelques minutes.

Le site Activitypedia permet justement de trouver comment s'occuper **en fonction de son humeur** (qu'elle soit créative, sportive, gourmande ou romantique), de l'âge des personnes concernées et du lieu où l'on se trouve. L'occasion de découvrir de nouvelles activités proches de soi et qui plairont à coup sûr !

www.activitypedia.org

Quand je suis debout,
il est couché.

Mais quand je suis
couché, il est debout.

Qui est-il ?

**Solution**

Le pied

*Il faut faire attention à l'âge du vaccin.*

**IL FAUT FAIRE ATTENTION À L'AXE DU VAGIN.**

# Marre des mecs / Marre des gonzesses

On a beau l'aimer, le sexe opposé nous énerve très régulièrement ! Nous avons donc déniché deux applis pour passer ses nerfs (et se sentir moins seul face à l'adversité !) : Marre des mecs et Marre des gonzesses. Dans chacune vous retrouverez de célèbres citations à charge contre le sexe visé, **de très bonnes raisons de rester (ou de redevenir) célibataire**, des quizz pour tester vos connaissances et de petites phrases pour apprendre à les remettre en place (que vous pourrez partager sur les réseaux sociaux si vous souhaitez faire passer un message subliminal).

Disponibles sur iPhone, iPod Touch et iPad – 0,89 €

Jésus est sur la croix et dit au voleur à sa droite :

– Viens, rapproche-toi de moi.

– Non merci, je ne crois pas en toi.

Alors Jésus se tourne vers le voleur situé à sa gauche et lui dit :

– Viens, rapproche-toi de moi.

– Je ne crois pas plus en toi que lui, je suis bien là où je suis.

Alors, Jésus leur dit :

**– Tans pis, vous ne serez pas sur la photo, les gars !**

# L'huile d'olive : votre meilleur alliée pour le régime

L'huile d'olive a de très nombreuses vertus, reconnues depuis longtemps :

– Elle permet de lutter contre le cancer du sein ;

– Elle protège des maladies cardiovasculaires ;

– Elle aide à ne pas perdre la mémoire ;

– Elle fait briller les cheveux ;

– Elle ralentit le vieillissement de la peau...

Mais une récente étude scientifique européenne vient de lui trouver un nouveau bienfait : elle provoque un sentiment de satiété et permet donc de diminuer la sensation de faim. **Résultat, on mange moins, donc on grossit moins.** Dans les faits, l'arôme d'huile d'olive permet d'augmenter le taux de sérotonine dans le sang, l'hormone responsable du sentiment de satiété, et réduit l'absorption du glucose, permettant ainsi de retarder au maximum la sensation de faim. Non seulement on a moins vite envie de manger, mais en plus on grignote moins !
Qu'attendez-vous pour en inclure dans tous vos repas ?

# Pourquoi dit-on... Ne pas être sorti de l'auberge ?

Lorsqu'une personne est dans un cycle de soucis dont elle ne voit pas la fin, elle peut s'exclamer : « Eh bien... Je ne suis pas sorti de l'auberge ! ». Cette expression vient du XIX^e siècle.

À cette époque, une auberge n'avait pas vraiment le même sens qu'aujourd'hui puisque, dans le jargon des malfaiteurs, **elle était synonyme de prison**. Quand l'un des leurs était condamné à purger une peine, il était logiquement loin d'être « sorti de l'auberge » !

# Les pertes de Napoléon pendant la campagne de Russie

En juin 1812, Napoléon se lance dans la campagne de Russie avec une armée de plus de 770 000 hommes.

Les troupes compteront moins de 30 000 soldats à leur retour, 6 mois plus tard.

Et pour cause, et selon les sérieuses recherches de Thierry Lentz :

– 100 000 hommes vont mourir sur le champ de bataille,

– 190 000 choisiront de quitter l'armée,

– entre 150 000 et 190 000 seront faits prisonniers par l'ennemi,

– 100 000 vont mourir de faim, de froid ou de maladie.

Les deux acteurs qui ont doublé **Mickey et Minnie** pendant près de 30 ans étaient mariés dans la vraie vie !

Ce jeune homme danse comme un ballot.

**CE JEUNE HOMME BANDE COMME UN SALAUD.**

# « Une femme sans parfum est une femme sans avenir », Coco Chanel

Hormis leur métier, qu'ont en commun Marilyn Monroe, Catherine Deneuve, Nicole Kidman, Audrey Tautou et Brad Pitt ?

Le parfum, bien sûr ! **Tous ont été l'égérie du célèbre N° 5 de Chanel.** Créé en 1921, le plus célèbre parfum au monde doit son nom à Coco Chanel, qui avait alors deux exigences : qu'il porte son nom et qu'il soit le plus cher du monde. Ernest Beaux lui présenta deux séries d'échantillons portant les numéros 1 à 5 et 20 à 24. Le choix de la couturière se porta évidemment sur le 5e flacon. Aussi, lorsqu'on lui demanda quel nom elle souhaitait donner à son parfum, elle répondit : « Je lance ma collection le 5 mai, cinquième mois de l'année, laissons-lui le numéro qu'il porte et ce numéro 5 lui portera chance. »

**Chaque jour, plus de 2 800 flacons de N° 5 sont vendus dans le monde !**

# Le corps humain en chiffres

Au cours d'une vie, un cœur bat en moyenne 3 milliards de fois et 70 fois/minute pour faire circuler les 5 litres de sang que compte le corps humain. Un globule rouge n'a besoin que d'une minute pour faire le tour du corps. Nous inspirons et expirons 26 000 fois par jour pour faire circuler environ 13 000 litres d'air. Nous perdons quotidiennement 1 litre d'eau par le simple fait de respirer.

Chaque année, un adulte consomme 500 kg de nourriture. Chaque jour, il produit 1,5 litre de salive.

Environ 60 muscles composent un visage. D'ailleurs, saviez-vous qu'il est plus facile de sourire que de froncer les sourcils ? En effet, le fait de froncer les sourcils sollicite plus de 40 muscles contre seulement 20 pour un sourire ! Les muscles représentent à eux seuls 35 à 40 % du poids du corps.

Le cerveau compte, en moyenne, 14 milliards de neurones. Chacun pouvant être relié à 25 000 autres, on dénombre plus de 1 000 milliards de connexions.

À la naissance, nous avons 350 os. Avec le temps, ces derniers se soudent pour n'en former plus que 206 à l'âge adulte. Composé de 6 os soudés, le bassin est le plus grand. Avec 3 mm de large et 4 mm de haut, l'étrier, situé dans l'oreille, est l'os le plus petit du corps humain.

La peau compte 1 million de poils, qui poussent chaque jour de 0,2 mm. En moyenne, notre tête comporte de 100 000 à 150 000 cheveux. Quotidiennement, nous en perdons 80, car leur durée de vie n'excède jamais 5 ans.
165 km/h : c'est le record de vitesse enregistré lors d'un éternuement !

Hier soir, je suis allée manger dans un superbe restaurant de Lyon et j'y ai remarqué un truc bizarre. **Tous les serveurs et toutes les serveuses avaient une petite cuillère dans la poche de leur chemisette.** Intriguée, dès que le serveur est venu prendre ma commande, j'ai demandé :
– Pourquoi portez-vous tous une petite cuillère dans votre poche ?

Il m'a alors expliqué qu'après des mois d'analyses, leur responsable avait conclu que la petite cuillère était le couvert qui tombait le plus souvent, à une fréquence de 3 cuillères/table/heure ! Depuis, grâce à ce stratagème, ils n'ont plus besoin de courir à la cuisine pour chercher une nouvelle cuillère. L'économie de rendement en temps de travail est estimée à 8,28 %. L'indice de satisfaction du client se trouve également accru de 4,10 %. Impressionné par toutes ces informations, je le remerciais de sa réponse.

Deux minutes plus tard, ça n'a pas manqué : j'ai fait tomber ma petite cuillère ! Le serveur m'a aussitôt apporté sa cuillère en me disant qu'il en prendrait une autre à son prochain passage en cuisine.

Lors du repas, qui s'est très bien passé, j'ai également remarqué que les serveurs avaient tous une ficelle qui dépassait un petit peu de leur braguette. Quand il nous a apporté l'addition, je n'ai pas résisté et j'ai fini par demander au serveur à quoi servait cette ficelle.
– **Bien observé**, me dit-il en baissant la voix. Notre responsable a aussi compris que nous pouvions gagner du temps dans les toilettes. La ficelle est attachée autour du pénis, on peut donc le sortir sans le toucher et éviter d'avoir à se laver les mains –ce qui représente une économie d'eau, et le temps passé aux toilettes est réduit d'environ 12,48%.
– Pas bête... Mais dites-moi, après l'avoir sorti, comment le remettez-vous dedans sans le toucher ? demandai-je.
**– Eh bien, je ne sais pas comment font les autres, mais moi, je me sers de la petite cuillère...**

*Les premiers chrétiens ont montré leur calvaire à l'unisson.*

**LES PREMIERS CHRÉTIENS ONT MONTRÉ LEURS CALEÇONS À L'UNIVERS.**

# Connaissez-vous les sites les plus populaires en France ?

En France les **25 sites** les plus populaires sont :

1. Google France (google.fr)
2. Facebook (facebook.com)
3. Google (google.com)
4. YouTube (youtube.com)
5. Yahoo ! (yahoo.com)
6. Wikipedia (wikipedia.org)
7. Le bon coin (leboncoin.fr)
8. Windows Live (live.com)
9. Orange (orange.fr)
10. Free (free.fr)
11. eBay (ebay.fr)
12. Amazon (amazon.fr)
13. Twitter (twitter.com)
14. LinkedIn (linkedin.com)
15. Comment Ça Marche (commentcamarche.net)
16. *Le Monde* (lemonde.fr)
17. *Le Figaro* (lefigaro.fr)
18. Dailymotion (dailymotion.com)
19. *L'Équipe* (lequipe.fr)
20. PagesJaunes (pagesjaunes.fr)
21. Viadeo (viadeo.com)
22. OverBlog (over-blog.com)
23. MSN (msn.com)
24. SFR (sfr.fr)
25. Tumblr (tumblr.com)

*Source : Alexa*

# Real Racing 3

Real Racing 3 est un jeu de courses de voitures gratuit, performant et graphique, **chose très rare** !

Au menu, 46 voitures différentes, allant de la Porsche à la Lamborghini, en passant par une Audi ou une Dodge. Attention, les dégâts sur votre voiture se paient très cher si vous ne voulez pas investir dans la version payante… Lorsque votre moteur est en panne, par exemple il vous faut attendre 20 minutes pour pouvoir à nouveau jouer : le seul vrai défaut de ce jeu, dans lequel on s'immerge complètement.

**Disponible sur iPhone, iPod Touch et iPad – Gratuit**

L'animateur de télévision **JEAN-MARC MORANDINI** a gagné ses premiers salaires au **MC DO** ! Il était alors étudiant à Marseille et était chargé de **LA CUISSON** des frites lorsqu'il n'était pas **EN COURS**.

C'est l'histoire d'un aveugle qui rentre dans un bar…

**puis dans une table, dans une chaise…**

# Les 30 mecs à adopter en 2012

Chaque année, le célèbre site de rencontre Adopte un mec publie le classement des 100 hommes à adopter absolument dans l'année. Voici les 30 premiers pour l'année 2012.

## 30. Monsieur Poulpe, *blogueur,* 32 ans

Dans la vie de tous les jours, il s'appelle Erwan Cohen et il joue sur de multiples tableaux : acteur, animateur télé, blogueur, chanteur et geek devant l'Éternel !

## 29. Cyprien, *blogueur,* 23 ans

Cyprien, c'est le mec mignon qui poste des vidéos sur YouTube, où il vient d'ailleurs de dépasser le million d'abonnés ! Il est également animateur sur NRJ12.

## 28. Frédéric Lopez, *animateur,* 46 ans

L'animateur télé qui nous fait voyager (et pleurer !) avec « Rendez-vous en terre inconnue » et que l'on peut également entendre à la radio.

## 27. M.Pokora, *Chanteur,* 28 ans

Le beau-gosse tatoué qui écrit, chante et danse ses chansons.

## 26. Frédéric Michalak, *sportif,* 31 ans

Le plus beau des rugbymen français depuis quelques années.

## 25. Charlie Winston, *chanteur,* 35 ans

Il semblerait que son côté *hobo* (vagabond en français) plaise à la gent féminine...

**24. Justin Timberlake,** ***chanteur,*** **32 ans**

L'ex de Britney Spears, l'actuel de Jessica Biel et le futur dont beaucoup de femmes rêvent !

**23. Bruno Julliard,** ***homme politique,*** **32 ans**

Médiatisé depuis la dernière élection présidentielle, Bruno Julliard est un socialiste anciennement conseiller auprès du ministre de l'Éducation nationale et adjoint à la Culture du maire de Paris.

**22. Augustin Paluel-Marmont,** ***chef d'entreprise,*** **37 ans**

Le plus sexy des deux fondateurs de la marque Michel&Augustin.

**21. Yoann Gourcuff,** ***sportif,*** **27 ans**

Le numéro 8 de l'Olympique lyonnais continue de faire craquer les filles... Son arme fatale ? Une plastique de rêve et de magnifiques yeux verts !

**20. Camille Lacourt,** ***sportif,*** **28 ans**

Bien qu'il soit le premier champion du monde de l'histoire de la natation française du 100 mètres dos, les femmes le connaissent surtout pour ses longs cheveux, ses « tablettes de chocolat » et ses yeux d'un bleu très clair.

**19. Alexandre Astier,** ***comédien,*** **38 ans**

Le Lyonnais de Kaamelott séduit la gent féminine, malgré son personnage moyenâgeux. Mais vous savez ce qu'on dit : « Femme qui rit... »

## 18. Nicolas Duvauchelle, *acteur,* 33 ans

Mettre ce bellâtre à l'affiche d'un film, c'est s'assurer de remplir les salles tant il fait fondre les femmes ! Mesdames, nous vous invitons à vous procurer les photos de son mannequinat pour Louis Vuitton.

## 17. Bertrand Chameroy, *animateur,* 24 ans

Bertrand Chameroy tient une rubrique quotidienne dans l'émission « Touche pas à mon poste ». Sa facétie lui permet d'atteindre le haut du classement.

## 16. Cyril Paglino, *chef d'entreprise/blogueur,* 27 ans

Ancien vice-champion de breakdance, ancien candidat de « Secret Story », Cyril Paglino est aujourd'hui un entrepreneur sexy, bien bâti et très actif sur Twitter.

## 15. Bradley Cooper, *acteur,* 38 ans

Vous l'avez découvert dans *Very Bad Trip* ou *Alias* et désormais vous suivez sa carrière de près... Tout comme ses interventions télévisées : il parle très bien français, avec juste ce qu'il faut d'accent pour être encore plus sexy !

## 14. Johnny Depp, *acteur,* 50 ans

Jack Sparrow a-t-il encore besoin d'être présenté ? Il a beau avoir la cinquantaine, il reste toujours dans le top mondial des plus beaux mecs.

## 13. Thomas Dutronc, *chanteur,* 40 ans

Le style manouche du fils de Jacques Dutronc fait mouche...

**12. Joseph Gordon-Levitt, *acteur,* 32 ans**

Il est acteur, réalisateur, scénariste, producteur et très mignon. Il a joué dans *Inception*, *The Dark Knight Rises* ou encore *Looper*. Bref, vous le connaissez forcément !

**11. Nathanaël de Rincquesen, *journaliste,* 41 ans**

C'est la surprise de ce classement. Depuis 2009, il est le joker d'Élise Lucet au *13h* de France 2. Pour l'anecdote, son nom complet est Nathanaël de Willecot de Rincquesen.

**10. Gaspard Ulliel, *acteur,* 29 ans**

L'un des acteurs français les plus sexy. Il est également l'égérie de grandes marques telles que Chanel ou Longchamp !

**9. Baptiste Lecaplain, *humoriste,* 28 ans**

Considéré par Gad Elmaleh comme « le meilleur de sa génération », Baptiste Lecaplain est aussi le plus beau des humoristes français selon Adopte un mec.

**8. Adam Levine, *chanteur,* 34 ans**

Le leader des Maroon 5 est aujourd'hui davantage connu pour son déhanché, ses tatouages et ses photos de nu que pour sa musique.

**7. Guillaume Canet, *acteur,* 40 ans**

Même si Marion Cotillard a brisé les rêves de nombreuses Françaises en ayant un enfant avec lui, il semblerait qu'elles n'en tiennent pas rigueur au beau Guillaume Canet et continuent de le considérer comme un très bel homme.

**6. Frah, *chanteur,* 42 ans**

Le charismatique chanteur des Shaka Ponk fait la démonstration, à chaque passage sur scène, de toute l'énergie qu'il a en lui... et en profite pour dévoiler ses nombreux tatouages !

**5. Ian Somerhalder, *acteur,* 35 ans**

L'acteur de *Vampire Diaries* fait rêver les jeunes femmes avec son regard azur et son sourire en coin dévastateur.

**4. Yann Barthès, *animateur,* 39 ans**

L'impertinent journaliste de Canal+ n'en finit pas de monter dans les classements de mecs sexy !

**3. Benjamin Millepied, *chorégraphe,* 36 ans**

Ce danseur chorégraphe a su séduire la belle Nathalie Portman sur le tournage de *Black Swan*. Et il semblerait que beaucoup de femmes comprennent comment elle a pu succomber à son charme...

**2. Ryan Gosling, *acteur,* 33 ans**

Depuis qu'il a eu le premier rôle dans *Drive*, toute la gent féminine rêve de rencontrer un cascadeur-braqueur !

**1. Mark Daumail, *chanteur,* 29 ans**

Le chanteur du groupe Cocoon s'est imposé comme numéro 1 de ce classement ! Il faut dire que son univers en touche plus d'une droit au cœur.

Dans une maison à deux étages, une personne située à l'étage supérieur dit à ceux d'en bas : « Si l'un de vous nous rejoint, nous serons alors deux fois plus que vous. Par contre, si l'un de nous descend, nous serons alors à égalité. »

Combien y a-t-il de personnes à chaque étage ?

**Solution**

Il y a 7 personnes en haut et 5 en bas.

# Quand le Nutella coûte cher...

Dans la prestigieuse université de Columbia, on a un gros problème... avec le Nutella ! **Chaque jour, 45 kg de cette célèbre pâte à tartiner disparaissent**, soit un coût hebdomadaire de 4 000 € pour l'école ! L'administration a cherché à savoir s'ils étaient dévorés par les étudiants ou volés, mais l'enquête interne n'a jamais été rendue publique.

En avril 2013, **des malfrats ont réussi à subtiliser 5 tonnes de Nutella** dans un entrepôt allemand, à l'endroit même où avaient déjà disparu 5 tonnes de café un mois auparavant et 34 000 cannettes de boissons énergisantes quelques mois avant.

# Quatre massages express pour soulager les petits maux

Chassez efficacement les maux de tête, les douleurs, les tensions et le stress grâce à ces massages express, simples et rapides ! Il s'agit d'appuyer sur les bons points réflexes du corps afin de faire circuler positivement les flux énergétiques.

## 1. Le toucher « reiki »

La technique reiki nous vient du Japon. Profitez d'un moment de calme, frottez énergiquement vos mains à l'aide d'un peu d'huile et fermez les yeux. Apposez vos deux mains sur votre nuque. Inspirez et expirez profondément en étant attentif à chacune de vos sensations. Au bout d'une minute, vous vous sentirez déjà plus détendu.

## 2. Massez vos poignets

Si un événement vous tracasse, soulagez votre esprit en massant vos poignets. Regardez la face interne de la main, comptez trois largeurs de pouce sous la paume, au milieu des tendons. Voilà, vous avez trouvé le point d'acupuncture qui évacuera votre anxiété. À masser avec un peu d'huile en fermant les yeux.

### 3. *Le point réflexe*

À travers quelques pressions ciblées, la réflexologie permet de produire des effets bénéfiques sur tout le corps et de soigner des douleurs. Si vous avez mal au niveau des épaules et de la nuque, stimulez le point situé entre le pouce et l'index. Appuyez une vingtaine de fois en allant du bas du pouce vers l'index.

### 4. *Contre les maux de tête*

Pressez le point énergétique de la main, il peut soulager vos maux de tête agressifs. Sur le dos de la main, appuyez avec le pouce opposé sur la jonction entre le pouce et l'index. Vous sentez un petit point douloureux ? Maintenez la pression quelques minutes sur cette zone en respirant bien. Au fur et à mesure, vous sentirez la douleur s'évaporer.

# Retour sur le début du mandat de François Hollande

Des journalistes ont décidé de lancer le site LuiPrésident.fr, sur lequel ils comptabilisent les promesses de François Hollande et dénombrent celles qu'il a tenues ou non. En mars 2013, nous arrivions donc au résultat suivant :

sur les 349 promesses faites par François Hollande,

56 ont été tenues,

18 ont en partie été tenues,

250 n'ont pas encore été tenues ou sont en cours

et 25 promesses ont été brisées, non atteintes ou reportées.

# L'appli qui sauve

La Croix-Rouge a lancé sa propre application : l'Appli qui sauve. Elle s'organise en quatre parties :

– « J'agis », où l'**on apprend comment sauver une vie calmement** et où l'on peut consulter une liste des numéros d'urgence en France et à l'étranger.

– « Je me forme », pour se préparer en amont et apprendre les gestes élémentaires de secours à une personne. Très ludique, l'apprentissage se fait via un quiz.

– « Je me prépare », pour être sur le qui-vive quelle que soit la catastrophe qui se présente à vous.

– « Je donne », afin de pouvoir faire un don à la Croix-Rouge, qui en a toujours besoin.

Bref, une application intéressante, intelligente et qui peut vraiment sauver la vie de vos proches… ou la vôtre !

**Disponible sur iPhone, iPod Touch**
**et iPad – Gratuit**

# JEUX DE SIGLES

***Saurez-vous retrouver la bonne signification ?***

***ABS***

- Attention Bagnole Sacrée
- Absence Brutale de Signalisation
- Allez, Banzaï Sushi
- AntiBlockierSystem
- Achtung Big Scratch

Solution : Antiblockiersystem

***ANPE***

- Amène-Nous Plus d'Emplois
- Avec Nous, Peu d'Espoir
- Agence Nationale Pour l'Emploi
- Agence Nationale de Perte d'Emploi
- Allergie Nationale Pour l'Emploi

Solution : Agence nationale pour l'emploi

***BCBG***

- Beau Cul Belle Gueule
- Bien Chiant Bien Gavant
- Bien Conne Bien Galère
- Bonne Cuite Bonne Gerbe
- Bon Chic Bon Genre

Solution : Bon chic bon genre

### *BHL*

– Bernard-Henri Lévite
– Bouquin Hautement Laxatif
– Bibliographie Horriblement Lourde
– Bernard-Henri Lévy
– Bavardage Habillé en Littérature

Solution : Bernard-Henri Lévy

### *BTP*

– Bâti Tout en Placo
– Bâtiment et Travaux Publics
– Boulot Toujours Pourri
– Bientôt Terminé, Promis
– Bois Ta Paye

Solution : Bâtiment et Travaux publics

### *CAP*

– Certificat d'Aptitude à la Pauvreté
– Cas Absolument Perdus
– Certificat d'Aptitude Professionnelle
– Certainement Aucune Promotion
– Cauchemar Absolu des Profs

Solution : Certificat d'aptitude professionnelle

### *CRS*

– Camion Rempli de Singes
– Compagnies Républicaines de Sécurité
– Cerveau Rarement Sollicité
– Compagnie de Répression Sanguinaire
– Coup de Rouge Supérieur

Solution : Compagnies républicaines de sécurité

### *CSA*

– Censé S'occuper de l'Audiovisuel
– Caser Ses Amis
– Censure Suprême de l'Audiovisuel
– Conseil Supérieur de l'Audiovisuel
– Congrégation de Saint Audimat

Solution : Conseil supérieur de l'audiovisuel

### *DASS*

– Directement Au Sous-Sol
– Défense d'Apporter Sa Sœur
– Débâcle Administrative Sans Solution
– Déménagement À Supporter Souvent
– Direction des Affaires Sanitaires et Sociales

Solution : Direction des affaires sanitaires et sociales

### *EDF*

– Encore des Factures ?
– Entreprise Désespérément Française
– Enchevêtrement De Fils
– Électricité De France
– Ensemble Disons Fuck

Solution : Électricité de France

### *FN*

– Front National
– Faute Nationale
– Faisandé Naturellement
– Fortement Nauséabond
– Farce Nazie

Solution : Front national

### *OM*

– Oooooh Manqué !
– Olympique de Marseille
– Obligé de Magouiller
– Oublie de Marquer
– Organe Mou

Solution : Olympique de Marseille

# MOTS CROISÉS

### *Horizontalement*

1 : Fait pour être montré

2 : Barack Obama a réussi cet exploit

3 : Équitablement

4 : Sondages célèbres – Extrémité d'Orange

5 : Pas anglais – Très fatigué – Infinitif

6 : Unité astronomique – Niais

7 : Elle fabrique de l'oubli, selon Godard

8 : Suas au hammam – Ancienneté

9 : Véhicule multifonctions

10 : Conifères

### *Verticalement*

A : Moyen conçu pour accélérer et automatiser les erreurs

B : Outil de jardinage

C : Téléfoot en accéléré – Mariano ou Buñuel

D : Anagramme de pile – Anagramme d'Elvis

E : Précis – Ferment

F : A besoin de beaucoup d'imagination

G : Aéroport d'Osaka – Situé – Article

H : Vertu – Benêt

I : De l'épaule à la queue – Shrek en est un

J : Homologuées

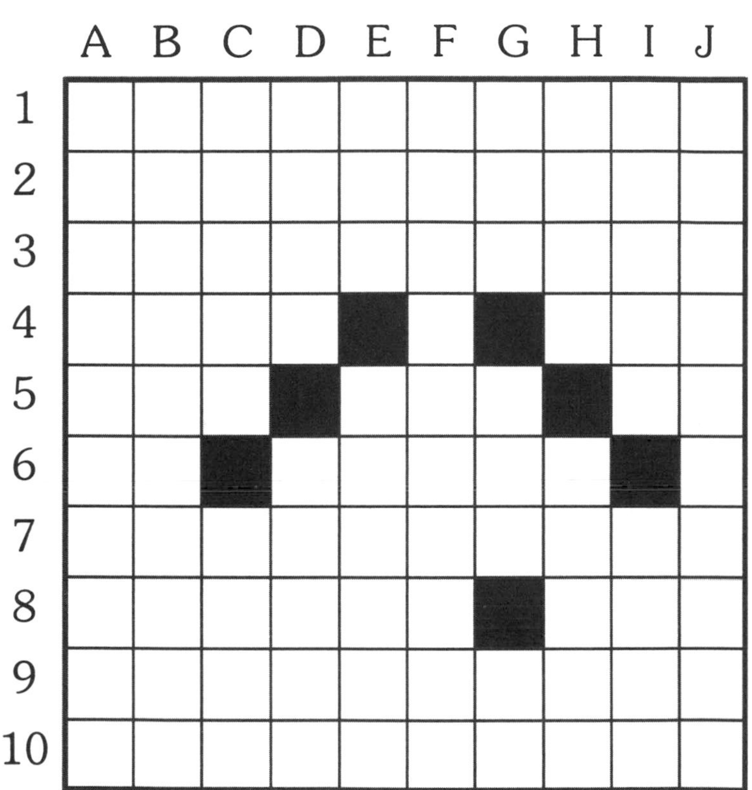


**Solution page 678**

# Casque d'Or tourné sur les lieux mêmes du fait divers !

Casque d'or a vraiment existé. Elle s'appelait Amélie Hélie, et sa chevelure dorée a fait tourner bien des têtes parmi les Apaches de Belleville... La plupart des scènes du film avec Simone Signoret se déroulent au 44, rue des Cascades, dans le 20e arrondissement de Paris., car c'est là que se cache la véritable Casque d'or quand éclate le fait divers opposant des bandes rivales, dont elle est là l'origine...

## La maison de Leca dans *Casque d'or*

En 1952, le réalisateur Jacques Becker tourne donc le film inspiré de cette histoire, où l'on voit la maison de Leca, interprété par Claude Dauphin. C'est l'un des amants de Casque d'or, une prostituée jouée par Simone Signoret, parfaite en belle tourmentée. Un autre de ses amants, Manda, est interprété par le chanteur Serge Reggiani.

Leur passion pour Casque d'or sera destructrice et aboutira à l'affrontement des bandes rivales de Leca et Manda à Belleville, en 1902, un événement tellement impensable à l'époque qu'ils seront surnommés les « Apaches » par un journaliste du *Petit Journal*, Arthur Dupin, qui fait paraître, le 20 octobre 1907, un article intitulé « L'Apache est la plaie de Paris » — nom dont la paternité est également attribuée à Victor Morris.

## Amélie Hélie : prostituée demandée et chanteuse éphémère

Amélie Hélie, surnommée Casque d'or en raison de sa chevelure flamboyante, est le personnage central d'une bande « d'Apaches », ces voyous de la rue de Lappe qui inquiètent l'Est parisien à la Belle Époque. De Belleville à Ménilmontant en passant par la « Bastoche » ou la « Mouff », ils vivent de petits larcins, de proxénétisme et de vols à la tire. Prostituée pour les Apaches, la belle tente sa chance au music-hall mais disparaît rapidement de la scène artistique.

## Fantômas inspiré par les Apaches

Marcel Allain est le co-auteur, avec Pierre Souvestre, du roman à succès *Fantômas*, qui paraît chez Fayard en 1911. Jeune journaliste au moment de l'affrontement des deux bandes, il réussit à obtenir un entretien avec la belle Amélie, responsable malgré elle de cette guérilla urbaine. Elle vit à l'époque cachée au 44, rue des Cascades. C'est là qu'Allain va obtenir d'elle une interview qui ne sera jamais publiée. Personne dans son entourage ne croit qu'il a pu l'obtenir.

Les Apaches que l'on retrouve dans Fantômas sont directement inspirés des bandes du quartier de Belleville, des jeunes désœuvrés qui n'attendent qu'un personnage fort en gueule pour en faire leur chef. On retrouve dans le roman la bande des Chiffres, chacun de ses membres se nommant du nombre de ses victimes, ou encore la bande des Ténébreux.

Depuis, l'adaptation cinématographique des années 1960 a rendu célèbres le commissaire Juve, incarné par Louis de Funès, et l'insaisissable Fantômas incarné par Jean Marais.

# Créez vous-mêmes vos chaussures avec Shoes of Prey

Petite, vous étiez fière des looks que vous créiez pour vos poupées et vous passiez des heures à dessiner des tenues à vos mannequins de papier ? Dorénavant vous détestez avoir les mêmes vêtements que les autres et vous regrettez de n'avoir pas pu devenir styliste ?

Le site Shoes of Prey est fait pour vous ! **Vous allez pouvoir créer vos chaussures de A à Z** en choisissant leur forme, leur couleur, leur texture et la hauteur de leurs talons. Un artisan se charge ensuite de donner vie à votre œuvre et vous êtes livrée en 4 semaines maximum. Si toutefois cela ne vous convenait pas, vous avez un an pour les renvoyer afin qu'elles soient modifiées. Que demander de plus ?

www.shoesofprey.fr

# Travail, Famille, Patrie

*Travail, Famille, Patrie* : cette fameuse devise rappelle de biens mauvais souvenirs à nombre de Français… **Et pour cause, elle fut celle du gouvernement de Vichy et du maréchal Pétain.** Mais sachez que ce cher maréchal n'est pas l'auteur originel de cette maxime. Quatorze siècles avant lui, saint Éloi, le trésorier du roi Dagobert Ier, en avait déjà fait sa devise !

# Geomedica

Que l'on soit en vacances au Pays basque, en déplacement à Paris ou tout simplement à la maison, on est susceptible d'avoir besoin d'un médecin ou d'une pharmacie très rapidement. Il est donc très utile d'avoir l'application Geomedica sur son téléphone. **Gratuite, elle vous géolocalise et vous indique tous les professionnels de santé se trouvant à proximité.** À vous de sélectionner ce que vous souhaitez : médecin généraliste, pharmacie, laboratoire, dentiste, centre hospitalier… Pas de risque de tomber sur une fiche erronée puisque ce sont les professionnels de la santé qui les mettent eux-mêmes à jour.

Bref une application qui peut vraiment vous sortir d'une situation délicate !

PS : Si vous n'avez pas de smartphone sous la main, un site internet existe : geomedica.fr/app.php

Disponible sur iPhone, iPod Touch
et iPad – Gratuit

# Du caca sur la Lune !

Neil Amstrong et Buzz Aldrin sont les premiers hommes à avoir marché sur la Lune, vous le saviez. **Mais saviez-vous qu'ils ont marqué l'astre de leur passage en y laissant carrément leurs matières fécales ?**

Avant leur départ, ils ont dû alléger leur fusée de 2,2 tonnes de matériel. Ils ont donc laissé sur place pas mal d'outils scientifiques, une branche d'olivier en or, des bottes, un drapeau américain et… quatre toilettes lunaires !

Aujourd'hui, nombre d'Américains luttent pour que ce « patrimoine » soit protégé. La Lune n'ayant pas d'atmosphère, tout ce que les astronautes ont laissé devrait toujours être en bon état.

Une vieille femme va voir son médecin traitant :

– Docteur, je ne sais pas pourquoi mais, en ce moment, j'ai de plus en plus de gaz... Bon, ils ne me dérangent pas plus que ça puisqu'ils sont complètement silencieux et qu'ils ne sentent rien. D'ailleurs, pour vous dire, j'ai dû péter une quinzaine de fois depuis que je suis arrivée ici...

– Très bien... Voilà votre ordonnance. Suivez-la bien et revenez me voir dans une semaine.

Une semaine plus tard...

– Que m'avez-vous donné docteur ?! **Mes gaz sont toujours silencieux mais qu'est-ce qu'ils puent !**

– Parfait... Maintenant que vos sinus sont dégagés, on va s'occuper de vos tympans...

Finis mes problèmes d'aérophagie ...
Depuis que je fais des cures thermales d'eau... gazeuse !
BLB ...BLB... BLB... BLB...
BLB ...BLB... BLB... BLB...
Sylvie NOURRIT

# Une énigme à partager à voix haute :

**Deux hommes, un juif et un nazi, sont assis dans une pièce fermée de l'extérieur. Dans cette pièce, il y a quatre objets : un lit, une bougie, une fourchette et un poignard.**

**« Kes ki fon » seuls dans cette pièce ?**

## Solution

Vos amis vont entendre « Qu'est-ce qu'ils font ? » et s'acharner à vous donner des réponses toutes plus abracadabrantes les unes que les autres. Alors que vous, vous attendrez simplement la réponse « la bougie » à la question « Qu'est-ce qui fond ? » !

*Le médecin n'aime pas que l'infirmière parte pendant les ventouses.*

**LE MÉDECIN N'AIME PAS QUE L'INFIRMIÈRE VENTE PENDANT LES PARTOUZES.**

# Les super-riches et leur argent

Un super-riche est un particulier dont le patrimoine atteint au moins 30 millions de dollars, soit 23 millions d'euros.

Selon la dernière étude annuelle du conseil en immobilier Knight Frank, en 2012, 8700 personnes ont rejoint ce club très fermé d'environ 180000 membres. Selon ce même cabinet, leur nombre devrait augmenter de 50 % d'ici 2022, avec l'arrivée de plus en plus d'Asiatiques et de Latino-Américains.

Mais que font-ils de leur argent ?
23 % de leur fortune est consacrée à leurs obligations, dont 15 % pour leurs entreprises et 8 % pour l'État.
22 % de leur argent est investi dans l'immobilier,
18 %, dans les métaux précieux, les matières premières et les devises,
15 %, dans diverses actions,
12 %, en liquidités,
5 % sont réinvestis dans d'autres sociétés
et 5 % sont réservés aux bijoux, aux grands vins, aux voitures de collection, aux tableaux d'art et autres plaisirs.

Ces super-riches ont parfois des passions peu compréhensibles : ainsi leur engouement pour les timbres de collection en a fait augmenter les prix de 216 % !

*Source* : Le Parisien

# Les pizzas fondent à vue d'œil

Avec 10 kg dévorés chaque année, **les Français sont de plus gros mangeurs de pizzas que les Italiens** ! Vous serez donc heureux d'apprendre que le prix moyen d'un repas dans une pizzeria, hors boisson, a baissé de 3,87 % entre 2012 et 2013. Mais vous allez certainement déchanter en apprenant que cela s'est fait au détriment de la taille des pizzas : leur diamètre moyen est passé de 32 à 31,7 cm, soit 4,35 % de surface perdue.

*Source : Le baromètre pizzas 2013, cabinet CHD Expert*

Lors d'une croisière sur la Méditerranée, catastrophe ! Le paquebot est en train de couler ! Un Français se précipite pour embarquer parmi les premiers dans un canot de sauvetage.

Un Anglais le retient et lui dit :

– Sir, avez-vous remarqué qu'il y a encore des femmes à bord ?

Le Français lui répond :

**– Et vous croyez que j'ai envie de baiser dans un moment pareil !!!**

?!
Qu'est-ce qui
te prend,
Leonardo ??
Enfin seuls...
Bienvenue à bord
du "Titanique" !
BLURB...
BLURB...
BLURB...

# Freevore

Le gros problème avec la plupart des applications, c'est qu'elles sont payantes et souvent hors budget en ces temps de crise. Freevore vous permet de contourner ce problème et de **vous offrir gratuitement l'application de vos rêves**. Pour cela, installez Freevore sur votre smartphone, vous y trouverez une liste d'applications gratuites à télécharger. À chaque téléchargement, vous cumulez des points que vous échangerez ensuite contre l'application qui vous fait de l'œil depuis des jours mais dont le prix vous rebutait jusque-là !

**Disponible sur iPhone, iPod Touch et iPad – Gratuit**

# LES PRÉNOMS DE BÉBÉ DE STARS LES PLUS INSOLITES

## BINGHAM BING HAWN

Il est le fils de Kate Hudson et Matthew Bellamy. Il doit son long prénom aux origines de ses parents. Bingham est le nom de jeune fille de la mère de Matthew Bellamy. Hawn est celui de la mère de Kate Hudson. Pour finir, Bing était le prénom de l'arrière-grand-père de l'actrice.

## SEVEN

Elle est la fille d'Isabelle Funaro et Michaël Youn. Son prénom ne fait pas référence au film de David Fincher, mais au numéro porte-bonheur de l'humoriste, à la date de naissance de cette petite fille (le 7 juin 2011) et au nombre de lettres contenues dans « Je t'aime ».

## VIVIENNE MARCHELINE ET KNOX LEON

Ils sont les jumeaux d'Angelina Jolie et Brad Pitt. Marcheline était le prénom de la maman d'Angelina Jolie et le grand-père de Brad Pitt se nommait Knox.

## MILO THOMAS

Il est le fils d'Alyssa Milano et David Bugliari. Il porte le nom de ses deux grands-pères, Millet et Thomas, très chers à l'actrice.

## WILLOW SAGE

Elle est la fille de Pink et de Carey Hart. *Willow* veut dire « saule » en anglais. C'est l'arbre préféré de la chanteuse car il « peut fléchir à volonté et résister à tout », selon ses propres dires. Elle a d'ailleurs ajouté : « La sauge (*sage* en anglais) est purifiante et sacrée. Et les deux mots sonnaient bien ensemble. Cela n'est pas dérangeant que son nom de famille soit Hart : cela donne un cœur souple et propre. »

## ALEPH

Il est le fils de Natalie Portman et de Benjamin Millepied. Son prénom est la première lettre de l'alphabet hébreu et signifie « le premier, qui contient tous les autres nombres » ; il fait référence aux origines israéliennes de sa jolie maman.

## MARCEL

Il est le fils de Marion Cotillard et Guillaume Canet. Un prénom choisi par sa mère en référence à plusieurs personnes portant ce nom dans sa famille. Donc rien à voir avec Marcel Cerdan, « l'amour d'amour » de la Môme !

## MONROE ET MOROCCAN SCOTT

Monroe est la fille et Moroccan Scott le fils de Mariah Carey et de Nick Cannon. Monroe doit son nom à l'actrice Marylin Monroe. Moroccan Scott a été prénommé ainsi en référence à l'endroit où son père a demandé sa mère en mariage : leur salon ! D'inspiration marocaine, la pièce de l'appartement de Manhattan était nommée *Moroccan Room* par ses occupants. Scott est le deuxième prénom de Nick Cannon.

## HARLOW WINTER KATE

Elle est la fille de Nicole Richie et Joel Madden. Harlow renvoie au mannequin Shalom Harlow et à l'actrice Jean Harlow. Winter n'a pas été choisi pour notre Ophélie nationale, mais bien pour la saison hivernale. Et Kate est tout simplement un prénom que le couple apprécie mais qu'il trouve trop commun.

## HARPER SEVEN

Elle est la fille de Victoria et David Beckham. Harper est un ancien prénom britannique apprécié par Victoria. Seven est le numéro longtemps porté par David Beckham. Plus encore, selon des proches du couple : « Le chiffre sept représente la chance et le bonheur. Le bébé est né juste après 7 h, au septième mois de l'année. »

Un mec complètement bourré vient sonner chez des gens à 3h du matin. Monsieur se lève, très énervé d'être dérangé à une heure pareille. Il ouvre la porte et demande :
– Que voulez-vous ?
**– Viens me pousser, mec ! Je suis en galère, j'ai besoin de toi...**
– On ne se connaît pas, il est 3h du matin et tu me réveilles pour me dire de te pousser ? Va emmerder quelqu'un d'autre ! Bonne nuit !
Le mec retourne se coucher. Sa femme, qui a tout entendu, n'est pas franchement fière de son mari :
– T'exagères, Éric ! Ça peut arriver à tout le monde d'être en panne, même bourré. T'aurais pu aider ce pauvre mec ! Ça sera ta B.A. du jour...
Pris de remords, l'homme met une paire de chaussures et descend rejoindre l'homme qui a sonné à sa porte :
– Eh mec, je viens t'aider... Je vais te pousser ; tu es où ?
Et le mec bourré répond :
**– Là, sur la balançoire !**

# SUDOKU

*Niveau moyen*

| | | | | | | | | |
|---|---|---|---|---|---|---|---|---|
| | | | 8 | 3 | | | 1 | 5 |
| | | | 9 | | | 8 | | 6 |
| 4 | | | | | | | | |
| 7 | | | | 5 | | | 4 | 3 |
| | | 4 | 1 | | 7 | 6 | | |
| 1 | 5 | | | 4 | | | | 9 |
| | | | | | | | | 4 |
| 6 | | 5 | | | 1 | | | |
| 3 | 9 | | | 7 | 6 | | | |

*Solution page 680*

# Le classement des 10 meilleures universités au monde

Chaque année, le *Times Higher Education* (*THE*) publie son palmarès des meilleures universités au monde. Celles-ci sont ensuite très suivies par tous les recruteurs. **Cinq critères principaux sont pris en compte** : la qualité de l'enseignement, le nombre de publications par les chercheurs, le budget recherche, l'ouverture internationale et les revenus issus du secteur privé.

10 – University of Chicago, États-Unis
9 – University of California, États-Unis
8 – Imperial College London, Royaume-Uni
7 – University of Cambridge, Royaume-Uni
6 – Princeton University, États-Unis
5 – Massachussetts Institute of Technology, États-Unis
4 – Harvard University, États-Unis
3 – Stanford University, États-Unis
2 – University of Oxford, Royaume-Uni
1 – California Institute of Technology, États-Unis

NB : La première grande école française de ce classement arrive à la 59e place, avec Normale sup.

Si les paquets de chips sont toujours bien gonflés et leur contenu, jamais humide, c'est parce que **celui-ci a été plongé dans un joli bain d'azote** !

# Vos commerçants de proximité sur Coursenville

Acheter une pièce de viande ou un morceau de fromage en grande surface n'a souvent rien à voir avec ce que vos commerçants de proximité peuvent vous proposer : c'est un fait. Mais il faut bien avouer qu'en partant travailler à 7 h du matin et en rentrant 12 h plus tard, complètement exténué, il est bien difficile de se rendre dans ces petits commerces.

Avec Coursenville, vous vous connectez à l'heure de votre choix et **vous commandez vos courses chez vos commerçants de quartier**. Ces dernières vous sont ensuite livrées au bureau, à la maison ou en Point-Relais, mais vous pouvez également les récupérer en boutique. Il est bon de savoir que les vendeurs s'engagent à pratiquer les mêmes prix sur le Net qu'en magasin.

www.coursenville.com

# Pourquoi dit-on...
# Monter au créneau?

Lorsqu'une personne s'emporte pour défendre son point de vue ou ses intérêts, on peut dire qu'elle monte au créneau. **Une expression que l'on doit aux archers du Moyen Âge!** En effet, lorsqu'un château se faisait attaquer, ces derniers étaient chargés de monter rapidement au sommet, le long des chemins de ronde. Ils tentaient alors de repousser l'assaillant à l'aide de leurs flèches, cachés derrières les créneaux du château.

# Ocarina

Vous vous êtes toujours senti l'âme d'un musicien mais votre recalage au conservatoire vous a empêché de dévoiler au monde entier toute l'étendue de votre talent ? Alors téléchargez vite Ocarina ! Cette application, très facile à prendre en main, va vous permettre de produire des sons très mélodieux. **Le principe est simple : vous soufflez sur le micro.** Quatre touches apparaissent sur votre écran. Vous pouvez appuyer rapidement ou laissez vos doigts sur les signaux lumineux pour changer de note. En bougeant votre smartphone, l'amplitude et la fréquence du *vibrato* sont modifiées. Une fois l'application prise en main, rendez-vous sur ocarina.smule.com, où vous trouverez des partitions créées spécialement pour Ocarina. Pensez à enregistrer votre œuvre pour la partager avec tous vos amis mélomanes.

**Disponible sur iPhone, iPod Touch et iPad – 0,89 €**

En voiture, à chaque fois que je prends un virage, même à grande vitesse, une des roues ne tourne pas. Laquelle ?

**Solution**

La roue de secours.

• Les rumeurs, c'est comme tes fesses : elles tournent trop.

**• Ça m'aurait fait mal au cul d'être enfant de chœur.**

• On faisait quoi avant d'avoir Facebook, déjà ?

**• Barbie est malheureuse : le slip de Ken ne s'enlève pas.**

• Je ne suis pas alcoolique, j'ai juste beaucoup d'événements à fêter !

• Je ne regarde pas *Les Feux de l'amour*, les statuts de mes amis suffisent !

**• Pour que nos amis Chinois puissent rajouter les touches <nem> ou <nem pas> !**

• Dans la vie, deux mots t'ouvriront beaucoup de portes : Poussez et Tirez !

**• Si l'amour est enfant de bohème, sera-t-il reconduit à la frontière ?**

• Virgile tombe toujours du mauvais côté quand il est beurré.

• Hugo Boss pendant que Christian Dior.

**• Si chaque battement de cils de NKM produisait 1 watt d'énergie, les Parisiens ne paieraient pas d'électricité.**

• Si on photographie le bois de Boulogne de nuit avec un temps d'exposition très long, on ne voit que des traînées.

**• L'UMP, c'est exactement l'inverse du PMU : on ne sait pas qui est arrivé en premier.**

• C'est un crapaud, il croyait qu'il était en retard, mais en fait, il était dans l'étang.

• L'impôt, tu l'aimes ou tu l'acquittes.

• **Attendre au Quick, le seul euphémisme qui soit un oxymore.**

• Ce statut est aussi inutile que la date de péremption d'un pot de Nutella.

• **Comme je ne suis pas payé en fonction de ce que je fais, je fais en fonction de ce que je suis payé.**

• RATP, les transpire en commun.

Selon Jack Mörd, un antiquaire de Seattle, **NICOLAS CAGE** serait un vampire immortel ! Et pour cause, il a trouvé le portrait d'un homme ayant vécu au XIXe siècle qui lui ressemble énormément. A-t-il énoncé cette théorie pour vendre son tableau au meilleur prix ? Le doute est en tout cas permis quand on sait qu'il l'a mis en vente pour un million de dollars !

Le chanteur **RAPHAËL** adore l'émission *Confessions Intimes* ; il a carrément avoué n'en avoir loupé aucun épisode !

Après sa robe en viande, **LADY GAGA** serait en pleine préparation d'un parfum à base de sang et de sperme ! C'est en tout cas la rumeur lancée par plusieurs quotidiens américains.

Il est 4 h du matin quand Pascal arrive enfin chez lui, complètement bourré. Comme tous les mecs dans son état, il essaie de faire le moins de bruit possible (sans grand résultat, évidemment) et se glisse dans son lit, auprès de sa femme.
Il se réveille aux portes du Paradis devant saint Pierre qui lui dit :
**– Bienvenu Pascal. Tu es mort dans ton sommeil.**
– J'suis mort ? J'veux pas être mort ! J'aime trop la vie ! J'veux retourner sur Terre !
Saint Pierre réfléchit quelques instants et lui dit :
– D'accord, j'ai peut-être une solution pour toi…
– Je vous écoute, saint Pierre… Je suis prêt à tout pour retourner sur Terre !
– La seule manière que tu as d'y retourner, c'est sous la forme d'une poule…
– Du moment que c'est dans une ferme près de ma maison, je suis d'accord.
Aussitôt dit, aussitôt fait : Pascal se retrouve couvert de plumes et grattant le sol en picorant…
Un coq s'approche de lui :
– Alors, c'est toi la nouvelle poule ? Comment s'est passée ta première journée ici ?
– Pas mal, dit Pascal la poule, mais j'ai un truc bizarre dans le ventre, comme si j'allais exploser…
– **Tu ovules…** Laisse-toi aller, ce qui arrive est tout à fait normal pour une jeune poule.
Pascal écoute les conseils du coq et se relaxe. Deux minutes plus tard, voilà l'œuf ! Pascal est complètement bouleversé, lui qui n'avait jamais connu la maternité…
Aussitôt il pond un deuxième œuf et éprouve une joie immense !
Comme il se prépare à pondre un troisième œuf, il sent une grande claque derrière la tête et entend sa femme hurler :
**– Réveille-toi connard, t'es en train de chier dans le lit !**

Chaque seconde, 333 préservatifs sont fabriqués dans le monde.

Chaque seconde, 3 produits de la marque Signal sont vendus en France.

Chaque seconde, 185 paiements par carte bancaire ont lieu en France.

# L'explosion de Tchernobyl : pas vraiment un accident

Savez-vous que la catastrophe de Tchernobyl en 1986 n'est pas vraiment un accident ? Le 26 avril 1986 au soir, des opérateurs de la centrale nucléaire testent la puissance du réacteur 4. Pour se faire, ils désactivent plusieurs systèmes de sécurité et ne tiennent pas compte des avertissements sur leurs écrans… alors que ceux-ci préconisaient l'arrêt immédiat du réacteur.

**L'explosion de la centrale est due à plusieurs facteurs** : l'entêtement des ingénieurs à vou-loir continuer leurs expériences malgré les avertissements, le manque de formation du personnel et des erreurs de conception du lieu.
Anatoli Diatlov, vice-ingénieur en chef de la centrale nucléaire et responsable de l'expérience du 26 avril, a été jugé **coupable de « gestion criminelle d'une activité potentiellement explosive »**. Il a été condamné à 10 ans de prison, mais n'en a purgé que 5. Il est mort d'une crise cardiaque en 1995, certainement due à sa forte exposition à la radioactivité.

# Pourquoi dit-on... Faire mouche ?

Lorsqu’une personne atteint son objectif par le biais d’une belle phrase ou d’un acte impressionnant, certains s’exclament qu’elle a fait mouche ! **Oui, mais pourquoi ?**

Il faut chercher une explication à cette expression dans une discipline sportive bien précise : le tir. Une cible est composée de plusieurs cercles, de plus en plus petits. Au centre, on trouve un petit rond noir, qui équivaut au maximum de points lorsque l’on réussit à le toucher, et qui s’appelle une mouche. Au XIX$^{e}$ siècle, lorsqu’un tireur réussissait à atteindre ce point très précis, on disait de lui qu’il avait fait mouche.

# RunPee

RunPee est l'application qu'il faut avoir! **Qui ne s'est jamais retenu d'aller aux toilettes en plein film de peur de rater LA scène qu'il fallait voir?** Pas vous, n'est-ce pas? Avec RunPee, ces mauvais moments sont de l'histoire ancienne!

L'application recense de nombreux films et vous permettra de savoir à quel moment vous pouvez aller vous soulager sans craindre de louper une scène importante. Inutile de scruter votre écran de smartphone en permanence, une fois RunPee lancé, l'application saura le faire vibrer au moment opportun!

**Disponible sur iPhone, iPod Touch et iPad – 0,89€**

Julie, excédée par la façon de parler de son homme, lui dit :

**– Change de ton, s'il te plaît !**

– Pourquoi ?
Je suis bien avec toi !

Je grossis
en mangeant et
meurs en buvant.

Qui suis-je ?

**Solution**

Le feu.

# « Le petit supplément » pour bien terminer la soirée

Ça y est, l'heure est arrivée ! Tonight is THE night, comme on dit outre-Atlantique : vous êtes enfin en passe de conclure avec la charmante jeune femme que vous draguez depuis quelques jours. La soirée se déroule comme vous l'espériez…

**Jusqu'à ce que vous vous rendiez compte que votre stock de préservatifs est complètement à sec.** Au lieu de paniquer, commandez une pizza ou des boissons et demandez « le petit supplément » à votre interlocuteur.

Grâce à cet astucieux code, le livreur vous remettra discrètement de quoi terminer la soirée sous les meilleurs auspices !

# Doctor Mole

Alors que l'on entend de plus en plus souvent dire que le cancer sera le mal de notre siècle, on finit par devenir hypocondriaque et par s'inquiéter pour un rien. **Et si une application nous aidait à statuer sur nos grains de beauté ?**

Vous le savez, un grain de beauté de forme irrégulière ou à la croissance trop rapide est suspect. Avec l'application Doctor Mole, vous pouvez rapidement savoir si votre grain de beauté peut potentiellement mettre en danger votre santé. Le principe est très simple : vous photographiez le grain de beauté vous posant question et l'application se chargera du reste ! Elle peut même surveiller la croissance de l'un d'eux si vous le désirez...

Évidemment, cette application ne remplace pas l'avis d'un professionnel.

Disponible sur Android, iPhone, iPod Touch et iPad – Gratuit sur Android et 2,99 € sur iOS

# 7 situations dans lesquelles le papier toilette peut vous sauver la mise

Nous avons tous tendance à sous-estimer les multiples pouvoirs du papier toilette ! Car, oui, cet objet du quotidien peut vous sauver de plusieurs situations embarrassantes. Après avoir lu ce texte, vous ne verrez plus jamais votre rouleau rose comme avant.

## 7 – Une lampe à mèche

Aujourd'hui, les lampes à huile ou à alcool sont tellement dépassées qu'il est compliqué d'en trouver, à moins d'écumer les vide-greniers. Mais, en voyage, il vous arrivera certainement de ne trouver pour seul repousse-moustiques qu'un extrait de plante que vous devrez impérativement faire brûler pour qu'il fonctionne... Pensez à votre rouleau de papier toilette ! Remplissez une canette de soda de l'huile que l'on vient de vous vendre. Roulez votre papier toilette en mèche et plongez-le dans le récipient. Et voilà un parfait repousse-moustiques !

## 6 – Un attrape-bestioles

Il vous est forcément déjà arrivé de vous retrouver face à un charmant insecte vous effrayant au plus haut point qui a, lui aussi, décidé de dormir dans votre chambre... Dans ce type de situation, il vous suffit de le capturer avec quelques feuilles de papier toilette et de le mettre dans les toilettes. Vous n'aurez plus qu'à tirer la chasse d'eau pour le faire partir définitivement. Vous pouvez également opter pour le pacifisme et relâcher cette petite bête dans la nature via une fenêtre.

Cette technique marche à coup sûr et vous évite toute morsure ou piqûre d'insecte.

## 5 – Des bandages

Vous ressemblerez probablement à une momie si vous utilisez votre papier toilette tout rose mais ce sera toujours mieux que de laisser vos blessures à l'air ! Si vous avez le luxe de pouvoir utiliser plutôt du tissu pour panser vos plaies, cela vaut mieux car, à terme, le papier risque de coller à votre peau. Dans ce cas-là, votre papier toilette, imbibé d'alcool à 90 °, sera très utile pour nettoyer votre blessure !

## 4 – Serviette ET éponge

Non, le papier toilette ne se contente pas d'être une simple « serviette éponge », il remplit ces deux fonctions indépendamment l'une de l'autre ! Si votre café se renverse malheureusement sur vos papiers d'identité, vous remercierez votre rouleau de vous sauver la mise, surtout si vous êtes à l'étranger !

Vous serez également très heureux d'avoir un rouleau sous la main si jamais vous sortez de la douche sans avoir pensé à prendre une serviette en tissu à portée de main…

## 3 – Le filtre à café

Aviez-vous déjà imaginé votre fidèle rouleau dans la peau d'un fabuleux filtre à café ? Non ? Et pourtant, c'est très efficace ! Il peut donc vous sauver une journée qui ne s'annonçait pas franchement sous les meilleurs auspices…

## 2 – Un allume-feu

À l'extérieur, il n'est pas toujours aisé de trouver un élément pour allumer le feu… Cessez vos vaines recherches et recyclez votre rouleau de papier en allume-feu !

## 1 – Le point évident !

Ça peut sembler évident à la plupart des voyageurs aguerris mais vous ne trouverez pas de papier toilette dans tous les pays. Par exemple, en Indonésie, vous ne trouverez qu'un seau rempli d'eau à côté de vos toilettes. Et il n'est pas vraiment là pour étancher votre soif !

Est-il utile de vous parler de l'effet de la nourriture exotique sur votre estomac pour vous prouver à quel point le papier toilette peut devenir votre ami ?

*Source : www.backpackmojo.com*

# Combien d'esclaves travaillent pour vous ?

La question peut vous sembler saugrenue, mais le site Slavery Foot Print vous permet réellement de le savoir. Pour cela, vous devez répondre à **12 questions portant sur votre vie quotidienne**, ce que renferme votre maison ou vos habitudes de consommation.

Au terme de ce questionnaire, vous apprenez combien d'esclaves travaillent pour vous et ce que vous pouvez faire pour diminuer ce chiffre… souvent alarmant !

www.slaveryfootprint.org

# Quels geeks assurent le plus au lit ?

Voilà la question à laquelle le site VoucherCodesPro a tenté de répondre. Pour ce faire, 1 747 personnes ont été interrogées sur leurs performances sexuelles… et le type de console à laquelle leurs partenaires préféraient jouer. Les sondés devaient répondre à la question « Comment se débrouille votre partenaire au lit ? » en donnant une note entre excellent, bien, passable ou inférieur à la moyenne.

Les joueurs de Xbox 360 sont les meilleurs au lit avec 54 % des notes affichant un bien et 22 % un excellent ! Pour les joueurs préférant la Wii, 47 % ont reçu une note allant de bien à au-dessus de la moyenne, suivis par les joueurs de PC, qui affichent un petit 3 % d'excellent et 8 % de très bien.

Sachez toutefois que 11 % des personnes ayant répondu à ce petit sondage ont répondu qu'ils préféreraient « moins de sexe et plus de jeux vidéo » !

*Les berges de Vendée.*

**LES VERGES DÉBANDÉES.**

# Pourquoi les pompiers anglais portent-ils des bretelles rouges ?

**Solution**

Pour que leur pantalon ne tombe pas !

Deux amies d'enfance, une blonde et une brune, décident de se retrouver pour jouer au golf ensemble. C'est la première fois pour les deux jeunes femmes. La brune s'installe sur le tertre de départ, prend son élan et frappe la balle en l'envoyant à 200 pieds. La blonde prend place à son tour, s'élance et frappe à 250 pieds. **Immédiatement après, elle met sa main dans sa petite culotte.**

Après avoir réussi leur premier trou, les deux amies enchaînent avec le deuxième. Quand vient son tour, la blonde frappe la balle et met à nouveau sa main dans sa petite culotte. La brune, interloquée, lui demande :

– Pourquoi tu mets ta main dans ta petite culotte après chaque coup de départ ?

– Ben, t'as pas vu l'affiche ?

La brune se retourne et voit une affiche sur laquelle est inscrit :

« **Merci de bien vouloir remettre la touffe en place après avoir frappé !** »

Cessez de râler Georges !
Je vais remettre la touffe en place !!
WAHAAAAAH !

# Les Français et Internet

Selon une étude comScore, nous sommes 48 millions d'internautes en France. Dans 90 % des cas, nous nous connectons via un ordinateur fixe. Seulement 7,5 % du trafic provient des mobiles.

En décembre 2012, nous avons passé 27,7 h sur le net, tandis que la moyenne européenne était de 26,9 h. Les Hollandais dépassaient eux aussi la moyenne avec 30 h de connexion, tout comme les Turcs (31 h) et les Britanniques (37,3 h).

Chaque mois, un Français effectue 134 recherches sur la toile,
dont 94 % sont effectuées via Google,
2 % via Bing,
2 % via Yahoo ! Search,
1 % via Ask Network et autant via Orange Search.

En France, 41 millions de personnes ont regardé des vidéos sur le Net, dont 30 % depuis Youtube.

7,3 millions de personnes ont suivi une vidéo sur leur téléphone en décembre 2012, soit une augmentation de 110 % en un an !

D'ailleurs, en France, 70 % des ventes de téléphone concernent des smartphones ; on compte 25,2 millions de smartphones sur le territoire,
dont 48 % fonctionnent avec Android,
23 % avec iOS,
9 % avec Symbian
et 7 % avec RIM.

Comme d'habitude, on se retrouvera dix après ce grand concours...

**COMME D'HABITUDE, ON SE RETROUVERA CONS APRÈS CE GRAND DISCOURS...**

# WC Book

Retrouvez le plus drôle du WC Book sur votre téléphone ! **L'appli WC Book concentre des heures de fous rires** grâce à ses nombreuses blagues, dont certaines sont carrément lues par le charismatique acteur Jean-Claude Dreyfus ! Vous y retrouverez également de nombreux jeux, des énigmes, des tests, des devinnettes, des infos peoples et même une série de sons pour cacher vos bruits indélicats... ***Vous nous remercierez lors de votre prochaine gastro au bureau !***

Disponible sur iPhone,
iPod Touch et iPad – 0,89 €

# Êtes-vous un psychopathe?

Voici le test mis au point par un psychologue pour savoir s'il avait affaire à une personne psychopathe possédant une mentalité d'assassin ou non.

À l'enterrement de sa mère, Isabelle croise le regard d'un jeune homme à plusieurs reprises. Il lui plaît beaucoup, bien qu'elle ne l'ait jamais vu auparavant. À la fin de la cérémonie, elle est éperdument amoureuse de cet homme... Mais, alpaguée par les dizaines de personnes venues lui exprimer leur soutien, elle n'a pas pu lui demander son numéro de téléphone ni même son nom. En plus, personne ne semble connaître ce jeune homme dans son entourage proche...
Quelques jours plus tard, on apprend qu'Isabelle a tué sa sœur.

*Selon vous, qu'est-ce qui a pu motiver son geste?*

Réponse page suivante.

## Réponse :

Isabelle a tué sa sœur en espérant que le jeune homme vienne à ces nouvelles funérailles familiales.

Vous aviez la bonne réponse ? Alors vous pensez comme un psychopathe. D'ailleurs, la majorité des tueurs en série ayant fait ce test ont trouvé la « bonne » réponse…

# L'homme qui jouait du piano debout

Tout le monde connaît ce refrain chanté par France Gall : « Il jouait du piano debout / C'est peut-être un détail pour vous / Mais pour moi ça veut dire beaucoup / Ça veut dire qu'il était libre / Heureux d'être là, malgré tout. » **En écrivant ces paroles, Michel Berger a voulu rendre hommage à Jerry Lee Lewis.**

Très controversé, ce chanteur et musicien a pour particularité de produire une musique rapide, énergique et très rock'n roll. **Il n'hésite pas à se lever pour jouer du piano ou à faire des accords avec ses poings et ses pieds.** Lors d'une première partie de Chuck Berry, il inscrit son nom dans l'Histoire en mettant le feu à son piano. Bruce Springsteen déclarera à son sujet : « This man doesn't play rock'n oll. He is rock'n roll ! », (« Cet homme ne joue pas du rock'n roll. Il est le rock'n roll ! »).

À Cavaillon, Serge, cultivateur de melons de père en fils, n'en peut plus de se faire voler ses fruits toutes les nuits par les gamins du coin. Soudain, il a une idée ! Il plante plusieurs pancartes dans son champ où il est écrit :
« **Attention ! Un de ces melons a été injecté avec du cyanure.**
**Mortel !** »
Le lendemain matin, alors qu'il patrouille sur son champ, il constate avec joie que personne n'a touché aux fruits de son laborieux travail. Sur le chemin du retour, il tombe sur une pancarte qui n'est pas de lui, installée juste à côté de la sienne :
« Maintenant, deux melons sont injectés au cyanure ! »

# Un voleur mis en déroute par des sextoys

Un voleur, qui s'était introduit dans l'établissement de Dodo la Saumure un mercredi d'avril 2013, pensait repartir avec un joli butin... En entrant dans cette maison close de Tournai en Belgique, il avait menacé les hôtesses avec un couteau afin que celles-ci lui remissent la caisse. **Les travailleuses ont préféré s'emparer de sextoys**, qu'elles ont jetés sur ce pauvre homme, avant de continuer avec tous les accessoires qui étaient à leur portée.

Face à cet assaut inattendu, le malfrat a préféré retourner d'où il venait... **la queue entre les jambes.**

# L'assassinat de Jean Jaurès au café du Croissant

Jaurès n'a pas spécialement ses habitudes au café du Croissant dans lequel il dîne avec des amis le soir de son assassinat. Pourtant, c'est ici que le journaliste et homme politique prendra son dernier repas. Son assassin, Raoul Villain, sera acquitté.

## Des menaces de mort

On est à la veille de la Première Guerre mondiale. Jaurès, fondateur et directeur de *L'Humanité*, est farouchement opposé à ce conflit qui se prépare et milite pour l'empêcher. Il déclare « la guerre à la guerre » et est pour cela considéré comme un traître par les revanchards, nationalistes et monarchistes. Il reçoit des menaces de mort. Une semaine avant le jour fatal, Léon Daudet écrit dans *L'Action Française* : « En aucun cas nous ne souhaitons inviter quiconque à commettre un assassinat ; toutefois, que Jean Jaurès agisse avec prudence. »

## La dernière tarte aux fraises

Le soir du 31 juillet, refusant d'aller dîner au Coq d'Or, Jaurès préfère inviter ses amis, Landrieu, Longuet et Renaudel au café du Croissant. Il s'installe dos à la rue, derrière le rideau qui protège la fenêtre ouverte. À 21 h 40, alors qu'il déguste une tarte aux fraises, un journaliste s'approche pour montrer une photo de sa fille à Landrieu ; Jaurès se penche pour regarder. Raoul Villain, posté

derrière la fenêtre, tire et l'abat d'une balle dans la tête. « Ils ont tué Jaurès ! » crie une femme.

## Une Légion d'honneur sur le corps

Les individus présents sur les lieux du drame reflètent la division de la France en deux clans : le pharmacien de la rue refuse son aide à ce « traître », tandis qu'un officier présent décroche sa Légion d'honneur et la dépose sur le corps du politicien. En quelques heures, c'est une foule compacte qui s'amasse devant le café et les locaux de *L'Humanité*, au cri de « Vive Jaurès ».

## L'assassin acquitté s'exile

Son assassin sera jugé déséquilibré après-guerre et acquitté. Il s'exile aux Baléares, en Espagne, où il mourra pendant la guerre civile, tué par des républicains qui l'accusent d'être un espion travaillant pour Franco.

## Un chapeau incrusté d'une balle visible

Jaurès restera dans l'Histoire. En témoignent la mosaïque rouge et or indiquant la date de sa mort, située à l'endroit exact où il s'est effondré et, dans une vitrine au-dessus d'un radiateur, un morceau de la chaise sur laquelle il était assis, le chapeau qu'il portait, incrusté d'une balle et l'exemplaire de *L'Humanité* du 1er août 1914 avec en titre : « Jaurès assassiné » La brasserie le Croissant est jumelée avec les deux plus anciens cafés de France : Le Procope dans le 6e arrondissement de Paris et la Table Ronde, à Grenoble.

# Urgence Dos, un site qui soulage le dos !

Qui n'a jamais connu un abominable mal de dos ? De ceux qui vous obligent à vous déplacer avec la plus grande précaution... ou à ne pas vous déplacer du tout d'ailleurs !

Selon l'Organisation mondiale de la santé, **4 adultes sur 5 souffriront du dos au cours de leur vie**. Et lorsque l'on se retrouve dans cette douloureuse situation, on n'a qu'une envie : que notre dos soit débloqué, que la douleur nous quitte. Problème : il faut souvent attendre des jours, voire carrément des semaines, pour être soigné.

Enfin, ça c'était avant Urgence Dos ! En se connectant à ce site, on peut faire venir chez soi, au bureau ou à l'hôtel, un chiropracteur (spécialiste du dos) en moins de deux heures. **Le professionnel, diplômé d'État, intervient sur votre dos pendant 45 minutes.** À l'heure où nous bouclons ces pages, le service n'est disponible qu'à Paris, de 8h à 22h, mais devrait se développer dans la plupart des grandes villes françaises prochainement.

www.urgence-dos.fr

# Pourquoi dit-on... Donner de la confiture aux cochons?

Donner de la confiture aux cochons, c’est donner un mets estimable à une personne qui ne l’appréciera pas à sa juste valeur. Cette expression découle directement de la Bible et d’une citation de Jésus (rien que ça!) : « **Ne donnez pas les choses saintes aux chiens, et ne jetez pas vos perles devant les pourceaux (...)** », que l’on trouve dans l’Évangile selon Matthieu.

Avec le temps, le sens est resté mais les pourceaux se sont transformés en porcs et les perles en confiture, un produit de choix au Moyen Âge!

*Les nageuses ont fait un départ sur le dos.*

**LES NAGEUSES ONT FAIT UN DÉPÔT SUR LE DARD.**

Un cerisier a
28 fruits. Tous
tombent sauf 9.
Combien en reste-t-il ?

**Solution**

9 ! C'est écrit dans la question !

# Les machos de l'année 2012 sont...

Depuis 2008, l'association féministe « Les Chiennes de garde » décerne le prix de macho de l'année à ceux qui le « méritent ». Tout au long de l'année, ces femmes répertorient toutes les phrases publiques machistes et votent sans connaître le nom de ceux qui les ont prononcés.

En 2013, l'avocat pénaliste bordelais Pierre Blazy s'est vu attribuer ce prix car, en décembre 2012, après l'élection d'Anne Cadiot-Feidt comme bâtonnière au barreau de Bordeaux, il a confié à France 3 Aquitaine : « Surtout au pénal, il faut avoir les épaules très larges. Est-ce qu'une femme a les capacités pour le faire ? **Je ne veux pas critiquer, mais vous n'avez pas d'avocates qui soient des avocates de renom, connues comme de grandes pénalistes : ça n'existe pas.** Est-ce qu'une femme a les capacités pour supporter le poids de toutes ces affaires ? ». Après s'être vu attribuer son prix, Pierre Blazy a campé sur ses positions en expliquant : **« Un homme est un homme, une femme est une femme. Ils sont complémentaires mais ce n'est pas la même chose ».**

Deux dauphins ont également été désignés par Les Chiennes de garde :

– l'écrivain et journaliste Patrick Besson, pour avoir qualifié Fleur Pellerin de « geisha intellectuelle », Christiane Taubira de « tanagra guyanais » et Najat Vallaud-Belkacem d'**« ingénue libertaire »**.

– le député UMP Lionnel Luca, pour ces propos : **« Fadela Amara, (…) j'ai toujours préféré Rachida Dati, d'abord parce qu'elle est moins moche »**, et : « Valérie rottweiller. Et c'est pas sympa pour le chien, ça ».

Avant eux, d'autres hommes ont été pointés du doigt par l'association féministe emmenée par Florence Montreynaud et Isabelle Alonso : le cardinal archevêque de Paris André Vingt-Trois pour l'année 2008, le président du club de football de Montpellier Louis Nicollin pour 2009, le paparazzo Jean-Claude Elfassi pour 2010 et le créateur de sites Internet Maxime Vallette pour 2011.

Jacques est installé au comptoir avec un ami, quand celui-ci lui demande :

Quelle est la pire chose que puisse dire ta femme pendant l'acte ?

« **Chéri, je suis rentrée !** »

Chéri !
Je suis
rentrée...
Moi aussi
...
Mais j'en suis
toujours à
l'introduction !
MODE
D'EMPLOI
Salim
NOURRIT

# De bonnes résolutions pour avoir la forme !

Comment retrouver la forme ? C'est très simple : quelques habitudes quotidiennes, des décisions à prendre concernant votre entourage, et vous serez d'attaque pour croquer la vie !

## Help, je manque d'énergie !

Il y a des périodes, particulièrement après la saison d'hiver, où, comme tout le monde, vous manquez d'énergie. Vie quotidienne, travail, sport, sorties... : tout semble plus difficile. Pourtant, il est facile de garder ou de retrouver la forme ! Il suffit de changer quelques petites habitudes.

## Pourquoi je n'ai pas de motivation ?

Vous traversez des moments difficiles, vous êtes sans emploi ou dans une situation peu dynamisante...

En bref, vous avez le moral en berne et êtes peut-être même un peu déprimé. Le cercle vicieux du « moins j'en fais, moins j'ai envie d'en faire » n'est pas loin.

### *Je dynamise mon intérieur !*

Pour retrouver votre énergie, commencez par agir sur votre environnement immédiat, en rendant votre intérieur plus « punchy ».

Faites un grand ménage et débarrassez-vous de tout ce qui vous encombre, vous étouffe. Un intérieur bien rangé est propice aux réflexions mieux ordonnées, à plus de sérénité.

N'hésitez pas à donner ou à jeter ce dont vous ne voulez plus. Abusez des couleurs tonifiantes que sont le jaune ou l'orangé, disposez des petits pots de fleurs colorées dans toutes les pièces. Vous verrez, c'est prouvé : les fleurs et les couleurs tonifiantes aident à se sentir plus heureux !

### *Je respire !*

Quel que soit le temps qu'il fait, sortez de chez vous ! Oxygénez-vous chaque jour en vous promenant quelques minutes d'un pas rapide, si possible dans la nature.

### *Je fais le tri dans mes relations !*

Un entourage optimiste et dynamique vous fait, de toute évidence, voir la vie de façon plus positive. Essayez de privilégier les gens drôles, de bonne humeur…

Un bon moyen de voir la vie avec plus de légèreté !

# Pourquoi dit-on... Être sur la sellette ?

Être sur la sellette, c'est être dans une situation dont on se serait bien passé, exposé à des jugements, voire mis en cause.

Autrefois, dans l'Ancien Régime, **la sellette était un petit banc de bois sur lequel s'installaient les prévenus au tribunal, en attendant de passer devant le juge**. Ce banc était facilement reconnaissable de par sa taille : il était très petit, dans le seul but de rappeler aux accusés leur infériorité vis-à-vis du tribunal.

Bien que l'usage en ait été aboli dès 1788, la sellette est restée dans notre vocabulaire. Avant d'avoir le sens qu'on lui connaît, l'expression était quelque peu différente au XIVe siècle, puisqu'on disait « mettre sur la sellette » lorsque les forces de l'ordre menaient un interrogatoire.

Est-ce en riant de Saclay que vous menacez de l'abîme notre belle terre ?

**EST-CE EN CLIENT DE SA RAIE QUE VOUS MENACEZ DE LA BITE NOTRE BELLE-MÈRE ?**

# Connaissez-vous le café le plus fort du monde ?

Chaque matin, il vous faut cinq cafés pour enfin émerger ? Après un séjour en Italie, leurs cafés bien serrés vous manquent ? Alors rendez-vous vite sur www.deathwishcoffee.com ! **Ce site américain vend un café avec 200 % de caféine en plus !**

Sûrs de leur concept, les fondateurs du site garantissent un remboursement de 110 % si vous trouvez qu'il n'est pas le plus fort que vous ayez jamais bu ! Ils expliquent leur création par leur incapacité à trouver un café aussi bon que fort…

www.deathwishcoffee.com

# Le prix des rues parisiennes

Le prix moyen du mètre carré parisien est de **8 635 €/m²**,

avec une hausse de **1,2 %** entre le 3ᵉ trimestre 2011 et le 3ᵉ trimestre 2012.

**21 812 €/m²** : voilà le prix au mètre carré de la rue la plus chère de Paris, la rue de Furstemberg, dans le 6ᵉ arrondissement.
À l'autre extrême, on trouve la rue la moins chère de Paris dans le 19ᵉ arrondissement et les **4 712 €/m²** de la rue de la Grenade.

Comptez **17 372 €/m²** si vous souhaitez devenir un voisin de Victor Hugo en emménageant place des Vosges, dans le 4ᵉ arrondissement.

**90 %** des rues les moins chères de Paris sont concentrées dans les 18ᵉ, 19ᵉ et 20ᵉ arrondissements.

*Source* : Le Parisien / *EffiCity*

**La Reine** est la seule personne **pouvant** conduire sans permis au **Royaume-Uni** !

# Les prénoms du Roi Lion ont un sens

Simba, Pumbaa, Nala ou encore Rafiki : amateurs de Disney, ces prénoms vous parlent forcément puisqu'ils sont issus du dessin animé Le Roi Lion. Mais saviez-vous que **la plupart ont une signification en swahili**, la langue la plus parlée en Afrique subsaharienne ? En voici la traduction :

– Simba veut dire « lion ».

– Pumbaa peut être traduit par « désorienté » ou « étourdi ».

– Nala signifie « chance ».

**– Hakuna Matata veut vraiment dire « sans soucis » !**

– Mufasa est le nom du dernier roi ayant gouverné au Kenya.

– Sarabi veut dire « mirage ».

– Shenzi peut être traduit par « sauvage », « barbare » ou « grossier ».

– Scar signifie « cicatrice » en anglais.

# MOTS CROISÉS

## *Horizontalement*

1 : Abjecte
2 : Former – Pronom
3 : Creusée – Lyonnais
4 : Époques – Ville luxembourgeoise
5 : Registre du commerce et des sociétés – Quitte
6 : 51 romain – Beaucoup de pierres – Aluminium
7 : Halogène – ...Gabor
8 : Ligaments – Réfléchi
9 : Début de l'Ardèche méridionale (Le) – Assécher
10 : Chaussure estivale

## *Verticalement*

A : Raz-de-marée
B : Dépossédées
C : Administres – Défonce
D : Et déjà – Gagna
E : Université de Birmingham – Gaz
F : Ami de l'architecte – Avisé – Transféré
G : Mecs – On peut faire ce qu'il nous plaît
H : Enseignes – Société
I : Cinq francs – ...Lavigne
J : Irréprochable

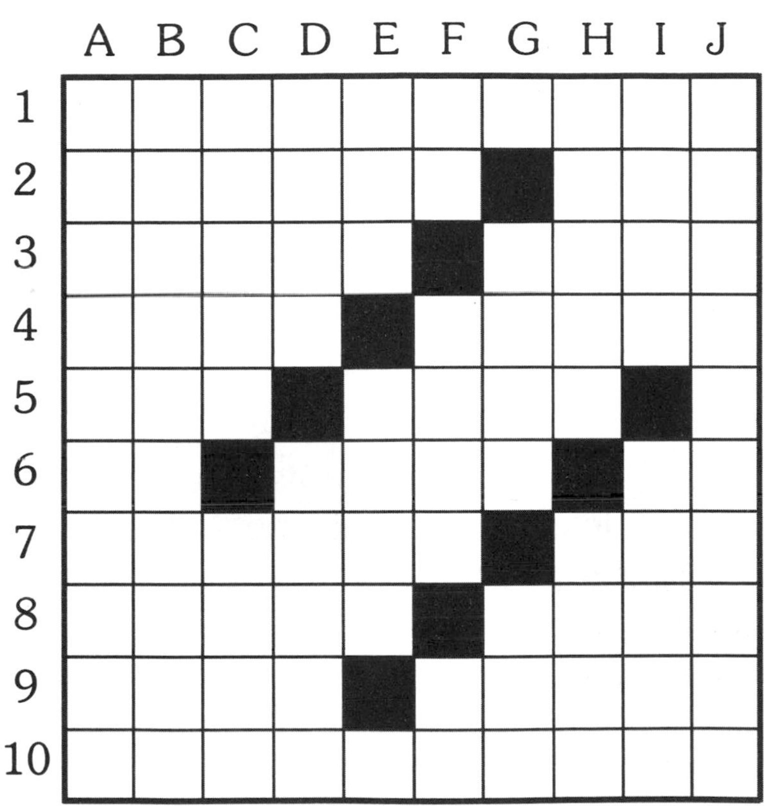


***Solution page 679***

# Pocket

Dès que vous avez un peu de temps libre, vous en profitez pour surfer sur le Net et lire quelques articles. Oui, mais voilà, vous êtes souvent dérangé alors que vous venez de trouver une page très intéressante et assez longue…

Avec Pocket, **vous pouvez enregistrer toutes les pages Internet que vous souhaitez pour les lire ultérieurement**. Le fonctionnement est le même pour les vidéos. Gros avantage de cette application : elle permet de retrouver son contenu même sans accès Internet !

**Disponible sur iPhone, iPod Touch et iPad – Gratuit**

Le peintre a mis le couchant en valeur.

**LE PEINTRE A MIS LE COUVENT EN CHALEUR.**

## Le meilleur des Gérard de la Télévision

Depuis 2006, les pires programmes et les plus mauvais animateurs de la télévision française se voient récompensés d'un Gérard de la télévision. Retour sur le meilleur de cette cérémonie annuelle…

**Gérard 2012 de la personnalité qui n'en a aucune** : Machin Lopez.

Gérard 2011 de la présentatrice météo qui, au rythme du réchauffement climatique, s'assèche doucement mais sûrement : Évelyne Dhéliat (TF1).

**Gérard 2010 de l'animateur qui s'est trompé de métier** : Jean-Marc Morandini, qui anime l'émission de faits divers *Présumé Innocent* (Direct 8) alors qu'il a le sourire d'un raëlien dissident qui sonne chez toi à 7 h 30 pour t'expliquer comme c'est merveilleux de voir couler le sang d'une chèvre offerte aux Elohims.

Gérard 2009 du gros has-been qu'on a récupéré dans les poubelles du PAF pour lui donner une dernière chance et, bizarrement, c'est toujours aussi ringard : Patrick Sabatier dans *Mot de passe* (France 2).

**Gérard 2011 du petit métrosexuel à chemise Fred Perry, bottines Paul Smith et costard The Kooples, embauché au départ pour faire bander les gays du Marais mais qui, au final, fait mouiller les vieilles du Vésinet** : Yann Barthès dans *Le Petit Journal* sur Canal+.

Gérard 2010 de la pub tellement stressante qu'elle te donne envie de débrancher ta télé, renoncer à la société de consommation et aller t'entraîner dans un camp d'Al-Qaida au Yémen : la pub Optic 2000 avec Johnny qui gueule « Woptic 20000000 ! »

**Gérard 2011 du monomaniaque** : Bernard de La Villardière dans *Enquête exclusive* sur M6 pour : « Sexe, drogues, alcool, viols, meurtres, sodomie sur personnes âgées : enquête sans concession dans la filière roumaine. »

Gérard 2009 du titre d'émission d'Arte qu'on ne comprend pas, alors qu'il est même pas en allemand : *Les Chevaux du toit du monde.*

**Gérard 2012 de la touffe** : Sébastien Folin dans le *Lab.Ô* (France Ô).

Gérard 2007 de l'émission dont on avait un pénible souvenir et qu'on a déterrée cette année, faute d'idées : *Popstars*, avec Mia Frye (M6).

**Gérard 2008 du maboule** : William Leymergie, dans *Télématin* (France 2).

Gérard 2009 du Gérard qu'on aimerait bien remettre à Thierry Ardisson : Gérard de l'animateur qui se glorifie tous les dimanches de fumer des gros oinj' d'africaine parce que ça lui fait oublier qu'il a 60 ans. 60, eh oui ! 60...

Gérard 2011 du super-héros invincible qui résiste à tout depuis plus de 30 ans, aux directeurs de programmes, à la pression politique, aux mauvaises audiences et à la canicule : Super Michel Drucker.

**Gérard 2012 de l'ambulance sur laquelle on va tirer quand même** : Christophe Hondelatte.

Gérard 2008 de l'émission qu'on découvre à l'hôpital parce qu'on partage sa chambre avec un vieux et dont on se dit « C'est pas si mal en fait » : *Le Magazine de la santé au quotidien,* avec Michel Cymes et Marina Carrère d'Encausse (France 5).

**Gérard 2006 du pire animateur ou chroniqueur aux capacités intellectuelles contrariées** : Steevy Boulay dans *On a tout essayé* (France 2).

Gérard 2009 de l'animateur à qui plus personne ne veut faire la bise parce qu'à force de lécher le cul de ses invités, il a une haleine de tout-à-l'égout : Michel Denisot dans *Le Grand Journal* (Canal+).

**Gérard 2011 de l'émission qui te fait croire que tu vas trouver l'amour, alors qu'avec ta gueule, même ta main refuse de te branler** : L'amour est aveugle (TF1).

Gérard 2012 de l'émission où on t'explique que t'as tout à apprendre de Pygmées de 1,40 m qui ont des frisbees dans les lobes d'oreilles, des anneaux de pêche dans le nez, des

plateaux de cantine dans les lèvres, des nichons en forme de banane, plus une dent et la bite dans un tube en bambou : *Rendez-vous en terre inconnue* avec Frédéric Lopez (France 2).

**Gérard 2006 de la plus mauvaise émission poussant au meurtre** : *Samantha* (France 2).

Gérard 2009 de la chaîne pourrave planquée bien au fond de ton bouquet satellite, sur laquelle tu tombes parce que tu t'es assis accidentellement sur ta télécommande, ou parce que tu es en pleine descente de crack, ou encore parce que tu es rubriquard dans une émission de décryptage des médias, ou enfin tu as une passion déviante pour les pneus de tracteur : Powertürk TV.

**Gérard 2012 du vieux châtelain dont on se demande ce qu'il fout à la télé, vu qu'il a plus une tête à jouer du cor dans les chasses à courre, mèche au vent, galopant à bride abattue derrière des lévriers dans la rosée du petit matin le dimanche à Fontainebleau** : Bernard de la Villardière dans *Enquête exclusive* (M6).

Gérard 2011 de l'animatrice tellement nulle que tu te demandes ce qu'elle a bien pu faire pour décrocher son poste. Enfin non, tu te le demandes pas, tu le sais, mais tu le gardes pour toi pour pas t'attirer d'emmerdes avec Ni putes ni soumises : Solweig Rediger-Lizlow dans Le Grand Journal (Canal+).

**Gérard 2008 de la France d'en bas (l'émission avec des pédophiles, des chômeurs et des consanguins,**

**filmée dans le Nord, comme par hasard)** : *Confessions intimes*, avec Isabelle Brès (TF1).

**Gérard 2011 du zoo** : *Les Ch'tis à Ibiza* (W9)

Gérard 2010 de l'émission où tu t'inscris pour te taper une meuf et où au final, tu te tapes la honte : Qui veut épouser mon fils ? avec Elsa Fayer (TF1).

**Gérard 2011 du type, sa tête, on dirait une marionnette des Guignols** : Igor Bogdanoff dans *À deux pas du futur* (France 5).

Gérard 2012 de l'animateur embourgeoisé qui se regarde dans le miroir en repensant aux années où il avait des cheveux, des abdos, des idées, l'envie de provoquer, de conquérir le monde, de devenir le nouveau Coluche, d'enregistrer un album, de tourner avec Noiret, de monter un Planet Hollywood avec Tom Cruise… avant d'aller repasser sa cravate fluo pour son jeu du midi : Nagui.

**Gérard 2007 de l'émission de déco qui te donne plein d'idées pour améliorer ton chez-toi et quand tu éteins la télé, tu fais rien puisque t'as pas de pognon** : D&CO, avec Valérie Damidot (M6).

Gérard 2010 de l'arriviste qui serait prêt à vendre les organes de ses enfants en échange d'une émission, n'importe quoi, n'importe où, mais une émission, tenez, voilà un rein, je vous fais les deux pour un prime-time : Faustine Bollaert dans *Dilemme* (W9).

**Gérard 2012 de l'animateur qui fait de la scène, mais qui ferait mieux de se jeter dedans** : Arthur dans *Arthur à la Cigale*.

Gérard 2008 de la chaîne qui a vraiment tout fait pour l'avoir, le Gérard : France 2.

**Gérard 2011 de l'invité-juke-box dans lequel t'as juste à mettre une pièce pour qu'il te rejoue la même chanson** : Christophe Hondelatte pour : « Non, mais si vous aimez pas mon disque, c'est parce que vous y connaissez rien en musique ! Mais bon, je m'en fiche, tous les artistes ont vécu ça… Les Brel, les Brassens, les Ferré, et maintenant moi… Mais en France, on adore mettre des étiquettes… Puisque c'est comme ça, j'me casse ! »

**Gérard 2010 de l'animateur accroché à sa chaîne comme un vieux morpion à sa couille** : William Leymergie dans Télématin (France 2).

Gérard 2012 de l'animateur si vôplè missiou-dames qui la voudrait une émission sivôplè : Christophe Hondelatte

**Gérard 2010 de l'animateur qu'on n'a pas envie de voir en slip** : Éric Zemmour (prix récupéré par Éric Naulleau).

# « Alice au pays des merveilles » a été improvisé lors d'une sortie en barque

Aussi incroyable que cela puisse paraître, l'histoire d'Alice au pays des merveilles a été complètement improvisée lors d'une promenade en barque. Le 4 juillet 1862, Lewis Carroll monte sur l'embarcation en compagnie des trois filles du Dr Liddell, le doyen de la faculté d'Oxford. Il conduit la barque et se trouve dos aux jeunes filles qui réclament une histoire. Ni une ni deux, **il prend pour personnage principal l'une des petites, prénommée Alice, et lui fait vivre de drôles d'aventures en s'inspirant de détails de sa vie**. À la fin de leur balade, la jeune fille lui demande d'écrire l'histoire qu'il vient de lui conter. *Les Aventures d'Alice sous terre* lui sont remises le 26 novembre 1864, avant de devenir, en 1865, le livre intitulé *Les Aventures d'Alice au pays des merveilles* que l'on connaît.

# Google prépare votre mort

Depuis quelque temps, le traitement de notre compte Facebook après notre mort fait débat. Le fait que le site bascule automatiquement une page personnelle en page mémorielle, avec la possibilité pour les proches de demander à fermer cette page, n'est pas du goût de tous.

Google se démarque des autres sites en apportant de nouvelles solutions… En effet, le géant de la recherche Internet réfléchit actuellement à un système d'héritage virtuel. Cette nouvelle fonctionnalité vous permettra d'**enregistrer vos dernières volontés numériques sur tous les services made in Google** (Gmail, Picasa, Google+…). Si Google n'enregistre aucune activité pendant une durée que vous aurez définie, un mail et un SMS vous préviennent que vous allez être considéré comme mort. Si aucune réponse ne parvient à Google, ce dernier honorera vos dernières volontés en transmettant toutes vos données à votre héritier virtuel (que vous aurez évidemment choisi) ou procédera à la destruction de toutes vos données, selon votre bon vouloir.

*Source : Mashable*

# *Matin = 4*

# *Midi = 2*

# *Soir = 3*

# *Pourquoi ?*

**Solution**

Au matin de notre vie, nous sommes des bébés qui nous déplaçons à 4 pattes. Au midi de notre vie, nous sommes des adultes marchant sur nos 2 pieds. Au soir de notre vie, nous sommes des personnes âgées, nous aidant d'une canne pour avancer : soit 3 pattes !

# Pourquoi dit-on... Un froid de canard ?

Lorsque les températures sont très basses, on dit qu'il fait un froid de canard... Mais pourquoi ? **On doit tout simplement cette expression aux chasseurs.**

La période de la chasse aux canards débute en automne, au moment de l'année où les températures chutent. Les chasseurs, obligés de se lever tôt pour tenter de toucher une proie, se sont mis à utiliser cette expression lors de leurs fraîches matinées. Le temps ayant fait son œuvre, l'expression est entrée dans le vocabulaire de tout un chacun.

À chaque fois que **JOHN TRAVOLTA** arrive à Paris, c'est une petite armée qui doit l'attendre sur le tarmac de l'aéroport… Et pour cause, il ne débarque jamais sans au moins 60 valises !

**LILIANE BETTENCOURT** possède un gode en or ! Lorsque le mensuel Capital s'est rendu à son domicile pour réaliser un reportage photo, les domestiques de l'héritière de l'empire L'Oréal avait oublié de cacher l'objet. Un ancien domestique en a donc expliqué la provenance : « C'était un cadeau humoristique, allusion à [la] vigueur [du couple Bettencourt], malgré leur âge avancé. » Nous voilà rassurés !

L'écrivain **VIRGINIE DESPENTES** était l'un des plus fidèles soutiens de Loana à l'époque de Loft Story. Elle n'a d'ailleurs pas hésité à voter par téléphone pour elle plusieurs fois.

# Stop Cambriolages

On connaît tous quelqu'un qui s'est déjà fait cambrioler... quand on ne l'a pas déjà été soi-même. **L'expérience est douloureuse,** mais avec quelques gestes simples, on peut l'éviter, ou tout du moins considérablement gêner le travail des malfaiteurs.

Partant de ce principe, la gendarmerie de l'Hérault a lancé une application gratuite délivrant de nombreux conseils pour se protéger de ce fléau. Des recommandations sont également à disposition pour faciliter le travail des enquêteurs et vos démarches en cas de cambriolage.

Disponible sur Android – Gratuit

# Vénale mamie…

Une Japonaise de 77 ans a réussi à extorquer 400 millions de yens, soit un peu plus de 3 millions d'euros, en 7 années ! **Sa victime : un homme âgé de deux ans de plus qu'elle et complètement amoureux d'elle.** Cette dernière lui faisait donc payer très cher ses prestations sexuelles et romantiques !

Elle lui avait également raconté avoir des dettes à rembourser auprès d'un homme, sous peine de devoir l'épouser… **Par amour, son amant s'est alors endetté de 400 millions de yens** et a même dû vendre des terres dont il avait hérité. Cette Japonaise a en réalité investi tout cet argent dans un appartement de luxe, une BMW, une Jaguar et une Mercedes-Benz.

Elle a été condamnée à lui rembourser tout l'argent extorqué.

*Source* : Sports Nippon

# La prison d'Alcatraz

1 576 : c'est le nombre de prisonniers qui ont été incarcérés dans la prison d'Alcatraz.

Durant ses 29 années de fonctionnement, seules 36 personnes ont tenté de s'évader lors de 14 tentatives et toutes ont échoué… ou presque. 3 hommes ont en effet réussi à s'évader en creusant un tunnel menant aux bouches d'aération… à l'aide de petites cuillères ! Officiellement, ils sont morts en mer, mais leurs corps n'ont jamais été retrouvés…

23 prisonniers ont été rattrapés par les gardiens et 6 ont été tués par balle.

L'île mesure 90 000 m$^2$.

Désormais transformé en site historique, plus d'un million de personnes le visitent chaque année !

Comment appelle-t-on **une lesbienne** qui n'a pas de seins ?

Une omoplate !

Comment **les Grecs** ont-ils gagné la guerre ?

Ils ont attaqué par surprise : par devant !

Comment **une blonde** fait-elle pour allumer la lumière après avoir fait l'amour ?

Elle ouvre la portière…

# Michael Jackson voulait être Edward aux mains d'argent

Lorsque Michael Jackson a eu vent du projet de Tim Burton, il s'est présenté aux auditions de son film en préparation : Edward aux mains d'argent. Comme le personnage principal de cette fiction, il se sentait à part, en marge de la population, trop différent pour être accepté de tous. Tom Cruise, Robert Downey Jr et Johnny Depp rencontrent également Tim Burton. Comme chacun le sait, Johnny Depp décrochera le rôle d'Edward et fera décoller sa carrière par la même occasion.

**Très déçu de ne pas avoir eu le premier rôle, Michael Jackson obtiendra quelques années plus tard les ciseaux d'Edward.** Ces derniers sont toujours exposés dans sa maison de Neverland !

Dans une clinique de Montpellier, un médecin fait sa tournée des chambres, quand il tombe sur un type en train de se masturber violemment. **Choqué, il fait appeler un infirmier pour lui demander ce qui se passe.** Ce dernier lui répond :

– Ce monsieur souffre d'une maladie assez rare, qui occasionne une surproduction de sperme dans les testicules. Si ce monsieur ne se masturbe pas toutes les deux heures, ses testicules peuvent exploser et il peut mourir dans d'atroces souffrances…

Le médecin est étonné, il n'avait jamais eu affaire à cette maladie auparavant. Il se dit qu'il fera quelques recherches en retournant dans son bureau. En attendant, il continue sa tournée… Quelques chambres plus loin, **il trouve une infirmière en train d'offrir une magnifique fellation à un patient**! Il rappelle l'infirmier de la première chambre et lui demande :

– Et ça, c'est quoi ?

– La même chose… Mais lui, il a une excellente mutuelle…

Je t'ai juste dit
de lui faire une
toilette "rapide"...
... Et pourquoi
tu crois que
j'accélère ?!
Salim
NOURRY

# Et en fait, à la fin... Le site qui va vous énerver

On a tous un ami qui ne sait pas parler d'un film sans le *spoiler* (c'est-à-dire sans vous en dévoiler l'issue) : énervant, non ?!

Sachez qu'il existe pire : le site Et en fait à la fin ! Lorsque l'on se connecte, la photo d'un film apparaît en grande taille et la fin du film est résumée en une phrase. **De quoi passablement se gâcher un plaisir cinématographique !**

Si vous nourrissez une quelconque rancune envers l'un de vos amis virtuels (ou si vous êtes tout simplement taquin et aimez jouer avec le feu), n'hésitez pas à cliquer sur le bouton « Gâcher la vie de mes amis »...

www.etenfaitalafin.fr

# SUDOKU

*Niveau difficile*

|   |   |   |   |   |   |   |   |   |
|---|---|---|---|---|---|---|---|---|
|   |   | 5 | 7 |   |   |   |   | 4 |
|   |   |   |   | 3 |   |   |   | 6 |
|   | 2 |   | 6 |   | 9 | 7 |   |   |
|   | 9 |   |   |   |   | 8 |   | 2 |
|   | 5 |   |   | 2 |   |   | 1 |   |
| 2 |   | 3 |   |   |   |   | 5 |   |
|   |   | 8 | 2 |   | 4 |   | 7 |   |
| 7 |   |   |   | 8 |   |   |   |   |
| 1 |   |   |   |   | 6 | 5 |   |   |

***Solution page 681***

# Étrennes : combien donner et à qui ?

Chaque année, le rituel est le même : en décembre, il est d'usage de récompenser, en espèces, ceux qui vous facilitent la vie au quotidien (les pompiers, les facteurs, les nounous, les éboueurs...). Très bien. Mais combien faut-il donner et à qui ? Voici quelques suggestions, basées sur la moyenne des dons.

### Votre facteur

Combien faut-il donner à son facteur pour son éternel calendrier ? Tout d'abord, sachez que chaque facteur commande lui-même ses calendriers pour un prix de revient d'environ 2 €. La différence ira directement dans sa poche. Il est d'usage de leur donner de 5 à 15 €.

### Votre gardien d'immeuble

L'usage veut que vous lui donniez entre 5 et 10 % de votre loyer mensuel. À vous d'ajuster ce montant en fonction des services qu'il vous a rendus dans l'année.

### Votre femme de ménage

Avouez qu'elle vous rend bien service et vous dégage un temps de loisirs conséquent en s'occupant de vos tâches ménagères. Le mois de décembre est donc le moment de la remercier pour tout ce qu'elle vous apporte. Si vous la connaissez bien, offrez-lui un cadeau personnalisé. Sinon, une enveloppe représentant la moitié de son salaire sera très appréciée.

**Les pompiers**

Lorsque l'Amicale des pompiers vient sonner à votre porte, il convient de lui donner entre 5 et 10 €. Votre argent servira à offrir un salaire complémentaire aux soldats du feu, à leur permettre d'avoir un meilleur matériel de détente et à financer leur traditionnelle fête de la Sainte-Barbe.

**Les éboueurs**

Il convient de leur donner 5 € pour les remercier de l'entretien de votre ville et pour les soutenir dans leur pénible fonction.

Bien qu'il soit convenu de donner des étrennes, attention aux arnaques. Si vous ne reconnaissez pas le pompier ou le facteur qui frappe à votre porte, n'hésitez pas à lui demander sa carte professionnelle. Sachez également que, depuis 1955, les étrennes sont interdites à Paris, Lyon et Nice.

Gardez à l'esprit également que cela n'a rien d'obligatoire, que c'est simplement une manière cordiale de remercier toutes ces personnes et que votre don doit être en accord avec votre budget.

# Fake Calls

Les anglophones l'auront compris, cette application va vous permettre de simuler un appel sur votre smartphone. Qui n'a jamais rêvé que son téléphone sonne lors d'une réunion s'éternisant ou au cours d'un premier rendez-vous que l'on n'aurait jamais dû accepter ? **Avec Fake Calls, le rêve devient réalité** !

Avant de vous rendre au traditionnel repas de famille, que vous imaginez déjà lassant au plus haut point, paramétrez l'application. Vous choisissez qui vous appellera, à quelle heure, mais aussi quelle sera la photo à afficher et quelle sonnerie se déclenchera. **À l'heure dite, l'appel salutaire vous sauvera de cette désastreuse situation** et vous permettra de quitter la pièce… au moins quelques instants !

Disponible sur Android, iPhone, iPod Touch et iPad – Gratuit sur Android et 0,89 € sur iOS

# Une ville de morts

En Californie, il existe une ville aux allures de cimetière géant : Colma. Située à une dizaine de kilomètres de San Francisco, elle en accueille tous les morts. Et pour cause, dès la fin du XIXe siècle, il a été interdit d'installer des sépultures dans une ville en pleine croissance. C'est à ce moment-là que le charmant terrain de Colma a été choisi. En 1887, le Holy Cross Catholic Cemetary est inauguré. Dès lors, **un « train des morts » est mis en place pour déplacer les dépouilles de San Francisco vers Colma.** Depuis, 19 cimetières sont sortis de terre pour respecter les différentes communautés religieuses mais aussi les pays d'immigration des défunts. Il existe donc un cimetière italien, un grec ou encore un japonais… Et même un cimetière pour animaux !

Aujourd'hui, on dénombre 1,5 million de défunts pour seulement 1 100 résidents. Pas étonnant que leur devise soit ***It's great to be alive in Colma*** (« Il est bon d'être en vie à Colma »)…

Deux femmes âgées, veuves, passent ensemble un mois de vacances sous le soleil de Barcelone.
Chaque après-midi, elles passent de longues heures sur les transats de l'hôtel pour bronzer. En réalité, elles cherchent surtout à faire des rencontres... Depuis cinq ou six jours, elles ont notamment repéré un client qui, comme elles, consacre tous ses après-midi à se délasser près de la piscine. L'homme, jamais accompagné, n'est plus tout jeune mais il a **un air de ressemblance avec George Clooney** qui le rend incroyablement attirant. Un jour, l'une des deux femmes se décide à l'aborder et, s'approchant de sa table, près de la piscine, lui demande :
– Excusez-moi de vous déranger mais nous nous demandions, mon amie et moi, pourquoi vous avez l'air si déprimé tous les jours ?
– Madame, c'est difficile de se réadapter à la liberté...
– Comment ça ?
– **Je viens de passer 20 ans de ma vie en prison.**
– Ah bon ? Serait-il trop indiscret de vous demander pourquoi ?
– J'ai été accusé d'avoir poignardé ma troisième femme.
– Quand même... Et votre deuxième épouse ? Où est-elle ?
– On m'a condamné pour lui avoir tiré 15 coups de chevrotine dans la tête.
– D'accord... Tant qu'on y est, je peux savoir ce qui est arrivé à votre première femme ?
– Elle s'est accidentellement noyée dans la piscine de notre maison.
La dame se retourne alors en direction de son amie restée de l'autre côté de la piscine. Avec un grand sourire, elle lui crie :
– Viens vite Martine, il est célibataire !

4 ans de mariage... 20 ans de bagne : plus jamais ça...
... la prison ?...
Non, mes chéries... Le mariage !!
Salim WOURNT

# Saint-Père-sous-Vézelay : le village où Gainsbourg a passé les derniers mois de sa vie

De juillet 1990 au 5 janvier 1991, soit deux mois avant sa mort, Serge Gainsbourg a vécu à Saint-Père-sous-Vézelay, l'un des plus beaux villages de France. Fatigué et amaigri, il souhaite se reposer après ses opérations ; Gainsbourg va donc profiter de la vie à la campagne et de son air pur pour tenter de repartir du bon pied...

Le 3 juillet 1990, le téléphone sonne à l'hôtel de L'Espérance, un établissement de luxe situé dans le Morvan, à seulement 2 h 30 de Paris. Quand Françoise Meneau, la gérante des lieux, décroche, elle ne s'attend absolument pas à ce que ce soit Serge Gainsbourg qui se présente : « Un ami m'a recommandé votre maison. Est-ce que je peux venir passer un, deux ou trois mois chez vous ? ». Françoise accepte prestement et en informe son mari, alors sorti. Marc est beaucoup plus réservé à l'idée d'accueillir ce chanteur à la réputation si sulfureuse... Tout ce qu'il a entendu à la radio et vu à la télé ne le rassure pas franchement. Mais il va rapidement découvrir que Serge Gainsbourg était « tout le contraire de l'image qu'il donnait », comme il l'a confié à Auxerre TV.

## L'arrivée de Gainsbourg

Dix jours plus tard, Serge Gainsbourg quitte la rue de Verneuil et arrive à L'Espérance. Comme convenu au téléphone, il a apporté quelques objets personnels pour décorer sa chambre et se sentir davantage chez lui. En convalescence, il va

rapidement adopter le rythme de la campagne, calqué sur les heures d'ensoleillement. Il ne vit plus la nuit, mais se couche avec le soleil. « Ici, il menait une vie pastorale », se souvient Marc Meneau.

## Les habitudes de Gainsbourg

Comme à Paris, le chanteur prend rapidement ses habitudes. Chaque matin, il se rend à l'hôtel voisin, La Renommée, pour faire le plein de Gitanes. Il en profite alors pour discuter avec la gérante et s'offrir une petite boisson anisée. Elle se souvient d'ailleurs qu'un célèbre Russe logeait non loin de là mais que Gainsbourg, très admiratif du travail de ce monsieur, n'osait pas le déranger. Il s'agissait de Mstislav Rostropovitch, certainement le violoncelliste le plus réputé du siècle dernier, venu à Vézelay pour enregistrer les six Suites pour violoncelle seul de Bach, dans la basilique Sainte Marie-Madeleine.

Guy Carlier, qui logeait alors à La Renommée, a assisté à cet enregistrement aux côtés de Gainsbourg, comme il le raconte dans son livre *J'vous ai apporté mes radios*, paru aux éditions Robert Laffont. « D'ailleurs, tout près de moi, à demi caché par un confessionnal, un homme pleurait. C'était Serge Gainsbourg. Alors, j'écoutai Rostropovitch et je regardai Gainsbourg. Il savait qu'il allait bientôt mourir et, soudain, c'était comme si cet homme qui jouait du Bach lui démontrait l'existence de Dieu. Il croisa mon regard et, honteux qu'on puisse le voir pleurer, essuya furtivement sa joue, renifla ses larmes à venir en relevant la tête d'un coup de menton et s'approcha de moi en murmurant : « Pas dégueux le père Rostro. » Puis, toujours en chuchotant, il m'expliqua que le violoncelliste n'avait jamais voulu enregistrer ces Suites de Bach jusqu'au jour où, en montant les marches de la basilique de Vézelay, il s'exclama : "C'est Bach !"»

À Vézelay, Gainsbourg prenait tous ses repas à L'Espérance. Loin de jouer les stars inaccessibles, le chanteur a laissé une belle intimité se créer avec le personnel de l'hôtel-restaurant. D'ailleurs, même le jour de fermeture hebdomadaire de l'établissement, Marc Meneau laissait toujours un cuisinier et un serveur à sa disposition. Selon le gérant, aucun ne rechignait à travailler davantage, simplement pour jouir de la gratitude exprimée par l'Homme à la tête de chou.

## Généreux Gainsbourg

Les autres jours, Gainsbourg se rendait au restaurant, comme tout le monde. Marc Meneau le revoit encore très clairement traverser le jardin de L'Espérance pour rejoindre le restaurant, appuyé sur sa canne et arborant fièrement sa fausse Légion d'honneur. Le plus souvent, il prenait ses repas seul, sa famille venant le rejoindre uniquement en fin de semaine. Il tournait toujours sa table de façon à être de dos par rapport aux autres clients de la salle, afin de ne pas être directement reconnu : « À chaque fois qu'il arrivait à table, il posait sa canne à droite, son paquet de Gitanes et son beau briquet Dupont en métal argenté à gauche. Il ne fumait jamais pendant qu'il mangeait, il attendait de sortir. » Gainsbourg n'allait jamais déjeuner sans son tas de feuilles blanches volantes et son stylo. À table, il écoutait les conversations des personnes à proximité et notait la phonétique de ce qu'il entendait. Pour Marc Meneau, il trouvait dans ce petit rituel la base de ses chansons...

À L'Espérance, une tradition existe depuis longtemps : chaque fin d'année, l'argent des pourboires reçu par les serveurs et les cuisiniers sert à profiter d'un bon repas dans un autre restaurant, tous ensemble. Cette année-là, tout le monde se retrouve chez Lameloise, restaurant trois étoiles situé à une centaine de kilomètres de L'Espérance. Durant le repas, Serge Gainsbourg téléphone au restaurateur et lui demande de lui envoyer la note, annonçant qu'il veut la régler lui-même. Pour Noël, c'est au tour du Petit Lulu de bénéficier d'un cadeau de choix ! Venu passer les fêtes de fin d'année avec son père, du haut de ses 4 ans, il a pu admirer le feu d'artifice que celui-ci lui avait offert.

## Le départ de Gainsbourg

Quelques jours plus tard, le 5 janvier 1991, L'Espérance ferme ses portes pour son mois et demi de fermeture annuelle. Gainsbourg veut attendre le dernier moment pour partir et reste aider le personnel à tout remettre en ordre dans l'établissement. Deux jours plus tard, tout le monde quitte les lieux. Tout le personnel forme spontanément une haie d'honneur des portes de l'hôtel à la voiture venue chercher Gainsbourg, qui n'a jamais eu le permis de conduire. Après avoir roulé quelques mètres, il demande au chauffeur de s'arrêter, sort sur le marchepied et déclare : « C'est ça, être célèbre ! » C'est la dernière fois que Marc Meneau verra le chanteur, qu'il considérait comme son grand frère. Fumeur de cigares, il cultive depuis une tradition héritée du chanteur : ne jamais laisser un cendrier sale.

À la mi-janvier, Charlotte vient d'être quittée par son amoureux, bien plus âgé qu'elle. Son père décide alors de s'envoler avec elle pour les Barbades. Un matin, Serge Gainsbourg fait un malaise, le médecin détecte alors un cancer généralisé. Le 2 mars suivant, le chanteur succombe à un cinquième arrêt cardiaque chez lui, rue de Verneuil. Marc Meneau reste persuadé qu'il aurait pu prolonger la vie de Serge Gainsbourg s'il était resté ouvert...

# Un lac artificiel sous l'Opéra Garnier

L'Opéra Garnier est l'un des joyaux de Paris. Pour ses habitants, comme pour nombre de touristes, **un fantôme hante les sous-sols du bâtiment**. Cette légende a été entretenue par l'écrivain Gaston Leroux et son célèbre Fantôme de l'Opéra. Évidemment, il n'y a pas de spectre sous l'édifice. Par contre, il y a un lac !

Lorsque Charles Garnier a commencé la construction de son opéra, il s'est rapidement rendu compte que l'endroit était marécageux et que la nappe phréatique était rapidement atteinte. Au lieu d'en faire un inconvénient, l'architecte a choisi d'en faire un atout. Il a installé un cuvelage en béton, qu'il a rempli d'eau. Résultat : les charges de l'imposant édifice sont mieux réparties et il permet au bâtiment de résister à la pression des eaux d'infiltration.
Situé sous le plateau de l'Opéra, ce lac artificiel est un vaste réservoir de 2000 tonnes à la disposition des pompiers en cas d'incendie. En attendant la catastrophe, **plus de 80 poissons vivent tranquillement dans les sous-sols du Palais Garnier**.

# Une fourchette vibrante pour mieux manger

Le surpoids est dû à un manque d'activité, l'absorption de trop grandes quantités de nourriture et à la manière dont on mange. Manger trop vite accélère le processus, sans compter les désagréments de digestion et de reflux gastriques. La start-up française Hapilabs vient de lancer son HAPIfork : une fourchette vibrante.

**Lorsque vous mangez trop vite, la fourchette le détecte et se met à vibrer, vous indiquant qu'il serait bon de ralentir.** L'objet métallique détecte également le contact de vos doigts sur le manche et compte le nombre de bouchées avalées. Grâce à son programme de coaching intégré et son port USB, vous pourrez suivre votre alimentation au jour le jour et mieux la gérer. Mais il vous faudra tout de même débourser pour cela la somme de 99 $, soit environ 74 € !

Son slogan : « Mangez lentement. Perdez du poids. Sentez-vous bien. »

# Les meilleures répliques des films des années 2000

Les amis, c'est comme les lunettes, ça donne l'air intelligent, mais ça se raye facilement et puis, ça fatigue. Heureusement, des fois on tombe sur des lunettes vraiment cool! Moi, j'ai Sophie.
*Jeux d'Enfants,* 2003

**C'est trop calme... J'aime pas trop beaucoup ça... J'préfère quand c'est un peu trop plus moins calme...**
*Astérix et Obélix: mission Cléopâtre,* 2002

– C'est quoi, Dieu?
– Tu vois, quand tu fermes les yeux et que tu désires un truc très fort, eh bah Dieu, c'est le mec qui en a rien à foutre.
*The Island,* 2005

**T'as baisé ma femme, j'ai baisé ma femme: allez, on est quitte!**
*RRRrrrr!!!,* 2003

– J'ai pas envie de faire d'erreurs.
– Faut pas appartenir à l'espèce humaine alors, deviens canard.
P.S. I Love You, *2007*

– C'est le vent qui nous parle.
– Et... il dit quoi?
– Je n'sais pas. Je n'parle pas le vent.
*L'Âge de glace 3: le temps des dinosaures,* 2009

**Haha, oublie-la ! T'as plus de chance de te voir sortir des anges du trou de balle que de fréquenter une fille comme ça.**
*Titanic,* 1997

– Je vous conduis ?
– Je n'ai jamais pu refuser quoi que ce soit d'une brune aux yeux marron.
– Et si j'étais blonde aux yeux bleus ?
– Cela ne changerait rien, vous êtes mon type de femme, Larmina.
– Tiens donc… Et si j'étais naine et myope ?
– Eh bien, je ne vous laisserais pas conduire. Ça n'a pas de sens…
*OSS 117 : Le Caire, nid d'espions,* 2006

**Il ne suffit pas de se mettre une plume dans le cul pour ressembler à un coq.**
*Fight Club,* 1999

Bon sang, arrête de me fourrer ta langue dans le cul, Gary. Laisse ça aux chiens. Tu n'es pas un chien, hein Gary ? Et pourtant tu présentes toutes les caractéristiques du chien. Toutes, sauf la loyauté.
*Snatch,* 2000

– Je pourrais être ton père !
– Pourquoi ? À cause de l'âge ?
– Non, parce que j'ai enfilé ta mère !
*JCVD,* 2008

T'es littéralement trop con pour qu'on t'insulte!
*Very Bad Trip*, 2009

– Dites, vous pourriez pas m'en débarrasser?
– Euh... il est con! C'est un asile de fous, pas un asile de cons. Il faudrait construire des asiles de cons, mais vous imaginez un peu la taille des bâtiments...
*Tais-toi!*, 2003

**T'es qu'une petite gêne, un caillou dans une chaussure, un poil de cul coincé entre les dents!**
*Tanguy*, 2001

On dit que nous perdons tous 21 grammes au moment précis de notre mort... Le poids de 5 pièces de monnaie. Le poids d'une barre de chocolat. Le poids d'un colibri. 21 grammes. Est-ce le poids de notre âme? Est-ce le poids de la vie?
*21 grammes*, 2003

Jamais on est averti quand on est amoureux; on le ressent de part en part, du cœur aux couilles jusqu'aux os.
*Matrix*, 1999

– Le moment viendra où vous pourrez enfin agir avec honneur.
– Je les adore ces moments... Je les salue de la main quand je les vois passer.
*Pirates des Caraïbes: le secret du coffre maudit*, 2006

**– Mec, il faut prévenir quand t'en lâches un pareil. J'avais la bouche ouverte, bordel!**
**– Écoute l'âne, si c'était mon pet, tu serais déjà mort!**
*Shrek*, 2001

Chaque seconde, 43 000 vidéos sont visionnées sur YouTube, soit plus de 1 460 000 000 000 000 chaque année.

Chaque seconde, 215 rapports sexuels ont lieu en France…
Dans le même temps, 13 000 actes sexuels ont lieu dans le monde.

1 kg de déjections canines est déversé toutes les 5 secondes sur les trottoirs de Paris par les quelque 300 000 chiens qui y vivent.

# 7 Billion World ou comment voir toute l'humanité d'un coup

Aussi incroyable que cela puisse paraître, des informaticiens ont réussi à rassembler tous les humains du monde, (oui, même vous !), sur une seule et même page Internet : 7BillionWorld.com. Vous avez bien lu, sept milliards de personnes !

**Si vous en avez le temps, amusez-vous à les compter...** Enfin comptez tout de même 110 années si vous désirez vous lancer dans cette vaste tâche !

www.7billionworld.com

Un beau soir, au château, le roi n'en peut plus. Son bouffon préféré a pris la grosse tête : il est devenu bien trop impertinent ; il ne peut plus le supporter. S'adressant à lui, il dit : « Mon cher bouffon, tu es trop impertinent, je te condamne donc à mort… Mais tu m'as bien fait rire, donc je t'accorde le droit de choisir ta mort. Dis-moi comment tu veux mourir et je me soumettrai à ton choix ».

Le bouffon a intelligemment évité la mort. Qu'a-t-il répondu au roi ?

**Solution**

Il lui a répondu vouloir « mourir de vieillesse » !

# Un employé s'endort et 222 millions d'euros sont virés

En Allemagne, un employé de banque s'est littéralement endormi sur un virement qu'il était en train d'effectuer. Résultat : **le montant est passé de 62 à 222 millions d'euros !**

Sa collègue, chargée de surveiller les ordres de virements bancaires, a été licenciée pour faute. Elle n'a pas remarqué que l'homme a lancé une opération de 222 222 222,22 euros au lieu des 62,40 euros prévus. Elle a porté l'affaire devant un tribunal qui a jugé son licenciement abusif. Elle a donc pu réintégrer la banque où elle travaillait depuis 1986.

Personne n'a eu (l'éphémère) joie de découvrir son compte crédité de ces 222 millions. L'erreur a été découverte trop tôt pour cela.

# La RATP s'offre une façade pour un immeuble fantôme en plein Paris !

Lorsque l'on se promène rue La Fayette à Paris, on ne voit rien d'étrange. Même lorsque l'on se place face au n° 145, on ne voit rien, si ce n'est un immeuble haussmannien, semblable à tous les autres. Et pourtant, il ne s'agit que d'une façade ! Personne n'y habite et **le bâtiment n'est qu'un mur habilement décoré pour paraître le plus vrai possible**. Est-ce le vestige d'un film ? Un décor de théâtre grandeur nature ?

**Que nenni !** C'est simplement une manière astucieuse et très esthétique de cacher une énorme bouche d'aération de la RATP. Plutôt que de dénaturer la beauté des lieux en installant un gros tube donnant sur la rue, l'entreprise des transports en commun parisiens a choisi de recréer une façade d'immeuble. Si vous vous rendez à Paris, **arrêtez-vous devant le bâtiment et fixez les fenêtres** (d'ailleurs dénuées de volets, contrairement aux autres immeubles !). Vous distinguerez un mur noir, complètement lisse, à quelques centimètres de chaque ouverture. Vous n'êtes pas à Paris ? Rendez-vous sur Google Maps et activez la *Street view*. Vous verrez que le 145, rue La Fayette est un bâtiment tout plat !

# QUAND LES STARS S'ENVOIENT DES PIQUES...

**JULIETTE ARNAUD** : « Moi, en tant que Française moyenne, ça me fait plaisir de savoir qu'Isabelle Adjani a été trompée par son mec. »

**MAÏWENN** : « Sans vouloir être méchante, je pense qu'Isabelle Adjani est complètement parano et surtout, qu'elle manque cruellement d'autodérision ».

**JENNIFER ANISTON** : « C'est difficile de trouver un homme bien à Los Angeles. Et lorsqu'on en trouve un, il vous quitte pour une bombe tatouée, collectionneuse d'enfants » (Angelina Jolie).

**MADONNA** : « Moi aussi, comme Angelina Jolie, je pourrais rejoindre l'ONU en devenant ambassadrice et passer mon temps à sourire en faisant semblant de m'intéresser aux choses. Mais ce n'est pas comme ça qu'on s'attaque à la racine du problème…»

**JAMEL DEBBOUZE** : « Sharon Stone, elle me fait penser à Mimie Mathy : la même coupe de cheveux. Et quand les deux s'habillent en noir, elles se ressemblent. »

**SEAN PENN** : « Nicolas Cage n'est plus un acteur. Il ressemble davantage à un interprète. »

**LÆTITIA CASTA** : « Jude Law, c'est quand même un peu une arnaque… Il a juste une belle gueule, c'est tout…»

**GÉRARD DEPARDIEU** a décidé de jouer le rôle de Dominique Strauss-Kahn au cinéma en argumentant : « Parce que je ne l'aime pas, je vais le faire. »

**ISABELLE ADJANI** a alors donné son avis : « Là, ce n'est pas Gérard qui parle, c'est le pinard de Gérard ! ».

# Planetoscope

Vous pensiez que les statistiques étaient réservées aux spécialistes? Détrompez-vous. **Avec cette application, vous gardez en temps réel l'œil sur la vie de notre planète à travers les chiffres**.

Combien de pizzas sont mangées dans le monde chaque seconde? Combien d'oiseaux sont tués par les chats rien qu'aux États-Unis? Quelle est la quantité d'antidouleurs vendue dans le monde? Autant de statistiques surprenantes, étranges ou rigolotes qui vous feront voir la Planète bleue sous un autre angle… et vous permettront de vous coucher un peu moins bête chaque soir!

Disponible sur Android – Gratuit

Qu'est-ce qui fait 12 m de long, 3 de large, qui a 42 dents et 25 paires de bras ?

**– Je sais pas mais... COURS BORDEL, COURS !**

# Monsieur et Madame Petitot ont 8 filles. Chaque fille a un frère.

# Combien la famille Petitot compte-t-elle de membres au total ?

**Solution**

Les 8 sœurs + 1 frère qu'elles ont en commun + les 2 parents = 11 membres

• Est-ce que vous pouvez mettre « j'aime » dans 9 minutes s'il vous plaît : j'ai mis des pâtes à cuire et j'ai pas de minuteur !

**• EXCLUSIF : La femme de Rocco Siffredi a demandé la péridurale. Pour la conception.**

• La lecture dans l'ascenseur : l'Otis Reading.

**• Robert Pattinson est comme tout le monde : lui aussi, il va aux Twilight !**

• Cette année, je me demande bien qui va me rouler la pelle du 18 juin...

**• Pourquoi Paris et Berlin veulent-ils débattre des nouvelles mesures sur le lait ? Le lait, c'est en litres, point !**

• **Rien de plus rapide que la vitesse de la lumière ? Faux. Je crois que la science ne s'est pas encore penchée sur la vitesse de « détagage » d'une fille sur une photo Facebook qui n'est pas à son avantage…**

• Mission impossible : ne pas toucher une seule frite sur le chemin entre le Drive et chez toi.

• **J'ai toujours dit que les étudiants en école d'art étaient imaginatifs. Par exemple, croire qu'ils vont trouver un emploi après.**

• Y'a une fille en face de moi au bar qui a un corps qui irait super bien avec ma chambre d'hôtel.

• J'suis entré, j'les ai regardés. Ils m'ont regardé. J'les ai regardés. J'ai hésité. Ils m'ont menacé. Bref, j'ai voté Vladimir Poutine.

**• Ils auraient pu mettre Gilbert Montagné dans le jury de *The Voice*, plutôt que d'investir dans des fauteuils qui tournent !**

• J'aimerais bien que Google arrête de se comporter comme les meufs : qu'il nous laisse finir nos phrases avant de nous faire des suggestions !

**• On dirait que le prince du Qatar il fait une collection de Paninis… mais en vrai !**

• Vous vous moquez tous de Zahia parce qu'elle sort un livre mais vous rigolerez moins quand Bernard Pivot sortira sa *sex tape*.

• L'avantage dans un couple gay, c'est qu'il n'y a pas d'engueulades sur la position de la lunette des WC.

**• S'il neige à Paris, c'est uniquement pour faire plaisir aux 4X4 qui n'ont jamais compris ce qu'ils foutaient là.**

• Idée de business : acheter des légumes chez Carrefour, les rouler dans la boue et vendre ça le double à une boutique bio.

**• Je me retrouve un peu dans la personne de Lance Armstrong. Ni lui ni moi n'avons gagné le Tour de France.**

• 2 minutes de rire seraient aussi bonnes pour la santé que 30 de jogging : tous les soirs, je vais au parc pour me foutre 2 minutes de la gueule des joggers !

• Parfois, quand je ne veux pas que ma femme trouve quelque chose, je le mets dans son sac à main.

**• Vous avez remarqué que si vous changez « ville » par « slip » dans *Quand on arrive en ville,* la chanson prend tout son sens ?**

• À Marseille, en Corse et maintenant à Gennevilliers, dès que des gens meurent, Manuel Valls est là. Faudrait peut-être vérifier ses alibis.

**• Tu veux une surprise ? Envoie SURPRISE au 87551 et attends ta facture téléphonique.**

• Un seul RER vous manque et tout est surpeuplé.

# Une femme enceinte voit ses pieds s'allonger !

Aussi incroyable que cela puisse paraître, lors de sa première grossesse, **une femme enceinte peut voir ses pieds s'allonger jusqu'à 1 cm !** C'est en tout cas ce qu'a conclu le Dr Neil Segal dans une étude publiée dans l'*American Journal of Physical Medicine and Rehabilitation*. Pour mener à bien sa recherche, il a suivi 50 femmes enceintes. Il a mesuré leurs pieds unc première fois lors du premier trimestre de grossesse, puis une seconde fois cinq mois après l'accouchement.

Le résultat est sans appel : **60 à 70 % de ses patientes avaient des pieds plus longs, mais aussi plus larges, après avoir accouché**. Selon lui, ce phénomène s'explique par le changement du centre de gravité de la femme (due à la taille de son ventre, qui évolue) et à deux hormones : l'œstrogène et la relaxine. Tout cela conjugué entraîne un assouplissement des ligaments du pied, donc un changement de taille.

# My Cat is a Dick

Vous en avez marre de l'engouement qu'éprouvent les internautes pour les chats ? **Marre de voir des photos de chatons sur chaque profil de vos amis Facebook ?** En plus, votre copine vous bassine jour et nuit pour avoir un chat ? Alors, rendez-vous sur Mycatisadick.com, que l'on peut traduire par « Mon chat est un abruti ».

Ici, vous trouverez toutes sortes de bêtises faites par les chats du monde entier. De la simple souris rapportée gentiment à son maître à la diarrhée déposée sur l'ordinateur portable de monsieur en passant par le pot de fleurs renversé dont la terre a été éparpillée dans toutes les pièces : rien ne vous sera épargné !

**Souvenez-vous : c'est drôle tant que ça arrive aux autres...**

mycatisadick.com

Comme tous les mardis, Nadine entreprend sa partie de golf hebdomadaire. Elle frappe sa première balle de la journée, qui file droit sur un homme faisant son parcours non loin de là et qu'elle n'avait pas remarqué. **Elle le voit mettre immédiatement ses mains entre ses deux jambes et tomber au sol.** Elle court à sa rencontre. Il est tordu de douleur, allongé, en position fœtale.

– Excusez-moi, monsieur ! Je suis désolée, je ne vous avais pas vu… Mais je suis physiothérapeute : si vous me laissez faire, je peux atténuer votre douleur…

– Non merci, je vais rapidement me sentir mieux, ne vous inquiétez pas.

Mais elle insiste et finalement, l'homme se laisse faire.

Elle enlève ses mains d'entre ses jambes, baisse sa braguette et place ses mains à l'intérieur en massant délicatement, démontrant toute l'étendue de ses compétences.

Après quelques minutes, elle lui demande :

**– Alors ? Vous vous sentez mieux ?**

– C'était parfait ! Merci beaucoup, mais j'ai toujours mal au pouce !

# *Les faux pas à éviter pour une maison zen !*

Chassez le stress avec le Feng Shui ! Réaménagez votre intérieur en fonction des préceptes de cette discipline chinoise vieille de plusieurs siècles. Pour que l'énergie circule bien, il y a quelques principes à respecter…

*J'évite…*

* de mettre trop d'énergies positives, comme des fleurs ou des plantes, dans la chambre : celle-ci doit rester un lieu de tranquillité avant tout (à l'exception des chambres de malades, à condition cependant de retirer les fleurs pour la nuit). Je peux toutefois avoir une grande plante dans ma chambre pour rafraîchir l'atmosphère.
* d'installer un aquarium ou quelque source d'eau que ce soit (par exemple, une fontaine) dans la chambre à coucher, y compris des tableaux représentant la mer et les bateaux.
* les rayures ou des murs avec des couleurs très contrastées, car cela peut provoquer des disputes.
* les couleurs sombres au plafond. En effet, des couleurs plus pâles augmenteront le champ d'énergie.
* de placer des fleurs séchées, des animaux empaillés dans la maison, cela provoquerait des troubles de santé.
* de regarder la télévision dans ma chambre, ou alors je la cache dans un meuble.
* de placer des objets dont la symbolique est négative, comme une poubelle, à l'endroit où je gère mon argent.
* de placer le portrait d'une personne décédée dans la chambre d'un enfant, cela troublerait son épanouissement.

# Une bouteille à la mer retrouvée 28 ans plus tard !

Matea Medak Rezic, une jeune Croate de 23 ans, a trouvé une bouteille jetée à la mer 28 ans plus tôt ! Membre d'un club de kitesurf, elle nettoyait une plage près de Ploče quand elle a fait cette découverte.

À l'intérieur de la bouteille brisée, elle a trouvé un mot plastifié sur lequel était inscrit à l'encre bleue : « **Mary, tu es vraiment une personne merveilleuse.** J'espère que nous allons entretenir une correspondance. J'ai dit que j'allais écrire. Ton ami pour toujours, Jonathon. Nouvelle-Écosse, 1985. »

La bouteille a donc parcouru 8 000 km en 28 ans !

*Source : AFP*

# Rockmate

Vous avez toujours rêvé de devenir une rock star ? L'application RockMate est faite pour vous ! **Avec elle, vous allez pouvoir maîtriser la batterie, la guitare, la basse et le piano.** La prise en main n'est pas aisée pour tout le monde, mais une fois maîtrisée, c'est un vrai plaisir de jouer un morceau. Vous pourrez même enregistrer vos compositions, les exporter dans divers formats, lisibles sur la plupart des lecteurs et même partager votre talent sur les réseaux sociaux.

Petit bonus, **vous pouvez même faire jouer jusqu'à quatre personnes** en même temps et monter un groupe de rock révolutionnaire avec vos amis !

Disponible sur iPad – 2,69 €

# Facebook en chiffres

En octobre 2012, Facebook comptait plus de 1 000 000 000 de membres actifs,

dont 81 % se trouvent en dehors du continent nord-américain.
22 ans est l'âge moyen des nouveaux utilisateurs.
En France, on dénombre 24 000 000 de membres.

Chaque jour, 300 000 000 de photos sont transmises via le réseau social.
219 000 000 000 de photos sont actuellement stockées sur Facebook.
Quotidiennement, il y a 3 200 000 000 de « like » et de commentaires.

Il existe 42 000 000 de pages ayant au moins 10 fans.
70 langues sont disponibles sur ce site.
En 2011, le chiffre d'affaires de Facebook était de 3 700 000 000,00 $,

dont 85 % résultaient de la publicité.

En juin 2012, 3 976 personnes travaillaient dans les 11 bureaux des États-Unis et 18 bureaux à l'étranger.

En 2011, Mark Zuckerberg, son fondateur, a eu un salaire de 483 333 $,auxquels il faut ajouter divers bonus et autres compensations pour atteindre un gain total de 1 712 362 $ !

# Pourquoi dit-on…
# Au temps pour moi ?

« **Au temps pour moi** » est prononcé par une personne reconnaissant ses torts. Cette expression est tirée du contexte militaire. Lorsque l'instructeur criait « au temps pour les crosses », les militaires devaient présenter leur arme de manière synchronisée. Si l'un d'entre eux était à contretemps, il pouvait demander à refaire l'exercice en disant « Au temps pour moi », reconnaissant ainsi sa faute.

**Aujourd'hui, il est toléré d'écrire « Autant pour moi »…** mais l'Académie française préfère la première version !

Chaque seconde, les hommes produisent 18 000 litres d'urine dans le monde.

Chaque seconde, 3 400 000 e-mails sont envoyés dans le monde,

dont plus de 75 % sont des spams.

Chaque seconde, 155 € sont volés dans des magasins français… dont plus de 30 % par les employés !

*La cantatrice passa, toute en brillants.*

**LA CANTATRICE BRILLA, TOUT EN PASSANT.**

# Pourquoi dit-on... Faire une belle jambe ?

Lorsque votre cousine Émilie vous parle de son dernier vernis acheté, évidemment, vous n'en avez cure et vous lui glissez gentiment que cela vous fait une belle jambe... Avec un peu de malchance, elle ne connaîtra pas le sens de cette expression et vous parlera de sa dernière séance chez l'esthéticienne, conséquence fort regrettable, on en convient. N'hésitez donc pas à la stopper pour lui expliquer que vous utilisez l'expression « faire une belle jambe » lorsqu'un propos ne vous intéresse pas.

Vous pouvez même pousser le vice en lui expliquant que cette expression nous vient tout droit du XVe siècle, **époque à laquelle les hommes portaient des chausses et pour lesquels il était très important d'avoir un joli galbe de jambe**. À la fin du XVIIe siècle, l'expression « Cela ne me rendra pas la jambe mieux faite » entre dans le vocabulaire des Français pour désigner quelque chose d'inutile. Avec le temps, la négation est supprimée pour donner l'expression que l'on connaît aujourd'hui.

Une explication qui devrait faire une belle jambe à votre cousine Émilie... !

# Ils ont refusé la Légion d'honneur

Le 19 mai 1802, la Légion d'honneur est créée par Napoléon Bonaparte, qui veut « décorer [ses] soldats et [ses] savants ». Depuis plus de 200 ans, elle récompense donc « les mérites éminents, militaires ou civils, rendus à la Nation ». Malgré le prestige de cette médaille, certains ont refusé de la recevoir...

**– *Les scientifiques* Pierre et Marie Curie**

Le couple de scientifiques français le plus connu a refusé la décoration nationale. « En sciences, nous devons nous intéresser aux choses, non aux personnes » a expliqué Marie Curie. Son mari s'est contenté d'un « Je n'en vois pas la nécessité ».

**– *Le compositeur* Hector Berlioz**

En 1864, l'État français n'a plus assez de fonds pour payer une messe de Requiem jouée par Hector Berlioz. Il lui propose alors de le rétribuer avec la remise de la Légion d'honneur, en remplacement des 3000 francs initialement prévus. Ce à quoi le compositeur répond : « Je me fous de votre croix. Donnez-moi mon argent ! »

**– *L'écrivain* Marcel Aymé**

Marcel Aymé ne veut pas de la Légion d'honneur et le fait savoir vertement à l'État : « Pour ne plus me trouver dans le cas d'avoir à refuser d'aussi désirables faveurs, ce qui me cause nécessairement une grande peine, je les prierais qu'ils voulussent bien, leur Légion d'honneur, se la carrer dans le train, comme aussi leurs plaisirs élyséens ».

**– *Le philosophe* Jean-Paul Sartre**

En 1945, Jean-Paul Sartre refuse la Légion d'honneur. En 1964, c'est le prix Nobel de littérature. Selon lui, « l'écrivain doit refuser de se laisser transformer en institution même si cela a lieu sous les formes les plus honorables comme c'est le cas ».

**– *La romancière* George Sand**

Lorsque George Sand reçoit le courrier lui annonçant qu'elle sera prochainement décorée, elle répond au ministre : « Ne faites pas cela cher ami, je ne veux pas avoir l'air d'une vieille cantinière ! »

**– *L'acteur* Bourvil**

En 1968, lorsque Charles de Gaulle propose de lui remettre cette fameuse distinction en personne, Bourvil refuse poliment. Selon ses fans, il était trop modeste pour l'accepter.

**– *Le chanteur* Georges Brassens**

Georges Brassens a refusé la Légion d'honneur en lui consacrant une chanson satirique, dont voici un extrait : « Car ça la fout mal avec la rosette, / De tâter, flatter, des filles les appas / La louche au valseur ; pas de ça Lisette ! / La légion d'honneur ça pardonne pas »

**– *L'homme politique* Philippe Séguin**

Si Philippe Séguin a refusé la médaille, c'est en mémoire de son père, mort au combat mais jamais décoré par la France.

**– *Le chanteur* Léo Ferré**

Léo Ferré refusa également de recevoir la Légion d'honneur, qu'il qualifiait de « ruban malheureux et rouge comme la honte ».

**– *La spécialiste des cancers professionnels* Annie Thébaud-Mony**

Annie Thébaud-Mony a choisi de refuser cette distinction pour dénoncer « l'indifférence » qui touche la santé au travail et l'impunité des « crimes industriels ».

**– *Le dessinateur* Jacques Tardi**

« C'est avec la plus grande fermeté que je refuse cette médaille », voilà ce que Jacques Tardi a annoncé dans un communiqué de presse. « Je ne demande rien et je n'ai jamais rien demandé. On n'est pas forcément content d'être reconnu par des gens qu'on n'estime pas », a-t-il argumenté.

Albert Camus, Jacques Prévert, Maurice Ravel, Guy de Maupassant, Simone de Beauvoir, La Fayette, Raspail, Mylène Farmer, Geneviève de Fontenay ou encore Claude Monet, refusèrent également la Légion d'honneur.

# MOTS CROISÉS

***Horizontalement***

1 : Exclusifs

2 : Remportées

3 : Ville turque – Mouche XXL

4 : Petites toupies – Cri plein d'effort

5 : Archipel

6 : Colorado – Un polder en Flandre

7 : Lieu de vie des Esquimaux – Note

8 : Acquises – Concept

9 : Jeune fille – À la mode

10 : Saint – Changeons d'air

***Verticalement***

A : Chirurgien

B : Spécialistes

C : Conséquence – Mou

D : Milice nazie – Mariage

E : Père de Jason – Smiley stupéfait – Adjectif possessif

F : Dodo – Fin de la messe

G : Adjectif possessif – Affaiblir

H : Terre entre deux mers

I : Musique – Organe filtrant

J : Organe qui rétrécit – Idéologie nazie

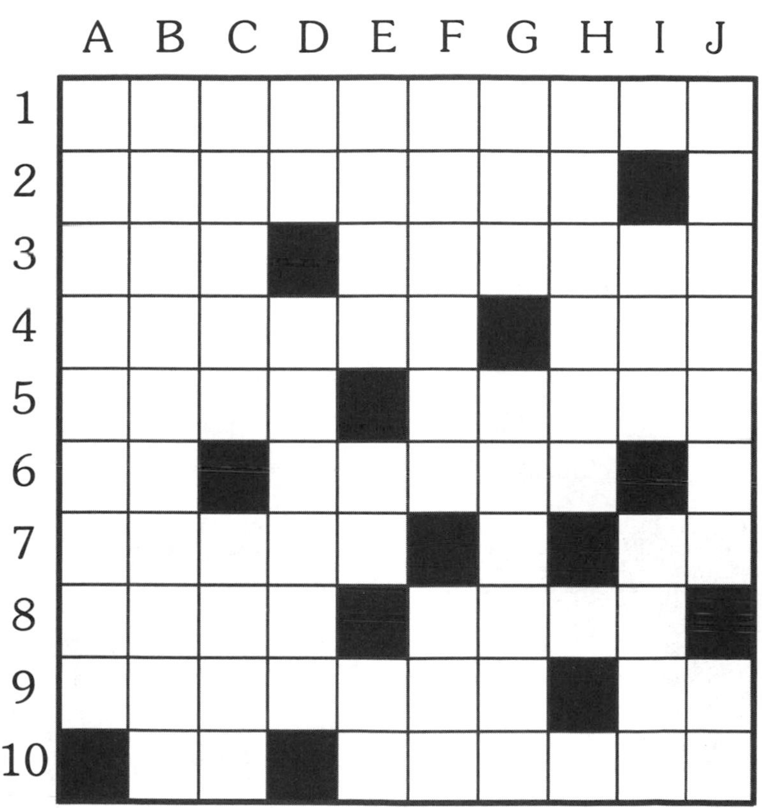


***Solution page 679***

*Elle devient complètement folle à la messe.*

**ELLE DEVIENT COMPLÈTEMENT MOLLE À LA FESSE.**

– Mon **premier** est une rondelle de saucisson sur un boomerang.
– Mon **deuxième** est une rondelle de saucisson sur un boomerang.
– Mon **troisième** est une rondelle de saucisson sur un boomerang.
– Mon **quatrième** est une rondelle de saucisson sur un boomerang.
– Mon **cinquième** est une rondelle de saucisson sur un boomerang.
– Mon **sixième** est une rondelle de saucisson sur un boomerang.
– Mon **tout** est une saison en Alsace.

Fous foyez pas ?

C'est le printemps, parce que c'est le retour des six rondelles !

Un colonel de l'armée française rentre de mission et trouve sa femme agonisante. Il apprend qu'elle a une maladie incurable, qu'elle va décéder dans les minutes à venir. Il se décide alors à lui poser la question qui lui brûle les lèvres depuis 35 ans :

**– M'as-tu déjà trompé ?**

– Oui… Mais deux fois seulement.

– Deux fois ! C'est tout ? Mon Dieu, et moi qui pensais que tu passais ton temps dans le lit des autres. Tu peux partir en paix, ta mémoire ne sera pas salie. Pardonne-moi ces pensées affreuses… Pour en finir avec tout cela, je pourrais savoir avec qui c'était ?

– Une fois avec ton général…

– Oh ! Le salaud !

**– Et une fois avec ton régiment…**

... et pour la cérémonie...
je veux les choeurs...
de l'armée française...
J'ai toujours rêvé
d'un enterrement
au milieu de...
tous mes amants !
Sabine NOURRIT

# Les prénoms les plus improbables pour un pape

En 2013, la communauté catholique a vécu la démission d'un pape et l'élection de son remplaçant. Comme à chaque fois, c'est le nouvel élu qui choisit son nom. **Il a alors le choix entre adopter le nom d'un saint encore jamais utilisé ou de choisir celui de l'un de ses prédécesseurs.** Petit florilège des noms improbables pour lesquels François aurait pu opter :

Sisinnius II, Vitalien II, Hormisdas II, Formose II, Calixte IV, **Eleuthère II**, Damase III, Landon II, Zéphyrin II, Caïus II, Sôter II, Agathon II, Eusèbe II, Simplice II, Gélase III, **Télésphore II**, Conon II, Zosime II, Lucius IV, Boniface X, Donus II, Symmaque II, **Eutychien II**, Pélage III, HyginII, Pontien II, Adédat III, Corneille II, Miltiade II, Sirice II, **Agapet III**, Vigile II.

# Le porno enseigné à la fac !

Les étudiants de l'université de Pasadena, en Californie, peuvent désormais opter pour un cours très particulier : le Navigating Pornography !

Le professeur chargé de cette drôle de matière, **Hugo Schwyzer, est un professeur d'histoire qui veut permettre à ses élèves de décrypter le monde du X**. Les étudiants ont pour devoir de regarder des films pornographiques chez eux et assistent à des cours où des stars du X viennent prendre la parole.

Dure, dure, la vie d'universitaire !

Marcel et Joséphine se sont arrêtés de marcher alors qu'ils descendaient les Champs-Élysées.

Marcel regarde en direction du nord tandis que Joséphine regarde en direction du sud.

Cependant, ils arrivent à se voir.

Comment cela est-ce possible ?

**Solution**

Ils sont face à face.

# SleepTime

L'ennemi matinal des travailleurs et des écoliers se résume en un mot : le réveil. Même en allant se coucher de bonne heure, il nous arrive de nous réveiller de mauvaise humeur, avec une impression de fatigue collée au corps toute la journée. Mais tout cela appartiendra à votre lointain passé dès lors que vous aurez téléchargé l'application SleepTime ! Seul inconvénient : **il faudra faire une place à votre smartphone dans votre lit**.

Lancez l'application avant de dormir, indiquez-lui à quelle heure vous souhaitez vous réveiller et posez votre téléphone face contre le matelas, sans le verrouiller. Toute la nuit, SleepTime enregistre vos mouvements pour savoir dans quelle phase de sommeil vous vous trouvez. À l'approche de l'heure fatidique, **l'application se chargera de vous réveiller lorsque vous serez en phase de sommeil léger, le meilleur moment pour se lever en pleine forme** et profiter au mieux de sa journée. Petit plus : le réveil est tout doux, fait de sons relaxants.

Disponible sur Android, iPhone, iPod Touch et iPad – Gratuit

Jean et Nico, en couple depuis 6 ans, habitent Marseille. Aujourd'hui, ils s'en vont retrouver quelques amis à Paris pour le week-end. Au beau milieu du trajet en TGV, l'un dit à l'autre :

**– Chéri, j'ai trop envie…**

Nico fouille alors dans son sac :

– Ça ne va pas être possible : j'ai oublié la vaseline.

– Oh non ! Ah ! J'ai une idée : tu vas au wagon-resto, tu commandes un jambon beurre, on jettera le pain et le jambon et ça fera l'affaire.

Aussitôt dit, aussitôt fait. Le couple se retrouve dans les toilettes de leur wagon.

Un quart d'heure plus tard, une mamie se présente aux toilettes et trouve la porte fermée. Après avoir attendu une vingtaine de minutes, elle appelle un contrôleur, pensant que la personne a pu avoir un malaise.

Le contrôleur ouvre la porte et voit un spectacle très étrange : un homme, penché en avant avec le pantalon sur les chevilles et un autre, assis sur les toilettes, en train de souffler sur ses fesses.

– Messieurs, un peu de tenue quand même !

**– Vous, la SNCF, ça va ! On commande un jambon beurre et on a un jambon moutarde !**

# Mariages et divorces...

En 2011, 44,7 % des mariages français se sont terminés en divorce et 1 600 000 enfants vivaient dans une famille recomposée.

Les familles recomposées représentent 7,7 % des familles françaises et comptent très souvent plus de 4 demi-frères et demi-sœurs.

Les divorces prononcés après moins de 3 ans de vie commune ont augmenté de 50 % entre 1998 et 2003 !

En 1974, on a compté 44 738 divorces en France,

mais depuis une quinzaine d'années, ce chiffre oscille entre 110 000 et 120 000.

68 % des femmes divorcées ont un emploi.
Les enfants de divorcés ont 83 % de chance de vivre avec leur mère…
qui se voit attribuer la résidence du ménage dans 64 % des cas.

# 50 Berkeley Square : la maison hantée la plus célèbre de Londres !

La maison du 50 Berkeley Square, dans le quartier de Mayfair à Londres, a été la demeure du Premier ministre britannique George Canning au XIXe siècle. Aujourd'hui, le bâtiment abrite la librairie Maggs Bros. Les libraires se sont installés dans cette bâtisse construite en 1740 sans tenir compte des rumeurs : **la maison de Berkeley Square serait hantée !** En effet, plusieurs personnes y seraient mortes dans d'étranges circonstances.

Le Premier ministre Canning est le premier à occuper l'endroit. Une plaque à son nom a été apposée sur la maison. Mais ce n'est pas sous son occupation que le 50 Berkeley Square acquiert sa réputation terrifiante. D'après la légende, tout aurait commencé avec un amoureux éconduit.

Un certain M. Myers aurait acheté cette demeure afin de s'y installer avec sa future épouse, mais juste avant le mariage, celle-ci l'abandonne. Affligé, il se serait reclus dans une chambre du premier étage, ne sortant que la nuit à la lueur des bougies. Il jura alors de ne plus laisser approcher aucune femme ! À sa mort, un couple et leurs deux filles viennent s'installer dans la maison. **Très vite, l'aînée se plaint de voir un homme près de son lit chaque nuit.** Un jour, un prétendant est invité à passer la nuit dans la demeure. Alors que la bonne prépare la chambre, elle pousse un cri saisissant : on la retrouve morte, le visage affreusement tordu par la terreur ! Le prétendant, qui ne croit pas à la thèse du fantôme, décide tout de même de passer la nuit seul dans cette chambre. On lui impose deux conditions : qu'il se munisse d'une cloche et qu'il sonne deux fois s'il y a un problème. Dans la nuit, la cloche sonne une première fois brièvement… puis un second son de cloche affolé se fait entendre ! **On retrouve le jeune homme pétrifié par la peur.** Il ne peut décrire ce qu'il a vu et mourra quelques heures plus tard.

Terrifiant n'est-ce pas ? L'histoire, vraie ou fausse, a tellement marqué les esprits que, depuis 1950, la police interdit l'accès au premier étage ! Même pour le stockage. **D'ailleurs, les employés de la librairie Maggs Bros ne restent jamais seuls dans la boutique à la fermeture le soir.** En dehors des livres anciens, la librairie du 50 Berkeley Square vaut le détour, rien que pour la légende !

Une blonde en vacances à l'autre bout du monde veut appeler sa mère, restée en France. Elle va donc dans un bureau de télécommunication et demande à un employé le coût d'un appel vers l'Hexagone.

– 4500 € pour 10 minutes.

– WOW ! Je n'ai pas assez d'argent ! Mais c'est très important ! Je dois parler à ma mère. N'y aurait-il pas un moyen de s'arranger ? Je suis prête à tout !

– Si vous êtes réellement prête à tout, passez dans le bureau d'à côté. J'ai peut-être une solution à vous proposer…

La blonde s'y rend. L'homme arrive et lui dit :

**– Mets-toi à genoux et baisse mon pantalon.**

La femme fait ce qu'on lui demande. Le mec sort son sexe et lui dit :

– Vas-y. Fais ce que tu as à faire…

La blonde saisit le sexe du type, approche sa bouche et dit :

**– Allo, maman ???**

# Porno : les mots-clefs les plus tapés

Pornhub, l'un des leaders de la pornographie sur le Net, a lancé un nouveau site Internet. Sur celui-ci, pas de vidéos de sexe, mais uniquement une carte interactive. Non, les dirigeants de Pornhub ne se recyclent pas en professeurs d'histoire sans tabous. Ils ont simplement mis en ligne **une carte permettant de connaître les 10 requêtes les plus fréquentes par pays**. En clair, les 10 mots que les Mexicains, les Australiens ou les Français tapent le plus quand ils cherchent une vidéo pornographique.

**On y apprend qu'en France, les trois premiers mots-clefs sont « french », « beurette » et « française ».** En Allemagne, les jeunes sont à l'honneur puisque « teen » (soit moins de 20 ans), est le troisième mot-clef le plus recherché. **Les Russes, eux, préfèrent la sodomie puisque « anal » est la deuxième requête la plus tapée.** Petit détour par la Chine, pour terminer ce tour du monde, où l'on apprend qu'ils aiment les relations homosexuelles car « chinese (gay) » est leur troisième mot-clef le plus souvent demandé.

Si vous souhaitez en savoir plus, voici le site : www.pornmd.com/sex-search

# Les Tumblr préférés du WC Book

Arrivés il y a peu sur Internet, les Tumblr se multiplient… pour notre plus grand plaisir !

## – Pourquoi mon fils pleure

Sur Reasons My Son is Crying, des parents s'amusent à trouver des raisons farfelues aux pleurs de leurs enfants. Amateurs d'humour noir, vous allez l'adorer !

reasonsmysoniscrying.tumblr.com

## – J'ai un physique de radio

Pour découvrir l'univers (impitoyable !) des journalistes !

jaiunphysiquederadiofr.tumblr.com

## – Je suis une vraie fille

Un Tumblr sur lequel chaque homme devrait surfer quelques instants pour mieux comprendre la gent féminine.

jesuisunevraiefille.tumblr.com

## – Quand je suis célibataire

Le site sur lequel on aime aller pour moins se sentir seul dans son difficile célibat.

quandjesuiscelibataire.tumblr.com

## – Vie de Parisien

À destination des provinciaux pour comprendre l'univers dans lequel évoluent ces gens bizarres de la capitale… Mais aussi pour les Parisiens, qui seront heureux de lire que d'autres inconnus vivent les mêmes galères qu'eux.

viedeparisien.fr

## – Chers voisins

Un condensé de petits mots laissés sur les portes des immeubles, dans les ascenseurs ou sur les portes de nos voisins par des personnes mécontentes… On adore le côté « Scènes de ménage » !

chersvoisins.tumblr.com

## – Rapperz On Instagram

Des rappeurs, du bling bling, des tatouages et des belles voitures en pagaille. Certains y trouveront un modèle de style à suivre… et d'autres, une belle tranche de rigolade !

www.rapperzoninstagram.com

## – Philm Fotos

Christopher Moloney a une passion : retrouver où les films ont été tournés. À chaque fois qu'il réussit à le faire, il fait une photo de la scène en question et l'intègre dans le décor réel.

philmfotos.tumblr.com

## – Underground New York Public Library

Vous souhaitez être au top de la mode littéraire ? Connectez-vous sur ce Tumblr pour savoir ce qui se lit en ce moment même, à New York !

undergroundnewyorkpubliclibrary.com

## – Jean Sleeping on People

Après le Tumblr parodiant la mort de Marion Cotillard dans *The Dark Knight Rises*, voici Jean Dujardin qui s'endort sur l'épaule de nombreuses célébrités.

jeansleepingonpeople.tumblr.com

## – La Bonne Enseigne

Vous avez déjà remarqué à quel point les commerçants aiment employer un jeu de mots pour nommer leur magasin ? Voici une petite sélection des plus drôles…

labonneenseigne.com

## – Bernard, French journalist

Bernard de la Villardière est l'un des journalistes français les plus connus… C'est donc tout naturellement qu'il est devenu la cible de ce Tumblr, où l'on se moque gentiment de ses nombreuses aventures de par le monde et de son ego quelque peu surdimensionné.

frenchjournalist.tumblr.com

## – À juste titre

Un condensé des pires titres de la presse française… Aussi instructif qu'hilarant !

ajustetitre.tumblr.com

## – The Cat Scan

Vous en avez marre de toutes ces photos de chatons qui pullulent sur le Net ? Rendez-vous sur ce Tumblr aussi inutile que drôle : des scans de chat envoyés par des dizaines d'internautes.

thecatscan.tumblr.com

## – Recycled Movie Costumes

« Parce que vous savez que vous avez déjà vu cette robe quelque part » prévient ce Tumblr. En effet, ce site regroupe les costumes réutilisés de film en film.

recycledmoviecostumes.tumblr.com

## – Réalité à la française

Le pire de la téléréalité française a été condensé ici, sous forme de gifs. Classé par thèmes, par émission et par participant, le site est très bien fait.

realitealafrancaise.tumblr.com

## – Absent du bureau

Si vous n'avez pas vraiment l'inspiration au moment de rédiger un mot d'absence pour la période de vos congés, vous pourrez trouver ici d'excellentes idées… Ou tout du moins vous marrer quelques instants !

absentdubureau.tumblr.com

## – Awesome People Hanging Out Together

L'auteur de ce Tumblr s'est amusé à regrouper des photos de célébrités prenant du bon temps ensemble. On peut notamment y voir John Lennon et Tom Jones, Chuck Berry et Mick Jagger ou encore François Truffaut et Alfred Hitchcock !

awesomepeoplehangingouttogether.tumblr.com

## – Je suis un vrai mec

Mesdames, voilà la plus belle porte d'entrée sur le monde masculin ! Messieurs, vous allez vous sentir moins seul en parcourant ce Tumblr des plus drôles.

jesuisunvraimec.tumblr.com

## – Le Rébus nouveau

Parti d'un échange de MMS entre amis, ce site propose régulièrement un nouveau rébus à déchiffrer à l'aide de quelques lettres et d'une photo.

lerebusnouveau.tumblr.com

## – Dogs Wearing Pantyhose

Tout est dit dans le titre, que l'on peut traduire par « Des chiens portant des collants »…

dogswearingpantyhose.tumblr.com

*Ce cas de Corée
me turlupine.*

**CE CUL DE CURÉ
ME TORD LA PINE.**

# Pourquoi dit-on... Faire poireauter ?

Si votre rendez-vous vous fait longuement attendre, vous pourrez lui reprocher de vous avoir fait poireauter, à juste titre !

**Comme son nom l'indique, cette expression provient du monde du jardinage.** Les poireaux doivent être profondément enracinés pour pousser bien droit et être le plus joli possible. Les jardiniers ont commencé à dire d'une personne attendant une autre qu'elle faisait le poireau, avant que le temps ne fasse son œuvre et que l'expression devienne celle que l'on connaît aujourd'hui.

# Combien y a-t-il de lettres dans alphabet ?

**Solution**

8 : A-L-P-H-A-B-E-T

# Pourquoi les femmes sont-elles plus bavardes que les hommes ?

**C'est un fait maintes fois constaté, les femmes adorent parler...** et reprochent bien souvent aux hommes de ne pas assez s'exprimer. Une étude, récemment publiée dans le Journal of Neuroscience, a été menée afin de savoir pourquoi les femmes étaient plus bavardes que les hommes. Les scientifiques ont centré leurs recherches sur une protéine produite par le gène Foxp2, très importante dans la production du langage chez les humains. **On retrouve, chez les oiseaux et les mammifères, cette même protéine, qui leur est très utile pour leurs émissions vocales.** Les chercheurs ont alors décidé de séparer des rats âgés de quatre jours de leur mère pour comptabiliser le nombre de leurs cris. Il s'avère que sur une durée de 5 minutes, les mâles crient deux fois plus que les femelles. Et pour cause, la protéine Foxp2 est deux fois plus présente dans leur organisme ! Les scientifiques ont alors stimulé la production de cette protéine chez les femelles... Qui se sont mises à crier davantage lorsqu'elles étaient séparées de leur maman !

Les chercheurs se sont ensuite intéressés aux humains, et plus particulièrement au cortex cérébral de dix enfants de 3 à 5 ans. Il s'est avéré que les fillettes possédaient 30 % de protéine Foxp2 en plus que les garçonnets.

Selon Margaret McCarthy, de l'université du Maryland : « ces résultats soulèvent la possibilité que les différences sexuelles dans le cerveau et le comportement sont plus répandues et sont établies plus tôt que ce que l'on avait déterminé jusqu'à présent. »

**En clair, messieurs, il va falloir vous y faire : l'amour de la parole est dans les gênes des femmes !**

*Source* : Le Journal du Dimanche

# COMMENT PROFITER DE LA CAPITALE SANS SE RUINER?

Que vous habitiez Paris ou que vous y passiez quelques jours de vacances, la question est la même pour tous : comment profiter de la capitale sans pour autant avoir recours à un crédit auprès de votre banquier préféré ?

## MANGEZ AU RESTAURANT GRATUITEMENT...

Aussi fou que cela puisse paraître, on peut manger gratuitement à Paris ! Au Tribal Café, on vous offre des moules-frites les mercredis et jeudis soir. Les vendredis et samedis, c'est carrément le couscous. En échange, on vous demande simplement de consommer des boissons, payantes... mais carrément abordables ! Comptez 3 € le verre de vin et 2,50 € celui de bière !
Tribal Café, 3, cour des Petites-Écuries, 75010 Paris - M° Château-d'Eau

Sur le même principe, vous pouvez vous faire offrir un couscous le mercredi soir au Bouillon Belge, dans le 20e arrondissement. Les conditions sont les mêmes : on vous prie de bien vouloir commander un verre. Les prix sont sensiblement les mêmes qu'au Tribal Café.
Le Bouillon Belge, 6, rue Planchat, 75020 Paris - M° Avron ou Buzenval

## SE CULTIVER À PETITS PRIX

Découvrez les talents de demain en vous rendant à l'école Atla les mercredis et jeudis soir, de 19 h à 22 h. Une quinzaine de concerts-rencontres sont organisés chaque année. Pour 8 €, vous assistez au concert d'un artiste renommé et pouvez ensuite échanger avec lui.
École Atla, 12, villa de Guelma, 75018 Paris - M° Pigalle

À l'Opéra Bastille, les « Jeudis de Bastille » deviennent un rendez-vous à ne pas manquer. Chaque semaine, des conférenciers, des solistes et autres musiciens reconnus défilent sur la scène du Studio Bastille. Les conférences sont gratuites et les concerts ne coûtent que 5 € !
Opéra Bastille, 120, rue de Lyon, 75012 Paris - M° Bastille

Vous faites rire tous vos proches et avez une irrépressible envie de monter sur scène ? Ne vous retenez plus et filez au café Oscar ! Ici, tout un chacun peut monter sur scène 10 minutes pour tenter de faire rire le public. À noter : le vestiaire est obligatoire.
Le café Oscar, 155, rue Montmartre, 75002 Paris - M° Grands-Boulevards

On ne le sait que trop peu, mais beaucoup de musées parisiens sont gratuits. En voici une liste non-exhaustive : le musée de la Vie romantique, la Maison de Victor Hugo, la crypte archéologique du parvis de Notre-Dame, le pavillon de l'Arsenal… Également bon à savoir : les grands musées parisiens (tels que le Louvre, le Quai-Branly ou encore le musée Rodin) sont gratuits tous les 1ers dimanches du mois.

**Les risques de turbulences aériennes devraient doubler d'ici 2050.**

L'étude britannique à l'origine de cette découverte prévoit également une augmentation de leur puissance de 10 à 40 %.

Ôte ta lampe
que je guette !

**ÔTE TA LANGUE
QUE JE PÈTE !**

Hier, mon voisin est venu tambouriner à ma porte à 4h du mat !

**– Il a de sacrés soucis ton voisin !**

– Un peu ouais ! En plus, ce con m'a fait tellement peur que j'ai bien failli me mettre un coup de marteau sur les doigts !

# SUDOKU

*Niveau facile*

| | | | | | | | | |
|---|---|---|---|---|---|---|---|---|
| | 6 | | 2 | | 8 | | 3 | 5 |
| | | 9 | | | | 8 | | 7 |
| | | | | 3 | 6 | 4 | | 9 |
| 6 | | 8 | | | | | 7 | |
| | | | 1 | 4 | 2 | | | |
| | 4 | | | | | 3 | | 1 |
| 5 | | 4 | 8 | 6 | | | | |
| 3 | | 1 | | | | 5 | | |
| 8 | 7 | | 5 | | 1 | | 4 | |

***Solution page 681***

# FidME

Lorsque vous faites des courses, vous ne trouvez jamais vos cartes de fidélité. Par contre, vous savez toujours où se trouve votre smartphone, n'est-ce pas ? Alors que penseriez-vous de pouvoir **classer toutes vos cartes de fidélité** sur celui-ci ? Ce soulagement vous est accessible grâce à l'application FidME. Une fois celle-ci téléchargée, il vous suffit de vous créer un compte puis d'ajouter vos cartes de fidélité. **Une fois sur place, lancez l'application et sélectionnez le bon magasin.** La personne en caisse n'aura plus qu'à scanner votre écran. FidME possède le petit plus qu'on apprécie toujours : il vous permet de localiser le magasin le plus proche de vous et vous explique même comment vous y rendre via Google Maps ! À noter également : l'application est gratuite ET sans pub. Elle est pas belle, la vie ?

**Disponible sur Android, iPhone, iPod Touch et iPad – Gratuit**

# Les meilleurs aéroports du monde sont...

En constatant que ses correspondants à l'étranger transitaient une dizaine de fois par an par l'aéroport principal du pays dans lequel ils séjournent, la rédaction du Figaro a lancé son classement des 10 meilleurs aéroports au monde. **Chaque correspondant a noté son aéroport sur une base de 15 critères**, allant du personnel d'information et d'assistance au passage des filtres de douane et au contrôle des passagers avant l'embarquement (cordialité et durée), en passant par les boutiques, la restauration et la disponibilité des chariots. Voici donc leur top 10 :

10 – Bangkok Suvarnabhumi (Thaïlande)
9 – Paris Roissy-Charles-de-Gaulle (France)
8 – Tokyo Narita (Japon)
7 – Berlin Tegel (Allemagne)
6 – Rome Fiumicino Leonardo Da Vinci (Italie)
5 – Madrid Barajas (Espagne)
4 – Johannesburg O.R. Tambo (Afrique du Sud)
3 – Londres Heathrow (Royaume-Uni)
2 – Dubaï International Airport (État des Émirats arabes unis)
1 – Singapore Changi Airport (République de Singapour)

# Les 10 professions ayant le plus de chance de mener à un divorce sont...

Des scientifiques britanniques se sont amusés à découvrir quelles professions avaient le plus de chance de mener à un divorce. Voici le résultat de leurs recherches, sous forme de top 10 :

10 – Les chefs cuisiniers ont **20,10 %** de chance de divorcer.
9 – Les employés ménagers et de maison ont **26,38 %** de chance de divorcer.
8 – Les serveurs ont **27,12 %** de chance de divorcer.
7 – Les télémarketeurs ont **28,10 %** de chance de divorcer.
6 – Les concierges et porteurs de bagages ont **28,43 %** de chance de divorcer.
5 – Les entraîneurs sportifs et autres professionnels du sport ont **28,49 %** de chance de divorcer.
4 – Les psychiatres, les auxiliaires de vie et les nounous ont **28,95 %** de chance de divorcer.
3 – Les kinésithérapeutes ont **38,22 %** de chance de divorcer.
2 – Les barmans ont **38,43 %** de chance de divorcer.
1 – Les danseurs et chorégraphes ont **43,05 %** de chance de divorcer.

Si vous souhaitez que votre mariage dure, tournez-vous plutôt vers les ingénieurs agronomes, qui n'ont que **2 %** de chance de divorcer !

# The Useless Web

Lorsqu'il s'agit de travailler, que ce soit au bureau, à la bibliothèque ou à la maison, **on a tous besoin de décompresser**. Il y a donc toujours un moment où l'on digresse et où l'on se retrouve sur Facebook, sans trop savoir comment. Oui, mais voilà, certains jours, nos contacts semblent endormis et l'on finit vite par s'y ennuyer fermement.

Dans ces cas-là, ne cherchez plus et rendez-vous sur theuselessweb.com, où vous trouverez une page très simple, contenant un bouton. En cliquant dessus, une fenêtre s'ouvrira et vous fera découvrir de façon aléatoire un site complètement inutile, mais qui vous permettra de vous offrir une petite pause. Salvateur, non ?

**PS : Si vous êtes au bureau, pensez à couper le son avant de cliquer !**

www.theuselessweb.com

Une famille de fous furieux part en vacances à la mer : direction la Bretagne pour tout le monde ! Après quelques heures sur l'autoroute, le père décide de s'amuser un peu et d'emprunter les routes départementales. Il aperçoit un renard au milieu de la route et s'exclame :

**– Les enfants, on va bien s'amuser !**

Il accélère brusquement et heurte le pauvre animal. Dans la voiture, tout le monde est ravi du spectacle. Une petite heure plus tard, il voit au loin une vieille dame s'apprêtant à traverser sur un passage piéton. Il regarde sa femme, qui lui dit :

– Allez, vas-y, ça ferait tellement plaisir aux enfants.

Le père appuie sur le champignon et percute la dame. Tout le monde applaudit dans le véhicule.

La voiture finit par emprunter une route longeant le bord de la falaise. Le fils chuchote à l'oreille de son père :

**– Et si tu balançais maman par la portière…**

Ricanant, le père ouvre immédiatement la portière et pousse son épouse dans le vide. Son fils part dans un fou rire mais sa petite fille éclate en sanglots. Mesurant la gravité de la situation, il freine brutalement. Alors, il se retourne vers sa petite fille et l'entend dire en pleurnichant :

– Je l'ai pas vue tomber !

Je te dis
qu'on va
se perdre...
C'est pour ça
que je sème les
petits...
Pour retrouver
le chemin !
Sabine
NOURRIT

# Pourquoi dit-on...
# Être dans le pétrin ?

Lorsqu'une personne s'est mise dans une situation compliquée, de laquelle on imagine mal qu'elle puisse s'extraire, on dit qu'elle est dans le pétrin.

Cette expression est directement liée au monde de la boulangerie, puisque le pétrin n'est autre que la cuve dans laquelle le boulanger mélange sa pâte. **Mais le pétrin peut également désigner cette fameuse pâte dont il est difficile de se défaire une fois la main plongée dedans.** Au Moyen Âge, les boulangers ont commencé à utiliser cette expression en imaginant que si une personne tombait dans leur pâte, il lui serait bien difficile d'en ressortir.

*La maison dans la prairie.*

**LA PRISON DANS LA MAIRIE.**

## Les plus voleurs du monde

Lorsque l'on séjourne à l'hôtel, il est souvent bien tentant de repartir avec le superbe peignoir mis à notre disposition ou avec un joli verre... Mais qui passe vraiment à l'action ? C'est la question à laquelle le site hotels.com a tenté de répondre.

On apprend que, sur les 8 600 voyageurs interrogés, 35 % avouent avoir déjà subtilisé un ou plusieurs objets, sans compter les produits de toilette. Peu importe le type d'hébergement et le profil des voyageurs, les taux restent les mêmes... Avec cependant quelques particularités selon la nationalité. Il semblerait, par exemple, que les Chinois aiment particulièrement emporter des réveils, des lampes et des tableaux...

## Des chiffres, des chiffres

Voici le classement par pays des personnes ayant volé au moins une fois lors d'un séjour à l'hôtel :

20 – Le Danemark, avec 12 % de voleurs.
19 – Les Pays-Bas, avec 15 % de voleurs.
18 – La Norvège, avec 16 % de voleurs.
17 – Le Brésil, le Québec et Hong Kong, avec 19 % de voleurs.
16 – L'Italie, avec 20 % de voleurs.
15 – La Russie, avec 21 % de voleurs.
14 – Taïwan et la Corée du Sud, avec 22 % de voleurs.
13 – L'Argentine et Singapour, avec 23 % de voleurs.
12 – L'Irlande, avec 25 % de voleurs.
11 – La Grande-Bretagne, avec 26 % de voleurs.
10 – La Nouvelle-Zélande, le Japon, la Finlande et la Suisse, avec 27 % de voleurs.
9 – L'Allemagne et l'Australie, avec 28 % de voleurs.
8 – La France, avec 29 % de voleurs.
7 – Le Canada, avec 30 % de voleurs.
6 – Les États-Unis et la Chine, avec 34 % de voleurs.
5 – La Suède, avec 35 % de voleurs.
4 – L'Espagne, avec 36 % de voleurs.
3 – L'Inde, avec 37 % de voleurs.
2 – Le Mexique, avec 40 % de voleurs.
1 – La Colombie, avec 57 % de voleurs.

# Manquer de sommeil, c'est jouer avec sa santé !

Des chercheurs de l'université de Surrey ont proposé à 26 volontaires de devenir des cobayes dans le cadre d'une étude sur le sommeil. En partant du principe qu'une nuit normale dure de 7 à 8 heures, les scientifiques ont forcé les volontaires à ne pas dormir plus de six heures par nuit pendant une semaine. Ils ont fait des prélèvements sanguins. La semaine suivante, les cobayes devaient dormir plus de neuf heures par nuit. De nouveaux prélèvements ont été réalisés à l'issue de cette seconde semaine.

En comparant les deux analyses de sang, **les chercheurs ont prouvé que le manque de sommeil avait une grande incidence sur 711 gènes**. Avec une bonne nuit de sommeil, 1 855 gènes sont au maximum de leur activité durant la journée. Après une petite nuit, seulement 1 481 gènes restent pleinement actifs.

*Source* : Le Journal du Dimanche

# BEN AFFLECK ET MATT DAMON ONT UN SOUCI DE FEMMES

Les stars sont parfois bien plus proches de nous que nous ne l'imaginons… Depuis de longues années, **BEN AFFLECK** et **MATT DAMON** sont les meilleurs amis du monde. On les voit régulièrement ensemble, affichant un joli sourire à chaque fois. Mais ne vous êtes-vous jamais demandé pourquoi ils ne se voyaient jamais en compagnie de leurs femmes respectives ?

La réponse est simple : elles ne peuvent pas se voir ! Luciana Barroso, la femme de **MATT**, est convaincue que son homme est plus talentueux que **BEN** et qu'il mériterait logiquement qu'Hollywood s'intéresse bien plus à lui. Un point sur lequel Jennifer Garner n'est pas tout à fait du même avis…

*Vos petites chèvres*
*me font penser*
*à la Walkyrie.*

**VOS PETITES LÈVRES**
**ME FONT PENSER À**
**LA VACHE QUI RIT.**

Un Belge est en voyage d'affaires à Taïwan. Un soir qu'il se promène dans les rues de Taipei, un vendeur ambulant lui propose des lunettes révolutionnaires qui permettent de voir complètement nues les personnes habillées. Il demande à les tester. Le vendeur accepte et le Belge chausse les lunettes. Et là : magie ! **Il voit tous les passants complètement nus !** Il est en extase… Il enlève les lunettes : habillés. Il remet les lunettes : nus ! Ravi d'avoir un tel gadget en sa possession, il achète cette merveilleuse invention. Toute la soirée, il se balade lunettes sur le nez. Il n'en revient pas ! Pendant les trois jours de voyage qu'il lui reste, il ne les enlève que pour dormir.

Dans l'avion du retour, il devient fou en voyant les belles hôtesses complètement nues. Arrivé chez lui, il a toujours ses lunettes sur le nez. Il ouvre la porte et voit sa femme et son meilleur copain assis sur le sofa, nus comme des vers. Il enlève ses lunettes : toujours nus ! Il remet les lunettes : toujours nus ! Au bout de plusieurs essais, il doit bien se rendre à l'évidence. Alors, furieux, il se met à hurler :

**– Mais c'est pas possible, une fois ! Elles sont neuves et déjà elles marchent plus !**

# Quelle était la plus grande île du monde avant la découverte de l'Australie ?

**Solution**

L'Australie. Ce n'est pas parce qu'elle n'était pas encore découverte qu'elle n'était pas déjà la plus grande du monde !

# Pourquoi dit-on... Monter sur ses grands chevaux ?

Si une personne s’emporte et élève la voix, on dit qu’elle monte sur ses grands chevaux.

**Cette expression renvoie au Moyen Âge, époque à laquelle on choisissait ses chevaux en fonction du besoin que l’on avait.** Un agriculteur allait préférer un cheval de trait, fort et endurant mais peu rapide, pour l’aider aux champs. Un chevalier allait, lui, préférer une monture plus puissante et encore plus grande : le destrier. Considéré comme l’un des chevaux les plus grands, il était très utile pour partir en guerre ou participer à des tournois. « Monter sur ses grands chevaux » est donc devenu synonyme de départ en guerre, puis, simplement, de colère et d’agressivité.

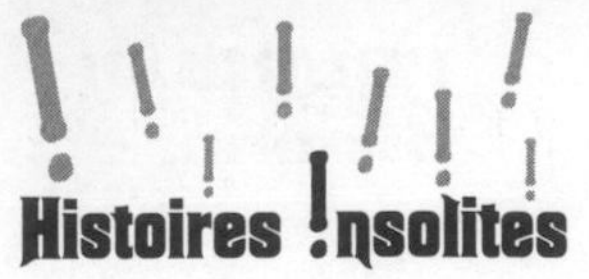


# Un voleur trouve un emploi grâce à sa victime

Lorsque Paolo Pedrotti rentre chez lui à Cerreto Guidi, en Italie, il a la mauvaise surprise de se retrouver face à un cambrioleur. Marcello Mucci s'est introduit chez lui pour voler le cuivre des fils électriques de la maison. Le propriétaire, âgé de 62 ans, a maîtrisé le malfaiteur, avant d'appeler la police. Le lendemain, lorsqu'il a appris que l'homme était au chômage et survivait avec les 250\ de retraite d'invalidité de sa femme, Paolo Pedrotti a écrit une lettre au voleur, publiée dans le Tirreno, le journal local :

« **Cher voleur, (...) je te fais une proposition.** Après quelques heures de prison et quelques jours d'assignation à résidence, je t'invite à passer chez moi. Prends une tondeuse et je te promets que je te ferai couper l'herbe pour 8\ de l'heure. En plus, si tu as une compagne, viens avec elle, on a 50 appartements à nettoyer. Je t'attends, de toute manière, l'adresse, tu la connais. » Rapidement relâché par la justice italienne, Marcello Mucci a accepté avec joie ce nouvel emploi.

Paolo Pedrotti a expliqué son geste par ces mots : « Je ne suis pas un saint, je ne suis même pas catholique, mais je crois aux enseignements de Confucius : *Ne donne pas un poisson à un homme, mais apprends-lui à pêcher*. »

Chaque seconde, 444 bonbons Haribo sont engloutis par les Français.

563 : c'est le nombre de cadavres que l'on retrouve dans les 8 films de Quentin Tarantino !

Chaque seconde, 48 € sont dépensés dans le monde pour du Viagra.

# Quelques conseils pour augmenter ses chances de gagner au Loto

En ces temps de crise, on rêve tous de gagner au Loto ! Bien qu'il n'y ait qu'une chance sur 19068840, soit 0,000 005 % de gagner, les Français ne perdent pas espoir et continuent à jouer. Quitte à jouer, autant mettre toutes les chances de son côté, non ? Alors, voici quelques petites astuces :

## – Ne changez pas votre combinaison

La plupart des personnes ayant gagné le gros lot au Loto l'ont avoué : elles ont toujours gardé la même combinaison. Mathématiquement, ne pas changer ses numéros permet d'augmenter la probabilité d'avoir un jour les chiffres gagnants. Pensez à cocher au moins un chiffre au-dessus de 31. La plupart des joueurs choisissent des numéros correspondant à des dates de naissance. Les chiffres au-dessus de 31 sont donc moins joués.

## – Jouez à plusieurs

Jouez davantage permet logiquement d'augmenter ses chances de gagner. N'hésitez pas à jouer en famille, avec vos collègues ou vos amis.

## – Pas de suite ou de symbole géométrique

Si vous voulez gagner le gros lot, mieux vaut ne pas jouer de suite du type 1 – 2 – 3 – 4 – 5 ou 7 – 14 – 21 – 28 – 35. Beaucoup de joueurs en font autant et cela diminuera sensiblement vos gains, si toutefois ce tirage sort un jour. Sur le même principe, évitez de jouer des symboles géométriques comme les diagonales ou les croix.

## – Jamais le 7 et le 13 en même temps

Une étude mathématique a prouvé qu'il ne fallait jamais jouer les numéros 7 et 13 sur une même grille. Évitez également le 25 car, situé en plein milieu de la grille, beaucoup le cochent.

## – Privilégiez le samedi

Si vous êtes un joueur occasionnel, préférez jouer le samedi car les gains sont généralement plus élevés ce jour-là.

## – Attention à l'addiction

Comme tout jeu, le Loto peut rapidement devenir une addiction. Si vous commencez à vous sentir dépendant, arrêtez de jouer quelques semaines. Vous risqueriez de gravement vous endetter et de vous mettre à dos vos proches.

# Êtes-vous un accro du Net?

Internet fait aujourd'hui parti de notre vie quotidienne. Certains ne l'utilisent que très peu tandis que d'autres y passent le plus clair de leur temps, que ce soit via leur ordinateur ou leur smartphone.
Et vous, où vous situez-vous? Êtes-vous un accro du Net?

**1 – Au saut du lit, vous...**

A – filez sous la douche.

B – vous connectez sur Internet.

C – prenez votre petit déjeuner.

**2 – À mi-chemin entre votre domicile et le bureau, vous vous rendez compte que vous avez oublié votre portable chez vous. Que faites-vous?**

A – Tant pis, ce sera une journée sans smartphone!

B – Tant pis, vous consacrerez votre pause déjeuner à faire l'aller-retour.

C – Tant pis, vous serez en retard ce matin, mais il vous est impensable de passer la journée sans votre portable.

**3 – Comment occupez-vous votre temps dans les transports en commun?**

A – Vous lisez un bon bouquin ou le journal du jour.

B – Vous en profitez pour répondre à vos mails et autres SMS de la journée.

C – Vous vous amusez à regarder vivre ceux qui vous entourent.

**4 - Votre meilleure amie veut vous présenter son petit ami...**

A – Vous appelez vos amis en commun pour savoir ce qu'ils en pensent.

B – Vous allez sur Facebook et Twitter découvrir à qui vous aurez affaire.

C – Vous êtes contente pour elle et avez hâte de le rencontrer.

**5 - Combien d'heures passez-vous sur Internet, hors bureau ?**

A – Environ 3 h

B – Environ 5 h

C – Environ 1 h

**6 - Sur votre smartphone, combien d'applications peut-on trouver actuellement ?**

A – Une vingtaine.

B – Une bonne cinquantaine.

C – Un smartphone ? C'est quoi ça ?

**7 - Pour vous, week-end à la campagne rime avec...**

A – Tranquillité, loin des bruits usants du quotidien.

B – Punition et impossibilité de se connecter à la vie moderne.

C – La maison de belle-maman, alors merci de changer de sujet !

**Réponse page suivante.**

## Réponses :

### Vous avez un maximum de A :

Vous avez su trouver l'équilibre. Vous aimez profiter des bonnes choses du Net, mais vous n'êtes pas pour autant dépendant. En vacances, vous pouvez vous passer d'Internet plusieurs jours d'affilée sans que cela ne joue sur votre humeur.

### Vous avez un maximum de B :

Vous êtes complètement accro au Net ! La simple idée d'être coupé d'Internet une seule journée vous donne des boutons. Il faut savoir vivre avec son temps ! Votre petit plaisir est de dénicher des sites Internet avant vos amis… et de partager vos trouvailles sur Facebook et Twitter. Attention à l'overdose…

### Vous avez un maximum de C :

Vous n'avez cure d'Internet. Comment faisaient nos parents avant qu'Internet ne soit inventé ? Sans ! et ils en vivaient très bien ! Vous n'êtes pas fermé aux nouvelles technologies mais elles sont loin d'être une priorité pour vous. Vous préférez la « vraie vie » à celle que l'on peut s'inventer sur la toile.

# iNap@Work

Une petite sieste au bureau, ça vous tente? Votre patron, qui passe son temps à rôder entre ses employés, vous prive de ce petit plaisir? **Avec l'application iNap@Work, vous allez enfin pouvoir glander au travail sans que personne ne s'en aperçoive!** Ce petit utilitaire reproduit les sons que vous faites en travaillant; à vous de le personnaliser en augmentant la cadence du clavier, en diminuant celle de la souris et en ajoutant des bruits de froissement de papier. Vous êtes malade? iNap@Work a pensé à vous en ajoutant des éternuements! Une application à conseiller à tous les tire-au-flanc.

Disponible sur iPhone, iPod Touch et iPad – Gratuit

Un homme rentre tout excité dans une pharmacie brestoise et hurle au pharmacien :

**– UNE CAPOOOOOOTE !!!**

Le pharmacien n'en revient pas de cette entrée fracassante :

– Pouvez-vous être plus poli, monsieur ? Je vous remercierais de ne pas choquer la clientèle.

– Excusez-moi.

Il sort alors son sexe, le pose sur le comptoir et lance :

– **Un costume pour monsieur, s'il vous plaît !**

Quelle taille pour Monsieur ? L... XL...XXL ?
Peu importe ! Mon mari aime les costumes qui taillent grands !
PRÉSERVATIFS
Sylvain NOUVRT

# SUDOKU

*Niveau moyen*

| | | | | | | | | |
|---|---|---|---|---|---|---|---|---|
| 6 | 1 | | | | | | | |
| | | 7 | 6 | | | | 3 | |
| | 4 | | | | | 6 | 5 | 8 |
| 1 | | | 9 | | 6 | | | |
| 5 | 7 | | 4 | | 2 | | 1 | 9 |
| | | | 5 | | 1 | | | 4 |
| 2 | 6 | 8 | | | | | 4 | |
| | 3 | | | | 7 | 9 | | |
| | | | | | | | 2 | 5 |

*Solution page 681*

# NRJ, créée dans un studio

Deux copains, Paul Baudecroux et Max Guazzini, créent en juillet 1981 une radio libre – que l'on écoute alors sur 92 MHz –, dans un petit appartement qu'ils aménagent en conséquence. Au **55, rue du Télégraphe, dans le 20e arrondissement de Paris, le salon accueille le studio, la cuisine pousse ses casseroles pour la console technique et l'antenne trouve naturellement sa place à l'extérieur, sur la terrasse.** Ils nomment NRJ, Nouvelle Radio des Jeunes, cette petite qui deviendra grande.

Depuis l'élection de François Mitterrand à la présidence de la République le 10 mai 1981, les radios libres sont autorisées. Le duo choisit donc cet appartement, situé près du point culminant de Paris, pour émettre. Jusqu'en 1984, date d'arrivée de la publicité, Jean-Pierre d'Amico est à la tête de NRJ dont le statut est associatif. À partir de cette date, NRJ installe ses bureaux au 39, avenue d'Iéna. Les années 1980 rendent populaires les animateurs Marc Scalia et Serge Repp.

# Les mots d'excuse hilarants des parents

Patrice Romain, principal de collège et ancien directeur d'école, a pour habitude de garder les mots d'excuse de parents qui l'amusent… De petits mots qu'il a déjà publiés dans deux livres, *Les parents écrivent aux enseignants* et *Nouveaux Mots d'excuse. Les parents écrivent encore aux enseignants*, dont voici un petit florilège.

Les fautes d'orthographe sont celles laissées par les parents.

« Monsieur, merci de faire la police dans votre cour de récréation avant que je vienne le faire. **Mon fils a le droit d'uriner tranquillement dans les toilettes sans qu'on l'arrose.**
Je me demande quelle société on construit pour plus tard.
Salutations. »

« Madame,
**Excuse pour le retard a Brandon il m'a dit qu'il avait le vent de face en marchant,**
Merci Madame »

« Monsieur,
William n'est pas venu à l'école hier parce qu'il a fait la grève.
Chacun son tour. »

« Monsieur le directeur,
Je ne veut plus que ma fille joue avec Stéphanie car mon mari bientôt ex mari ma trompée avec sa mère.
Merci d'avance monsieur le directeur. »

« Madame,
**Veuillez excuser le retard de Thomas mais hier c'est mon mari qui l'a amené à l'école et il s'est perdu.** »

« Monsieur, B. a été victime hier à la récréation d'une bande de sauvages hurlants qui l'ont jetée à terre à la récréation de dix heures. Pouvez vous tenir en laisse ces animaux sauvages qu'on appelle élèves dans votre école ? »

« Monsieur,
Boris n'est pas venu à l'école mardi car il a glissé sur la queue du chat. Il est tombé et il s'est fait griffer. Il nous a donc fallu aller chez le vétérinaire et le médecin.
Rien de grave cependant, ils sont redevenus amis.
Respectueusement vôtre. »

**« Monsieur. de quel droit vous permettez vous de dire que mon fils est mal élevé ? Je ne vous salue pas. »**

« Monsieur,
Moi, je n'ai pas choisi d'être professeur. C'est donc à vous de trouver les arguments nécessaires pour que Germain fasse ses devoirs.
Merci et bonne chance. »

**« Excuser moi pour l'absence de Kevin pour samedi dernié mais en se moman ses vraiment le bordel à la maison et en plus il fallait faire les courses. »**

« Monsieur,
Ma femme s'est sauvé en emportant ma fille. Je file chez la belle doche car elle doit y être. je vous tient au courant. Natasha sera ne sans doute pas à l'école demain.
Bye »

« Madame, je vous l'accorde aisément : mon fils n'est pas forcément doué pour les études, bien qu'il soit un peu tôt, à mon avis, pour lui prédire une vie d'enfer, ce qu'apparemment vous faites avec une joie non dissimulée. Est-ce donc une raison pour l'abreuver de remarques désobligeantes (...) ? Vous même, aviez-vous le potentiel intellectuel pour faire Polytechnique ? Faites-vous appel à un centralien lorsque vos robinet fuit ? Salutations distinguées. »

**« Monsieur,**
**Mon fils Thibaud était absent ce jour parce qu'il n'était pas là. »**

« Veuillé escusé mon fils qui en se moman na pas le tant de faire ses devoirs passque je suis encore enceinte passque mon ex mari est revenu me voire et sa na pas loupé pourtant sétait juste une fois. Du cou je vomi tout le tant et Franck pleure a la maison passque je cri et il doit soccupé de ses frères et seurs mais moi je ne peus pas. »

« Monsieur,
**Dois-je payer un supplément pour complément protéinique ou la limace que mon fils a trouvée dans sa salade est-elle comprise dans le prix du repas ?**
Je vous présente mes délicieuses salutations distinguées. »

« Je refuse de signé une note aussi mauvaise. Thomas ma dit qui devrait avoir la moyenne. merci de bien vouloir corriger la note pour que je la signe. »

« Madame,
Vous laissez pas vous marchez sur les pieds par mon fils qu'est un sacré. Il faut le punir de récré et le maitre au coin et lui en maitre une. »

**« Justine, elle a fait tomber son cahier dans l'évier. Merci de votre compréhension. »**

« Madame, je vous informe confidentiellement qu'il y a dans votre classe un ou plusieurs élèves assez sales pour avoir des poux. La preuve : mon fils en a attrapé. »

« Monsieur. Maintenant sa sufi laché mon fils, ca comensse a bien faire. c'est moi son père et ses mon problème. Je préfère pas me déplassé car le juge ma di qui fallait plus que je ménerve. »

# La pollution dans les métros

Vivre dans une grande ville, c'est s'exposer à davantage de pollution. Chacun le sait. **Mais saviez-vous que l'air des métros français était d'une bien médiocre qualité?** Alors que Bruxelles autorise un taux de 50 mg/m$^3$ de particules fines, tous les transports souterrains français explosent cette limite! Par exemple, les relevés effectués sur les réseaux de la RATP à Paris démontrent que le taux de particules fines dans l'air oscille entre 100 et 200 mg/m$^3$! Mais d'où vient ce taux si important? **Il est dû au freinage des trains et à une mauvaise ventilation des réseaux.**

Selon le médecin Patrice Halimi, interrogé par Le Parisien: « Si vous êtes cardiaque ou que vous avez des problèmes respiratoires, vous prenez un risque sanitaire. Car si cela ne provoque pas plus de maladie pour une personne en bonne santé, cela peut être la goutte d'eau pour un patient fragile. » Toutefois, nous n'avons pas les pires réseaux européens puisque Rome affiche un taux moyen de particules fines de 407 mg/m$^3$ et Londres est en tête avec un taux moyen de 795 mg/m$^3$.

# Le jardinage amène parfois à de macabres découvertes…

Christophe Gusset avait décidé de bêcher son potager en prévision d'y planter fruits et légumes quand **il a découvert deux squelettes humains complets** ! Effrayé par la découverte, il a été rassuré par des archéologues : non, la preuve d'un double assassinat n'a pas été dissimulée dans son jardin ! Sa maison serait tout simplement construite sur un ancien cimetière… D'ailleurs, selon l'expertise menée sur les deux squelettes, les ossements seraient là depuis un bon millénaire !

Suite à cette drôle de découverte, Christophe Gusset a demandé l'autorisation de déterrer tous les squelettes de son terrain, « pour ne pas planter des salades sur les ossements. »

*Source* : Le Matin

# Comment avoir des fesses bombées tout en restant zen

Les jolies fesses bombées font tourner la tête des hommes… et des femmes. C'est un symbole de féminité dont nous rêvons toutes ! Cependant, avoir un popotin sexy n'est pas aussi simple que ça en a l'air, surtout si la nature n'a pas été généreuse avec vous… Pour que cette partie du corps soit parfaite, il faut en prendre soin et pratiquer une bonne activité sportive. Voici les sports qui développeront vos fessiers et vous en rendront fières !

## Se muscler les fesses : mission possible !

Les fesses sont constituées de plusieurs muscles que l'on peut facilement modeler avec quelques petits exercices. Voici les 10 astuces qui vous aideront à obtenir des fesses fermes et rebondies :

### *1. Le squat*

C'est sans doute le meilleur mouvement pour grossir des fesses. Il permet de les bomber et d'améliorer leur galbe. Le « top exercice » : on pose une barre sur la nuque et les épaules et on descend… on descend jusqu'à ce que les fesses touchent quasiment le sol, puis on remonte doucement. Des fesses et des cuisses fermes à la clef !

### *2. Le step : un excellent brûleur de calories !*

Avec cet appareil, vous pouvez muscler assez rapidement les fessiers ainsi que les jambes.

### *3. Autre activité parfaite pour muscler les fesses : la danse*

Laissez-vous porter par la musique ! Allez danser tout ce que vous aimez : salsa, rock, danse africaine, RnB… Si vos jambes travaillent, vos fessiers aussi !

### *4. Le « top exercice »*

Les fesses bien en arrière et les mains tendues devant la poitrine, fléchissez vos genoux en comptant jusqu'à 5. Effectuez 3 séries de 20 avec une pause de 30 secondes entre chaque série.

### 5. Le footing

La pratique du jogging fait fondre les graisses disgracieuses et tonifie les fessiers. Il vous suffit de courir 2 à 3 fois par semaine pendant 45 minutes pour vous dessiner de belles fesses.

### 6. La natation

La natation est idéale pour raffermir le bas de votre corps et pour modeler vos fessiers. En effet, l'eau permet de masser et de drainer vos fesses pour déloger la cellulite et les arrondir harmonieusement. Le must? La nage avec des palmes!

### 7. Évitez les aliments trop riches en sucre et en gras

Le sport, c'est bien, mais pour améliorer votre silhouette, il faut aussi avoir une alimentation saine. Adoptez un style de vie équilibré en choisissant des aliments riches en valeurs nutritionnelles comme les légumes verts, les fruits, les produits laitiers légers, les noix et les viandes maigres.

### 8. Estimez votre poids idéal

Le secret gagnant? Faites attention à la partie de votre corps qui grossit en premier! Vous pouvez ajuster votre poids en fonction de ce facteur.

### 9. Adaptez vos vêtements

Certains vêtements et sous-vêtements sont pensés spécialement pour faire grossir les fesses visiblement. Privilégiez:

* Les pantalons à taille haute, qui marquent bien les fesses et leur donnent du rebond. Sachez que taille basse est synonyme de fesse basse.

* Les robes bustiers, qui font ressortir la forme naturelle de votre corps et soulignent vos fesses. Vous pouvez aussi porter facilement une petite robe pull, toujours tendance. Accessoirisez avec une ceinture large mise très bas.

* Les jupes droites, qui subliment les rondeurs.

### 10. Dernier secret

Quel que soit le haut porté (chemisier, pull, tee-shirt...), il se porte à l'intérieur du pantalon! Il faut bien mettre votre travail en valeur, non?

# Visitez un hôpital abandonné

Vous aimez les films d'horreur ? Les hôpitaux abandonnés un peu glauques ? Voilà un site qui devrait vous plaire : hospital.apoka.com ! **Un photographe s'est amusé à se rendre dans un hôpital désaffecté, à le photographier sous tous les angles et à créer un plan des lieux interactif.** Dans chaque pièce, une surprise vous attend…

Si vous n'êtes pas trop frileux, plongez la pièce dans le noir et montez le son à fond !

hospital.apoka.com

Le plus célèbre des architectes du moment vient de construire un bâtiment tout à fait révolutionnaire. Pour que son édifice soit vraiment exceptionnel, il a décidé de nommer les 12 étages comme suit : Janvier pour le rez-de-chaussée, février pour le premier, mars pour le second et ainsi de suite jusqu'à décembre. Il a limité le nombre d'employés y travaillant à 365, répartis dans 52 magasins et 7 lieux de stockage.

Sachant tout cela,
comment appellent-ils l'ascenseur ?

**Solution**

En appuyant sur le bouton !

Javier, jeune Madrilène de 26 ans, n'arrive pas à trouver de travail. Alors, quand il tombe sur l'annonce : « Pour un job, téléphoner au 2808 », il téléphone dans la seconde.

– Bonjour, j'ai lu que vous aviez un job à proposer.

– Oui, c'est exact.

– Alors je suis preneur !

– Je suis le directeur du zoo. **Notre singe est mort dernièrement et je cherche quelqu'un pour le remplacer.**

– J'accepte avec plaisir, monsieur !

Pendant un mois, Javier mange des bananes, se gratte sous les bras sous les yeux amusés des visiteurs et se promène de liane en liane. Un beau jour, la liane lui glisse des mains. Il tombe dans la fosse aux lions. Pris de panique, il hurle :

– Au secours, au secours !

Alors le lion lui dit :

**– Ferme ta gueule, on va se faire virer !**

## Les folies d'une vie

Petite sélection de chiffres insolites au cours d'une vie :

On passe 115 jours à rire.

Les hommes savourent 9 heures et 18 secondes d'orgasme.

Les femmes passent 136 jours à se préparer avant une sortie.

En moyenne, on dort l'équivalent de 25 ans, et on attend le sommeil pendant 7 ans.

On est malade 366 jours.

On passe 2 170 heures à bronzer, soit plus de 3 mois.

On perd 6 mois de notre vie à faire la queue, dont 653 heures à attendre les transports.

On passe 5 années sur Internet.

# MOTS CROISÉS

### *Horizontalement*

1 : Mal du soleil
2 : S'embrase – Artère
3 : Regimbera – Évangéliste
4 : Cordage marin – Embrasse
5 : Pli du cheval – Dogmes
6 : Unité de mesure chinoise – Gainsbourg les aimait avec une double dose de pastis – Causasien du sud
7 : Images – Bibi
8 : Manifestation immobile – Mitaine
9 : Socles de golfeurs – On la redoute quand elle est noire
10 : Alsacien

### *Verticalement*

A : Illusoire
B : Parent adoptif
C : Géologue autrichien spécialiste des Alpes – Allèges
D : Shrek – Étincelle en norvégien
E : Associa – Association
F : Crack - Bénéfiques – Rapport de la circonférence d'un cercle à son diamètre
G : Cependant – Alcool
H : Fréquenterais – Qui aime le mal
I : Misanthrope – Célèbre opposant à Louis XV
J : Impliques

| | A | B | C | D | E | F | G | H | I | J |
|---|---|---|---|---|---|---|---|---|---|---|
| 1 | | | | | | | | | | |
| 2 | | | | | | | ■ | | | |
| 3 | | | | | | ■ | | | | |
| 4 | | | | | ■ | | | | | |
| 5 | | | | ■ | | | | | ■ | |
| 6 | | | ■ | | | | | ■ | | |
| 7 | | | | | | | ■ | | | |
| 8 | | | | | | ■ | | | | |
| 9 | | | | | ■ | | | | | |
| 10 | | | | | | | | | | |

*Solution page 679*

# Près de 200 fins du monde ont été annoncées !

L'homme aime les annonces catastrophiques prédisant la fin du monde. La preuve, il y en a eu plus de 180 depuis l'Antiquité ! Luc Mary s'est amusé à les répertorier dans un livre titré *Le Mythe de la fin du monde. De l'Antiquité à 2012* (éditions Trajectoire).

Selon ses écrits, « **la peur apocalyptique a une fonction sociale** : elle permet de relativiser nos tracas, nos soucis, qui devraient ainsi s'estomper... À défaut d'être une réalité, la fin du monde est devenue un mythe incontournable de notre longue histoire. »

Souvent, les fins du monde prêtent à rire. Souvenez-vous du couturier Paco Rabanne qui était certain que la chute de la station Mir allait détruire Paris ! Saint Jean a également prédit la fin du monde avant le retour du Christ sur Terre avec ces mots : **« Et le Soleil devint noir comme un sac de crin, la Lune entière parut comme du sang et les étoiles du ciel tombèrent sur la Terre. »** Nous ne reviendrons pas sur les prédictions de fin du monde des témoins de Jéhovah, qui devait avoir lieu en 1925, puis en 1942, pour terminer en 1975... avant la prochaine !

*C'est dimanche :
un coup de vin !*

**C'EST DIVIN, UN
COUP DE MANCHE !**

# Combien de gouttes d'eau peut-on mettre dans une jarre vide ?

**Solution**

Une seule, puisque, ensuite, la jarre ne sera plus vide.

# Jeux en voiture

Ça y est ! L'heure des vacances a sonné ! Mais avant d'arriver sur votre lieu de villégiature, vous avez quelques kilomètres à avaler... **Un vrai souci lorsque l'on voyage avec des enfants.** Pour être sûr de divertir tout le monde, l'application Jeux en voiture propose 30 jeux que l'on peut faire en restant calmement assis dans la voiture et sans matériel particulier. Une oasis de calme à portée de clic !

Disponible sur iPhone, iPod Touch et iPad – 0,89 €

# Pourquoi dit-on… Chat échaudé craint l’eau froide ?

L’expression « Chat échaudé craint l’eau froide » est utilisée lorsqu’une personne se méfie d’un piège dans lequel elle est déjà tombée auparavant. Ayant compris son erreur, elle ne souhaite pas la renouveler.

Cette locution est née au XIIIe siècle, **époque à laquelle on ébouillantait les animaux pour les dépecer**. Si un chat réussissait miraculeusement à ressortir de l’eau bouillante dans laquelle il avait été plongé, on pouvait être sûr qu’il ne s’aventurerait plus jamais dans l’eau !

# Serge Gainsbourg aura sa station de métro à Paris

« J'suis le poinçonneur des Lilas / Le gars qu'on croise et qu'on n'regarde pas », chantait Serge Gainsbourg en 1958. Aujourd'hui, la ville des Lilas, en banlieue parisienne, souhaite rendre hommage au chanteur en nommant **une station de la ligne 11 qui devrait sortir de terre en 2019 « Les Lilas-Serge-Gainsbourg »**.

Jane Birkin, ancienne compagne de l'Homme à la tête de chou, a donné son accord pour l'utilisation du nom de son célèbre ex. À l'heure où nous bouclons, la ville des Lilas attend toujours la validation du concept par la RATP.

Lucas a 5 ans quand il voit sa mère nue pour la première fois.

– Maman, maman, c'est quoi ça? dit-il en montrant du doigt le sexe maternel.

La mère, un peu gênée:

– C'est le coup de hache du Bon Dieu, mon Lukinou…

**– Wahou… T'as pas de chance toi! En plein dans la chatte!**

J'ai 192 poule.
Pourtant, je ne mets pas de « -s » à poule et ce n'est pas une faute. Pourquoi ?

**Solution**

1 9 2 poule = un oeuf de poule

*Quel beau métier, professeur !*

**QUEL BEAU FESSIER PROMETTEUR !**

Dubaï renforce encore un peu plus son image de prospérité en lançant une Lamborghini en guise de voiture de patrouille de police !

**Valeur de la voiture : 550 000 $.**

# Trois astuces pour augmenter votre nombre d'abonnés sur Facebook

Vous avez créé une page Facebook (pour votre entreprise ou votre groupe de musique) et vous voyez le nombre d'abonnés monter doucement… Trop doucement à votre goût. Vous aimeriez gagner en visibilité, et donc avoir plus de fans et d'abonnés ? Voici trois astuces, très simples, mais qui vous aideront sensiblement à atteindre vos objectifs.

## Utilisez votre photo de couverture à bon escient

Vous avez choisi une jolie photo de couverture pour embellir votre page Facebook. Très bien… Mais n'en restez pas là ! Pensez à ajouter un petit texte sur celle-ci pour suggérer aux internautes d'aimer votre page et d'en devenir un abonné. Pour cela, un petit tour sur un logiciel photo suffit. En bas de votre photo, inscrivez une petite phrase du type : « Pensez à cliquer sur le bouton "J'aime" pour être tenu informé de nos mises à jour. » N'hésitez pas à prendre l'internaute par la main pour augmenter votre nombre de fans.

Cette petite astuce fonctionne avec tous les buts que vous serez fixé. Exemple : vous avez un groupe de musique et un site héberge une de vos chansons : servez-vous de votre photo de couverture pour y insérer un lien vers ce titre.

## Privilégiez les photos

Publier une photo offre plus de visibilité et attire davantage le regard qu'un simple statut posté. L'astuce consiste à utiliser au maximum la publication de visuels au profit de l'information que vous voulez faire passer. Facebook ayant décidé de mettre en avant les photos, la visibilité de votre post en sera augmenté.

Sur votre mur, pensez également à donner plus d'impact à vos photos en cliquant sur la petite étoile. Votre post sera posté sur les deux colonnes de votre page et les lecteurs auront davantage tendance à lire ce que vous avez écrit. Car, oui, l'usage de la photo ne doit pas se faire au détriment de votre texte, donc de votre information. Pensez à toujours accompagner votre photo d'un titre, d'une description et d'un lien URL.

## Donnez de l'importance à vos fans

Pour augmenter le nombre de fans d'une page dès le début, n'hésitez pas à faire appel à votre cercle d'amis. Sur Facebook, invitez vos amis personnels à *liker* votre page. Faites-en de même via votre boîte mail. Ensuite, pensez à inscrire votre page Facebook sur tous vos documents promotionnels.

Dernier point : chouchoutez vos fans. N'hésitez surtout pas à prendre le temps de leur répondre personnellement, un par un. S'ils se sentent importants, ils auront plus facilement tendance à revenir sur votre page, à parler de vous autour d'eux et à répondre de manière favorable à vos sollicitations. Ne les négligez pas en passant d'une semaine de posts intensifs à un silence de trois semaines. La régularité est la clef de la réussite sur Internet !

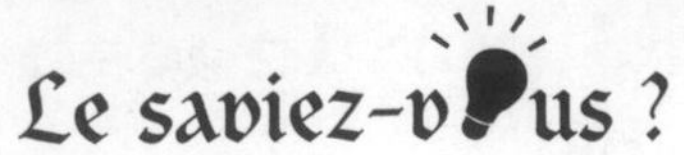

# Vos codes à 4 chiffres sont-ils vraiment sécurisants ?

Aujourd'hui, nos téléphones, nos accès à nos comptes bancaires et nos codes de carte bleue sont tous protégés par un code à 4 chiffres. Mais nos informations sensibles sont-elles vraiment bien sécurisées ?

Le scientifique Nick Berry s'est penché sur cette question pour le compte de Data Genetics. Selon sa recherche, **plus d'un quart des combinaisons pourraient être trouvées en utilisant seulement 20 combinaisons** ! Autant dire que nous ne sommes pas vraiment à l'abri de personnes mal intentionnées... Après avoir analysé 3,4 millions de mots de passe, il en résulte que 11 % des personnes utilisent 1234 tandis que 6 % ont choisi 1111 et 2 % ont penché pour le simplissime 0000.

Voici les 10 codes à 4 chiffres les plus utilisés au monde :

10e – 6969
9e – 2222
8e – 4444
7e – 2000
6e – 1004
5e – 7777
4e – 1212
3e – 0000
2e – 1111
1er – 1234

Votre code se trouve dans ce classement ? Remisez votre flemme au placard : il est grand temps d'en changer !

### *Conseil n° 1 : Évitez les répétitions*

Beaucoup utilisent des codes répétitifs du type 2828 ou 1212. Ne les imitez pas !

### *Conseil n° 2 : Oubliez les suites*

Il est très tentant de créer un code facile en optant pour une suite telle que 1234 ou 9876. Mais, comme il y a beaucoup de flemmards sur Terre, elles sont très utilisées.

### *Conseil n° 3 : Pas de dates de naissance*

Lorsque l'on nous demande 4 chiffres, nous pensons rapidement à notre année de naissance ou à notre jour et mois de naissance. Il suffit donc de vous connaître quelque peu pour accéder à vos informations confidentielles...

Malgré toutes ces recommandations, vous ne réussissez pas à trouver un code difficilement devinable ? Vous pouvez vous inspirer de ce **top 10 des codes les moins utilisés au monde** :

10e – 8957
9e – 9480
8e – 6793
7e – 8398
6e – 0738
5e – 7637
4e – 6835
3e – 9629
2e – 8093
1er – 8068

*Source : DataGenetics*

Un jeune éléphant s'est éloigné de son troupeau quand il rencontre un serpent pour la première fois. Très curieux, il lui demande :

– Comment peux-tu avancer ? Tu n'as pas de jambes !

– Je rampe et cela me permet d'avancer.

– Ah, d'accord !

Très intrigué par le serpent, il lui pose une autre question :

**– Mais comment fais-tu pour te reproduire ? Tu n'as pas de couilles.**

– Je n'en ai pas besoin. Je ponds des œufs et c'est comme ça !

– Ah, d'accord…

Sa curiosité étant piquée au vif, il s'adresse une fois encore au serpent :

**– Excuse-moi mais, comment fais-tu pour manger ? Tu n'as pas de mains.**

– J'en ai pas besoin ! J'ouvre la gueule très grand et j'avale ma proie directement.

– D'accord… Mais alors… Tu rampes… T'as pas de couilles… T'as une grande gueule… Tu serais pas chef de service, par hasard ?

# Certains mois ont 31 jours. Combien en ont 28 ?

**Solution**

12. Tous les mois ont au moins 28 jours !

# L'honnêteté finit toujours pas payer !

Billy Ray Harris faisait la manche quand Sarah Darling lui a donné sa monnaie. Elle ne s'en est pas rendu compte, mais en se baissant, **sa bague de fiançailles est tombée aux pieds de ce SDF américain de 55 ans**. L'homme a fait estimer la bague et a appris qu'elle valait plus de 3000 ! Il a choisi de ne pas la vendre et de la rapporter à sa propriétaire.

Très touchée par le comportement de Billy, Sarah Darling a lancé une grande collecte de dons pour le récompenser… qui a dépassé les 150000 ! En outre, cela lui a permis de retrouver ses frères et sœurs, qu'il n'avait pas revus depuis 16 ans.

# Pourquoi dit-on... Voir midi à sa porte?

Si, lors d'une discussion, les personnes y prenant part restent ancrées sur leurs positions, on peut dire que chacune voit midi à sa porte.

L'expression est née au XIXe siècle, époque à laquelle la seule manière de connaître l'heure était de lever les yeux en direction du clocher de l'église. Mais dans les villages dépourvus de lieux de culte, **chaque famille installait chez elle son propre cadran solaire**. Problème: l'orientation de chaque maison par rapport au soleil était différente et chaque foyer avait donc sa propre heure…
D'où le fait de voir midi à sa porte!

# Messieurs, vous ne pourrez plus faire vos besoins debout !

Messieurs, si vous lisez ces quelques lignes dans vos toilettes, j'ose imaginer que vous êtes assis sur le trône... Si oui, vous feriez mieux de vous habituer à cette position si vous comptez voyager en Suède ! En effet, certains élus du pays tentent actuellement de faire passer une étrange loi : les hommes n'auront bientôt plus le droit d'uriner debout ! Si jamais vous vous demandiez pourquoi, sachez que **c'est pour qu'il y ait moins de discrimination entre les deux sexes**. Eh oui, comme les femmes ne peuvent pas pisser debout, vous ne pourrez prochainement plus le faire non plus, messieurs !

À quand l'installation de milliers de caméras dans les cabinets suédois afin de veiller à ce que la loi soit bien appliquée ?

# Paris en chiffres

La ville de Paris s'étend sur 105 km², au milieu desquels la Seine coule sur 13 km.

Il y a 37 ponts à Paris.

Touristes et habitants peuvent se promener sur les 24 000 km de trottoirs, où ils trouveront 30 000 poubelles.

On peut se cultiver dans l'un des 137 musées de la capitale, en regardant l'une des 120 statues du jardin des Tuileries, dans l'une des 376 salles de cinéma de Paris ou au détour des 300 km de catacombes.

Chaque soir, 2 300 bouteilles de champagne sont débouchées dans les cabarets de la ville.

On dénombre 21 289 habitants au kilomètre carré, qui ont pu bénéficier de 1 797 heures d'ensoleillement en 2011.

Les cimetières, les bois et les jardins représentent 27 % de la surface de Paris.

On dénombre d'ailleurs près de 484 000 arbres dans la capitale.

Plus insolite, on trouve 300 ruches à Paris, qui abritent 12 000 000 d'abeilles et entre 500 et 1 000 chauve-souris.

En 2010, 46 % des nuitées dans les hôtels parisiens avaient lieu dans un cadre professionnel, ce qui représente 16 000 000 de nuitées !

*Source : ParisInfo.com*

• Tout travail mérite stagiaire.

**• Si, toi aussi, tu as déjà injurié un meuble juste parce que tu t'étais cogné dedans.**

• Mon médecin m'a dit de ne pas soulever quelque chose de lourd. Alors maintenant, je fais pipi assis…

**• Je trouve ça bien, qu'il y ait de plus en plus de magasins d'habits pour les gros. Comme ça, ils abîment plus nos fringues en les essayant.**

• MARRE DU RACISME ! ON EST TOUS ÉGAUX, PEU IMPORTE QU'ON SOIT NOIR, JAUNE OU NORMAL !

• Ma copine m'a demandé de lui faire l'amour comme une bête.
Ça a duré 1 minute. J'avais choisi le lapin.

**• Le Tupperware, cet objet indispensable pour garder précieusement les restes qu'on finira par jeter 7 jours plus tard.**

• Un mec m'a demandé si j'avais une pièce pour manger. Je lui ai répondu que oui et que ça s'appelait une salle à manger.

**• Si l'homme, en se grattant les couilles le matin, produisait de l'énergie, le monde pourrait renoncer au nucléaire.**

• Selon une étude, après un orgasme, 1 % des mecs recommencent, 7 % fument, 23 % s'endorment et 69 % suppriment leur historique de navigation.

• Mon banquier peut dire ce qu'il veut, je ne lui accorde aucun crédit. Cela nous fait un point commun.

**• Le mystère des filles qui arrivent à rentrer dans un jean ultra-slim mais sont incapables de faire un créneau sur une place de 15 mètres.**

• Ce qui se passe à l'UMP, c'est un peu comme à *Fort Boyard*: des candidats s'affrontent, mais à la fin, c'est toujours le nain qui a les clefs.

**• Aux États-Unis, ils ont 50 Cent. En France, on a Francky 20 Cent.**

• Bon anniversaire à toutes les personnes nées le 14 novembre et qui ne sont, en fait, que les conséquences d'une Saint Valentin réussie…

• « N'oubliez pas de vous parfumer partout où vous souhaitez être embrassé ! » – Coco Chanel.
Merci sale conne,
maintenant ça me brûle à mort.

**• Tu as déjà vu un trou du cul emballé dans du plastique ? Regarde ta carte d'identité !**

• Pour Halloween, cette année, je me déguiserai en ragnagnas et j'arriverai en retard pour que tout le monde flippe !

**• Quand je trouve ma vie déprimante, je me mets à la place des handicapés. Ma vie reste déprimante, mais au moins je suis bien garé.**

# ThrowBack

Vous en avez marre de tous ces *hipsters* qui prennent en photo le moindre plat qu'ils s'apprêtent à ingurgiter et qui les partagent en temps réel sur les réseaux sociaux ? De votre petite-cousine qui publie chacun de ses faits et gestes sur Facebook ? Partez donc à contre-courant avec l'application ThrowBack. **Une fois lancée, vous allez pouvoir prendre une photo… que vous ne retrouverez pas sur votre smartphone.** L'idée de cette application est d'envoyer votre cliché dans « le futur » et de ne vous le renvoyer par mail que dans un délai aléatoire allant d'un mois à cinq ans. D'ici là, vous aurez certainement oublié avoir pris cette photo et vous aurez tout le plaisir de vous remémorer cet instant unique !

Disponible sur iPhone, iPod Touch et iPad – Gratuit

Jean-Marc retrouve son ami Jacques à la machine à café.

– Que se passe-t-il Jacques ? T'as pas l'air en forme, ce matin.

– Tu te rappelles la secrétaire du 3e ?

**– Celle qui te donne une érection chaque fois que tu la vois ?**

– Oui... J'avais rendez-vous avec elle, hier soir. Avant d'y aller, j'avais tellement peur d'avoir une érection devant elle que j'ai pris du gros ruban adhésif et j'ai scotché solidement mon sexe le long de ma jambe pour ne pas que cela se voit au cas où je banderais.

– C'est une belle marque d'attention !

**– Quand je suis arrivé chez elle, elle était habillée avec une jupe hyper courte et un décolleté impressionnant !**

– Et alors ?

– Alors, je lui ai envoyé mon pied dans la gueule... !

# SUDOKU

*Niveau moyen*

| | | | | | | | | |
|---|---|---|---|---|---|---|---|---|
| | | 2 | | 7 | | 3 | 4 | |
| | | | | | | | | 8 |
| | | | 2 | 3 | | 5 | | |
| | 7 | | | 1 | | | 2 | |
| 3 | 9 | 4 | | 2 | | 8 | 1 | 6 |
| | 8 | | | 6 | | | 3 | |
| | | 7 | | 8 | 6 | | | |
| 1 | | | | | | | | |
| | 5 | 8 | | 9 | | 1 | | |

***Solution page 681***

# Pourquoi les chats n'aiment pas les bisous ?

Vous l'avez certainement remarqué : les chats ont tendance à refuser vos bisous… Inutile de remettre en question votre haleine, les causes de ce refus sont à chercher ailleurs.

Premier élément de réponse : un chat est un animal, il a donc gardé son instinct et quelques réflexes de sa vie sauvage. **Quand vous le prenez dans vos bras, votre chat a peut-être tendance à poser une patte sur votre visage pour vous repousser.** Ce geste est une façon de vous demander de le reposer. Son instinct lui dicte qu'il est prisonnier de vos bras et qu'il ne pourra pas facilement s'en échapper en cas de danger.

Second élément : votre position hiérarchique. Vous êtes son maître, vous êtes donc au-dessus de votre chat, dans sa hiérarchie. **Chez nos amis les félins, faire un bisou, c'est « léchouiller », entamer un début de toilette de son congénère.** Et quand un chat se met à en lécher un autre, c'est pour lui montrer son respect, lui signifier qu'il respecte sa position dans le groupe. Alors, quand vous embrassez votre chat, vous lui démontrez trop de respect, vous le placez au-dessus de vous dans la hiérarchie et votre chat est perdu. **Il lui est impossible d'accepter la place que vous souhaitez lui offrir via ce bisou.** Il ne peut pas concevoir que l'ordre établi depuis le début de votre relation soit ainsi remis en question ; la situation telle qu'elle est lui convient et il ne souhaite pas en changer. En insistant, vous allez stresser votre chat et perturber sa façon d'être.

Laissez donc votre chat aller et venir tranquillement et caressez-le lorsqu'il est à proximité de vous. Avec un peu de chance, il viendra se blottir sur vos genoux. Et si, vraiment, les bisous sont très importants pour vous, vous pouvez frotter votre joue sur sa tête.

# Pourquoi dit-on… Baragouiner ?

Quand une personne s'exprime approximativement dans une langue étrangère ou qu'elle parle tout simplement de manière peu compréhensible, on dit d'elle qu'elle baragouine.

Ce terme a été emprunté aux Bretons fraîchement arrivés à Paris au début du XX^e siècle. Venus chercher du travail à la capitale, ils n'avaient pas encore appris le français et s'exprimaient en breton. **En entrant dans un bar, ils commandaient toujours du pain et du vin : bara et gwin.** Les Parisiens n'ont pas tardé à se moquer d'eux en disant qu'ils baragouinaient, autrement dit que l'on comprenait difficilement ce qu'ils voulaient dire !

*Je trouve que Macon a un drôle de nom.*

**JE TROUVE QUE MANON A UN DRÔLE DE CON.**

# QUAND LES STARS S'ENVOIENT DES PIQUES...

• **ROBIN WILLIAMS** : « Les Russes adorent Brooke Shields parce que ses sourcils leur rappellent ceux de Brejnev. »

• **SOPHIA LOREN** : « La personnalité de Gina Lollobrigida est limitée. Elle est bonne à jouer une paysanne mais est incapable de jouer une vraie dame. »

• **WINONA RYDER** : « Je n'aime pas les hommes plus âgés. Pour vous dire la vérité, Richard Gere n'est pas l'homme le plus sexy d'après moi. »

• **GEORGE CLOONEY**, après l'élection de l'homme le plus sexy du monde, qu'il n'a pas remportée :
« Je suis très content pour Ryan Reynolds. Mais je suis surtout très heureux que ce ne soit pas Brad ! »

• **BETTE DAVIS** : « Pourquoi je joue aussi bien les garces ? Parce que je n'en suis pas une. C'est sans doute pour ça que Joan Crawford joue toujours des dames respectables. »

• **COURTNEY LOVE** : « Pamela Anderson tombe amoureuse de musicos ; moi, je tombe amoureuse de bons musiciens. »

Véronique, la belle-mère, arrive chez sa fille comme tous les dimanches midi. Mais cette fois-ci, elle trouve son gendre hors de lui.
– Que se passe-t-il, ici?
– Que se passe-t-il? Je vais vous le dire... J'ai envoyé un texto à votre fille pour lui dire que je rentrais de voyage aujourd'hui! Je suis arrivé chez moi ce matin et devinez ce que j'ai trouvé? **Ma femme avec un mec à poil dans notre lit conjugal!** Fini le mariage, je me casse d'ici!
– C'est étrange... Ma fille ne t'a jamais fait et ne te ferait jamais une chose pareille!
Véronique s'en va alors trouver sa fille pour tenter d'éclaircir cette histoire... Elle revient 3 minutes plus tard, triomphante:
– J'en étais sûre! L'explication est très simple: ma fille n'a tout simplement jamais reçu ton texto!

# Mais qui a créé le camembert, ce célèbre fromage français ?

Un mystère demeure autour de ce fromage célèbre dans le monde entier. Mais qui a donc inventé le camembert ? Est-ce vraiment la fermière Marie Harel ? Celemondo vous dit tout.

## American research for fromage qui ne pue pas

Les recherches destinées à établir l'origine exacte du camembert commencent au début du XX^e siècle, à l'initiative d'un Américain, le Dr Knirim. Un nom s'impose très vite : celui de Marie Harel.

La tradition locale veut que les époux Harel aient recueilli, durant la Révolution, un prêtre réfractaire dans leur ferme de Beaumoncel. Pour les remercier, celui-ci aurait donné à Marie la recette du véritable camembert. Reste à retrouver la trace de cette Marie Harel… ou, plus exactement, sa sépulture, puisque plus d'un siècle s'est écoulé.

## Celemondo à la recherche de sa tombe

La 1^re tombe portant le nom « Marie Harel » se trouve au cimetière de Champosoult. Hélas, les dates, « 8 avril 1781 – 14 mai 1855 » ne correspondent pas à l'histoire racontée par les villageois. Qu'importe ! On tient une Marie Harel, on ne va pas la lâcher pour un détail ! Après un pèlerinage en grande pompe à la ferme de Beaumoncel, les autorités locales décident d'ériger une stèle, puis une statue. Lorsque la stèle est prête, on remarque que les dates ont changé : « 1761-18... » Entre-temps, on a découvert une autre Marie Harel, mais sans autres détails.

## Le mystère continue...

De nombreux biographes enquêtent sur Marie Harel afin de percer le secret de l'inventeur du camembert. Diverses recherches ont été effectuées, de sa naissance, le 28 avril 1761 à Crouttes (sans blague...), jusqu'à son décès, en 1818 à Champosoult. Pourtant, aucun ne peut confirmer encore aujourd'hui l'origine du camembert.

Certains affirment même que l'invention de ce fromage est bien antérieure à la Révolution et que Marie Harel n'a jamais vécu à Camembert...

## Chose sûre, une statue en honneur de Marie Harel

La statue de la créatrice du camembert est inaugurée le 20 avril 1927, à Camembert, sur la route menant à l'église et au village : « En l'honneur de Mme Harel, née Marie Fontaine – 1761-18..., qui inventa le Camembert. » Le 14 juin 1944, la statue est endommagée durant un terrible bombardement aérien où 200 civils perdent la vie. L'architecte américain Welles Bosworth veut absolument restaurer cette statue.

Pour cela il demande aux ouvriers de la plus grande usine de fromage du monde, située dans la ville de Van Wert, dans l'Ohio, de faire un don de 2000 $, ce qu'ils font. Ainsi, son souhait se réalise.

Mais les fabricants de camemberts de la région sont ulcérés en découvrant que la statue porte la dédicace suivante : « À Marie Harel, statue offerte par la fabrique de camemberts Borden (Ohio). » « Camembert » et « Ohio », l'association ne passe pas ! Après moult tractations et menaces, les Américains cèdent. L'inscription est modifiée, la mention du camembert de l'Ohio disparaît. L'honneur du camembert normand est sauf.

Aujourd'hui, la statue a été déplacée de la porte des Halles au boulevard Dentu.

## Un fromage star qui inspire les poètes

« Camembert, poésie, bouquet de nos repas / Que deviendrait la vie, si tu n'existais pas… » disait Brillat-Savarin.

Le camembert, célébrissime fromage, a son musée au 10, avenue du Général-de-Gaulle, à Vimoutiers. On y évoque bien sûr Marie Harel.

À la question « Marie Harel est-elle bien l'inventeur du camembert ? », la réponse est donc typiquement normande : « P'têt ben qu'oui, p'têt ben qu'non. »

# On peut tous rencontrer le pape !

Vous en avez toujours rêvé sans pour autant oser imaginer que cela devienne réalité ? **Vous avez allumé plus d'un cierge dans le secret espoir de le rencontrer ?** Chaque soir, vous parlez de lui dans vos prières ? Calmez-vous : si vous souhaitez rencontrer le pape, connectez-vous sur le site du Vatican* et prenez rendez-vous. Eh oui, c'est aussi simple que cela !

Mais ne vous attendez pas non plus à pouvoir partager ses repas pour autant… Muni de votre billet, entièrement gratuit, vous pourrez simplement assister à une audience générale du souverain pontife… certainement entouré de milliers d'autres fidèles !

Vous avez une chance de le rencontrer en privé si vous vous êtes marié il y a moins d'un an et que vous avez rempli une demande auprès de votre paroisse habituelle. **Avec un peu de chance, vous pourrez alors vous faire bénir par le pape himself.**

* *www.vatican.va*

# Les chiffres fous du Père Noël

Chaque 25 décembre, la moyenne des cadeaux reçus par les enfants du monde entier est de 5,5 cadeaux.

Les petits Français sont plus chanceux car ils ouvrent 8,4 paquets-cadeaux.

En partant de ce principe, on découvre que le Père Noël doit livrer 707 000 000 de cadeaux tout autour du monde !

Le poids moyen d'un cadeau étant de 1,7 kg, les rennes, très costauds, déplacent 1 200 000 tonnes… Sans compter le poids du Père Noël !

Lina et Renaud sont nés le même jour et le même mois de la même année. Ils ont les mêmes parents. Cependant, ils ne sont pas jumeaux.

Comment l'expliquez-vous ?

**Solution**

Ce sont des triplés.

# M. Doob

Lorsqu'un développeur lance un site Internet artistique et bien ficelé, ça en met très souvent plein la vue… Et c'est le cas avec M. Doob !

Une cinquantaine de pages différentes vous y attendent, **avec à chaque fois, une animation très belle et très ludique.** En quelques mots, ce site permet de décompresser artistiquement après une grosse journée !

www.mrdoob.com

# Pourquoi dit-on... Battre la chamade ?

Lorsqu’une personne amoureuse voit l’être cher, elle sent son cœur s’emballer et frapper fort dans sa poitrine. On dit alors qu’il bat la chamade.

Cette expression est issue du monde militaire. **Au Moyen Âge, lorsqu’une troupe voulait faire cesser le combat pour entrer en contact avec l’ennemi et négocier quelque chose, les hommes frappaient le plus fort possible sur des tambours.** Le son, sourd, ressemblait à des battements de cœur très rapprochés.

*Le chirurgien amputa une jambe.*

**LE CHIRURGIEN ENJAMBA UNE PUTE.**

*Le doigt dans le trou du fût, la main entre les caisses.*

**LE DOIGT DANS LE TROU DU CUL, LA MAIN ENTRE LES FESSES.**

Alyson, jeune blonde de 22 ans, vient d'être opérée. Son chirurgien vient la voir pour lui dire que tout s'est très bien passé et finit en lui demandant si elle a des questions à lui poser.

**– Oui : quand vais-je pouvoir reprendre ma vie sexuelle ?**

– C'est la première fois, madame, qu'on me pose cette question après une opération des amygdales !

# Les nouveaux mots que vous vous devez de comprendre

Nous sommes tous régulièrement confrontés à ce peuple bizarre et mystérieux : les adolescents. Avides de marquer leur différence, ils aiment utiliser un langage qui leur est propre. Voici quelques éléments de vocabulaire qui vous aideront à décoder un peu ces créatures étranges...

– ***Keus*** : euros
– ***Khouya*** (prononcer « rouilla ») : frère
– ***BG*** : un beau-gosse ou une belle-gosse
– ***Un coup de mouss*** : un coup de couteau
– ***La tess*** : la cité
– ***Le ter-ter*** : le territoire
– ***Un fer*** : une voiture
– ***Un boule*** : des fesses
– ***Crayaver*** : manger
– ***Swag*** : classe
– ***Une go*** : une belle fille
– ***On s'enjaille*** : On s'éclate
– ***Bédaver*** : Fumer un joint

Si ces quelques mots ne suffisaient pas pour vous faire comprendre des jeunes, vous pouvez toujours leur notifier qu'ils sont loin d'être des précurseurs puisque le verlan existe depuis le Moyen Âge ! Au XII$^{e}$ siècle, Tristan, l'amant d'Iseult, se faisait déjà appeler « TanTris ».

La chaîne de friteries néerlandaise Manneken Pis commercialise **une nouvelle mayonnaise… au cannabis** !
Pas de panique, la sauce ne contiendra aucun THC, cette substance responsable des effets de ladite drogue. Ce qui rend cette recette complètement légale.

Je suis plus puissant que Dieu.

Je suis plus méchant
que le diable.

Le pauvre en possède.

Le riche en manque.

Et si vous me mangez,
vous mourrez.

Qui suis-je ?

**Solution**

Rien. Rien n'est plus puissant que Dieu. Rien n'est plus méchant que le diable. Le pauvre ne possède rien. Le riche ne manque de rien. Et si vous ne mangez rien, vous mourrez.

# Pourquoi dit-on... Ne pas avoir froid aux yeux ?

Quand une personne fait preuve de courage dans une situation un peu délicate, on dit d'elle qu'elle n'a pas froid aux yeux.

L'expression remonte au XIXe siècle, époque à laquelle les brigands utilisaient la locution « avoir froid » – sous-entendu « avoir froid au cul » – pour désigner la peur. **Les années passant, l'œil a remplacé la métaphore de l'anus.** C'est donc tout naturellement que l'expression « Ne pas avoir froid aux yeux » est née.

Le pont Neuf fait soixante pieds.

**LE POMPIER FAIT SOIXANTE-NEUF.**

# Action Movie FX

**Vous le savez, un nouveau Spielberg sommeille en vous!** Problème: vous n'avez pas des dizaines de millions à investir dans un film. Solution: télécharger l'application Action Movie FX.

Il ne vous reste plus qu'à tourner une vidéo de quelques secondes avec vos proches et d'ajouter l'un des effets spéciaux proposés (une météorite s'abat sur vous, une inondation vous emporte, un éclair vient vous frapper de plein fouet...).

De quoi vous amuser... et même piéger vos amis!

Disponible sur iPhone, iPod Touch et iPad – Gratuit

# Pourquoi dit-on... Faire revenir la viande ?

Lorsque l'on fait dorer une viande à la poêle dans de la matière grasse, on dit que l'on fait revenir la viande. Oui, mais pourquoi ?

Au XVIIe siècle, il fallait faire cuire la viande sur des charbons ou au grill si l'on voulait la conserver. **Eh oui, les frigos n'existaient pas encore !** À la même époque, quand une personne retrouvait ses esprits après s'être évanouie, on disait qu'elle revenait à elle. L'expression que l'on connaît aujourd'hui signifie donc « faire revenir à elle, à la vie, la viande ».

Un policier a été appelé sur les lieux d'un crime. Lorsqu'il entre dans l'appartement, il trouve un homme mort. Il a compris qui était le coupable, mais ne l'arrête pas pour autant. Pourquoi ?

**Solution**

L'homme s'est suicidé et l'on n'arrête pas les morts.

Lucas traverse la campagne française au volant de sa voiture quand il croise un paysan, suivi par une vache, qui fait du stop. Le jeune homme s'arrête et l'homme lui dit qu'il aimerait aller 200 km plus loin. Lucas lui dit alors :

**– Je veux bien vous faire monter, mais votre vache ne rentrera jamais dans ma voiture !**

– Oh, ne vous inquiétez pas, elle suit bien... Si vous êtes d'accord, je peux l'accrocher à votre véhicule.

Amusé, Lucas accepte. Une fois l'animal attaché, il reprend la route : 20 km/h, la vache suit parfaitement. 40 km/h, elle suit toujours. 80 km/h, elle ne donne toujours pas de signe de fatigue. 130 km/h, le ruminant suit le rythme. Lucas pousse sa voiture à 170 km/h. Il regarde dans le rétro et voit enfin quelques signes de fatigue.

– Malheureusement, je vais peut-être devoir ralentir un peu, votre vache commence à tirer la langue...

– Ah oui ? De quel côté ?

– Euh... À gauche, pourquoi ?

**– Ah ! C'est qu'elle veut doubler, alors !**

# Pourquoi doit-on changer d'heure deux fois par an ?

Chaque année, c'est pareil : à l'approche du printemps, on nous enlève une heure de sommeil le dernier dimanche de mars et on nous en rajoute une le dernier dimanche d'octobre. Mais pourquoi nous inflige-t-on ça ?

Si le changement a été remis en place en 1976 (il l'était de 1917 à 1945), c'est tout simplement pour économiser de l'énergie. Le but du changement d'heure est donc de faire coïncider au mieux les heures travaillées avec les heures d'ensoleillement. Ainsi, on diminue l'éclairage artificiel et donc la consommation d'électricité en France. Une mesure d'économie d'énergie qui a fait ses preuves : en 2009, cela nous a permis d'économiser 440 GWh, soit l'équivalent de la consommation de 800 000 ménages en un an d'éclairage !

## *Petite astuce*

À chaque changement, la question est la même : on avance ou on recule ? Voici un petit truc pour ne plus vous tromper. Le passage à l'heure d'été s'effectue invariablement le dernier week-end de mars, soit la veille du mois d'avril. Avril commençant par AV, on avance d'une heure. Le passage à l'heure d'hiver se fait, lui, le dernier week-end d'octobre, un mois qui finit par RE, comme reculer. On recule donc l'heure de sa montre.

Pour la petite info, sachez que les Américains passent à l'heure d'été trois semaines avant nous… suite à une pression de l'industrie du barbecue ! Pour eux, un mois d'été en plus, c'est 200 millions de dollars de ventes supplémentaires à la clef… Hormis Hawaï et l'Arizona, deux États qui ont décidé de ne jamais changer d'heure.

# LES BONS GESTES POUR UNE FACTURE D'ÉLECTRICITÉ MOINS ÉLEVÉE

Envie d'avoir une facture d'électricité plus légère et, par la même occasion, de remplumer votre portefeuille ? Devenez un pro des bons gestes et faites de votre maison un endroit écolo.

## « LES PETITS RUISSEAUX FONT LES GRANDES RIVIÈRES. »

Éteignez les veilles de vos appareils électriques. Certes, la puissance électrique est plus faible, mais ils consomment de l'électricité en continu. Ce gaspillage engendre des surcoûts importants sur les factures d'électricité, allant jusqu'à 11 % de la facture mensuelle !

Faites une liste de tous les appareils chez vous, et vous comprendrez pourquoi cette somme est si importante : chaîne hi-fi, télévision, lecteur DVD, décodeur Canal + (très gourmand en énergie !), démodulateur d'antenne satellite, modem, ordinateur, répondeur, etc. Dans les pays développés, un ménage moyen peut laisser 20 appareils en veille, en permanence !

Branchez vos appareils sur une prise multiple avec interrupteur. Vous pourrez ainsi les éteindre le soir d'un simple geste. L'inconvénient peut être la perte des données enregistrées sur la plupart de ces appareils.

Sachez aussi que les transformateurs, notamment ceux des téléphones sans fil ou des portables, même lorsqu'ils sont sur *off* continuent de consommer de l'électricité. Débranchez-les systématiquement ou remplacez-les par les nouveaux modèles extra-plats qui ne consomment rien en l'absence de charge.

## LE SAVIEZ-VOUS ?

Le label Energy Star garantit qu'un appareil électrique a une consommation énergétique inférieure à la moyenne, que ce soit en veille ou allumé.

## PRÉFÉREZ UN LAVE-LINGE À CHARGEMENT FRONTAL

Non seulement il consommera moins d'eau qu'un lave-linge à chargement vertical, mais il consommera aussi moins d'énergie. Les économies d'électricité ainsi réalisées atteignent les 50 % !

## LAVEZ VOTRE LINGE À BASSE TEMPÉRATURE

Si vous réglez votre lave-linge à 40°, vous consommez 2 à 3 fois moins d'énergie qu'en cycle court à 90°. Votre linge sera tout aussi propre.

## NOTRE ASTUCE :

Lavez vos vêtements à la machine de préférence pendant les heures creuses. L'électricité est facturée au tarif le plus bas.

N'oubliez pas les touches « éco » ou « 1/2 charge » de votre lave-linge. Ce simple geste vous fera consommer 25 % d'énergie en moins qu'un lavage normal.
Et si votre machine ne propose pas ces options, attendez qu'elle soit pleine pour lancer le lavage !

## FAITES SÉCHER VOTRE LINGE À L'AIR LIBRE

Un sèche-linge est gourmand en énergie (il consomme deux fois plus d'énergie que le lave-linge) et n'est vraiment pas indispensable dans la maison. Certes, il faudra attendre un peu plus longtemps pour avoir un linge sec, mais vous économiserez environ 500 kWh d'électricité par an !

## NOTRE ASTUCE

Pour faire baisser vos factures d'électricité, de gaz, de téléphone, d'assurances et autres jusqu'à 25 %, rendez-vous sur www.jechange.fr. Ce comparateur liste toutes les offres existantes. Vous remplissez un questionnaire, le moteur détermine vos besoins et vous affiche les meilleures offres adaptées à votre situation.

## BON À SAVOIR !

Sur le site www.ademe.fr, l'Agence de l'environnement et de la maîtrise de l'énergie propose des aides pour les travaux d'isolation.

Exemple : entre 25 % et 40 % de vos dépenses pour vos travaux d'isolation peuvent être déduites des impôts.

Un éco-prêt est mis à disposition des propriétaires souhaitant améliorer l'isolation thermique de leur logement. Le taux de la TVA ne s'élève qu'à 5,5 % !

Chaque seconde, 8,7 voyageurs traversent la gare Grand Central Station à New York, la plus grande du monde !

Chaque seconde, les ascenseurs de New York effectuent 349 voyages.

Les pompiers français interviennent près de 10 000 fois par jour.

# Records d'alcoolémie !

Pour les femmes, le record d'alcoolémie au volant a été attribué à une conductrice de l'Oregon avec **un taux de 7,20 g/l de sang** ! L'Américaine avait carrément fait un coma éthylique dans sa voiture.

Chez les hommes, le record est détenu par un habitant de Queenstown, en Afrique du Sud, avec l'impressionnant taux de 16 g/l ! **L'homme s'est fait contrôler au volant de sa camionnette alors qu'il volait… des moutons.**

En France, un habitant de Polliat, dans l'Ain, a battu tous les records nationaux en se faisant arrêter par les policiers avec un taux de 10 g/l ! Cet homme de 37 ans avait été retrouvé dans un fossé après qu'il eut perdu le contrôle de sa voiture.

Si vous tenez à la vie, ne cherchez pas à battre ces records… **Souvenez-vous qu'avec un taux de 3 g/l de sang, la mort est possible et devient carrément probable si l'on dépasse les 5 g/l.**

*Un vieux contrôleur n'a pas de vassal.*

**UN VIEUX CON TROP SALE N'A PAS DE VALEUR.**

**Au Tribunal :**

– Mais, dites-moi, cher monsieur : n'avez-vous rien ressenti lorsque vous avez coupé votre femme en morceaux avant de la mettre à cuire ? demande le juge à l'accusé.

**– Euh, je ne crois pas non... Enfin, si ! Si, à un moment je me suis mis à pleurer.**

– Ah ! Enfin un peu d'humanité ! Et on peut savoir à quel moment ?

– Bien sûr, c'était quand j'ai coupé les oignons !

# Pourquoi dit-on...
# Fumer comme un pompier ?

Quand une personne a tendance à allumer trop de cigarettes, on a tôt fait de dire qu'elle « fume comme un pompier ». Inutile de penser que les hommes du feu sont de gros fumeurs, l'explication est à chercher ailleurs.

Aux XVIIIe et XIXe siècles, les pompiers avaient une drôle de tactique pour ne pas avoir trop chaud lorsqu'ils devaient affronter un incendie : **ils enduisaient de graisse leur manteau**. Résultat, au contact de la chaleur, la graisse brûlait et dégageait énormément de fumée... Ce qui donnait l'impression aux badauds qu'elle provenait directement du corps des pompiers.

# « Plus de mille, j'en suis sûr ! »

Lorsque le magazine américain Esquire a demandé à Hugh Hefner, le fondateur de Playboy, avec combien de femmes il avait couché, il s'est exclamé : « Comment pourrais-je le savoir ? Plus de mille, j'en suis sûr ! ». Avant d'ajouter : **« Il y a eu des moments, dans ma vie, où j'ai été marié : je n'ai alors jamais trompé ma femme. Je me suis rattrapé une fois divorcé, il ne faut pas perdre la main. »**

Il est aujourd'hui marié à Crystal Harris, de 60 ans sa cadette.

# HUGH JACKMAN A ÉCHAPPÉ DE PEU À UNE ATTAQUE AU RASOIR !

Être un sex-symbol entraîne forcément son lot de soucis quotidiens… C'est ce qu'a pu vérifier **HUGH JACKMAN** en début d'année 2013. Alors qu'il se rendait dans sa salle de sport habituelle, une femme d'âge mûr l'a interpellé. Kathleen Thurston, 47 ans lui a demandé : « On va se marier, non ? »

L'acteur, ne jugeant pas utile de répondre à cette question, a poursuivi son chemin. Déçue par la réaction du bellâtre, Kathleen a décidé de le poursuivre… un rasoir électrique à la main !

Peu subtile, l'attaque a été contenue et la femme arrêtée.

Elle a avoué s'être installée à New York il y a peu dans le seul but de pouvoir se marier avec **HUGH JACKMAN** ! Et lorsqu'on lui a demandé pourquoi elle l'avait poursuivi avec un rasoir, Mme Thurston, pleine de bonnes intentions, a répondu qu'elle voulait tout simplement lui enlever quelques poils de barbe.

*Source* : New York Daily News

# Disque USB

Bien que vous ayez encore beaucoup d'espace de stockage disponible sur votre iPhone, il vous est impossible de stocker vos PDF et autres documents de travail. **Disque USB vient répondre à ce besoin en vous permettant non seulement de les stocker sur votre smartphone via l'iTunes mais également de les lire**. Mieux encore, l'application enregistre la page à laquelle vous vous êtes arrêté de lire et vous la retrouve lorsque vous décidez de reprendre votre lecture. Petit plus : les transferts ordinateurs - iPhone sont beaucoup plus rapides !

Disponible sur iPhone, iPod Touch
et iPad – Gratuit

# Comment déloger une chanson de sa tête ?

**« Le petit bonhomme en mousse / Qui s'élance et rate le plongeoir…»** Et voilà, c'est le drame : vous allez chanter le hit de Patrick Sébastien toute la journée en maudissant le WC Book !

Ne vous inquiétez pas ! Aujourd'hui, vous allez apprendre à vous défaire de ces chansons qui restent ancrées des heures entières dans la tête et que l'on se met à fredonner sans même s'en rendre compte… Des chercheurs de l'université de Washington se sont penchés sur le sujet. **Ils ont découvert qu'il fallait focaliser toute son attention sur une tâche précise…** Et, si possible, sur des anagrammes. Car, en effet, après avoir testé la résolution de puzzles, de grilles de sudokus et de grilles d'anagrammes, ce sont ces derniers qui ont été les plus efficaces. Qu'attendez-vous donc et ainsi ne plus jamais laisser une chanson s'éterniser dans votre tête ?

*Source : Gentside*

# Trois femmes, trois désirs, trois regards…

Quand elles font l'amour :

**La prostituée** regarde le plafond et se dit : « Quand va-t-il finir ? »

**La maîtresse** regarde le plafond et se dit : « Quand va-t-il revenir ? »

**L'épouse** regarde le plafond et se dit : « Quand va-t-il le repeindre ? »

Alors... ça te plait ?... Dis, ça te plait ?...
C'est joli... Mais j'aime pas trop le lustre !
Sabin MOURRIT

# MOTS CROISÉS

## *Horizontalement*

1 : Amateurisme
2 : Commun – Pièce d'un échiquier
3 : Piège – Porte
4 : École nationale d'équitation – Entrelaça
5 : Déterminant – Aboies
6 : T'équipas au Canada – Terminale littéraire
7 : Responsable – Dancing
8 : Entaille en menuiserie – Explose
9 : Prénom – Galoche
10 : Excitant

## *Verticalement*

A : Permet de fumer sans toucher
B : Boîte – Ville yéménite
C : Apparence – G. loue en Angleterre
D : La messe est dite – Se la raconter
E : Pronom personnel – Personnage de la saga *Resident Evil*
F : Calibrât – Est égal à 3,14
G : Espionnées – Partie d'un mur
H : Cosmologiste américain – Version d'essai
I : Atomes – Tarte sens dessus-dessous
J : Balafrent

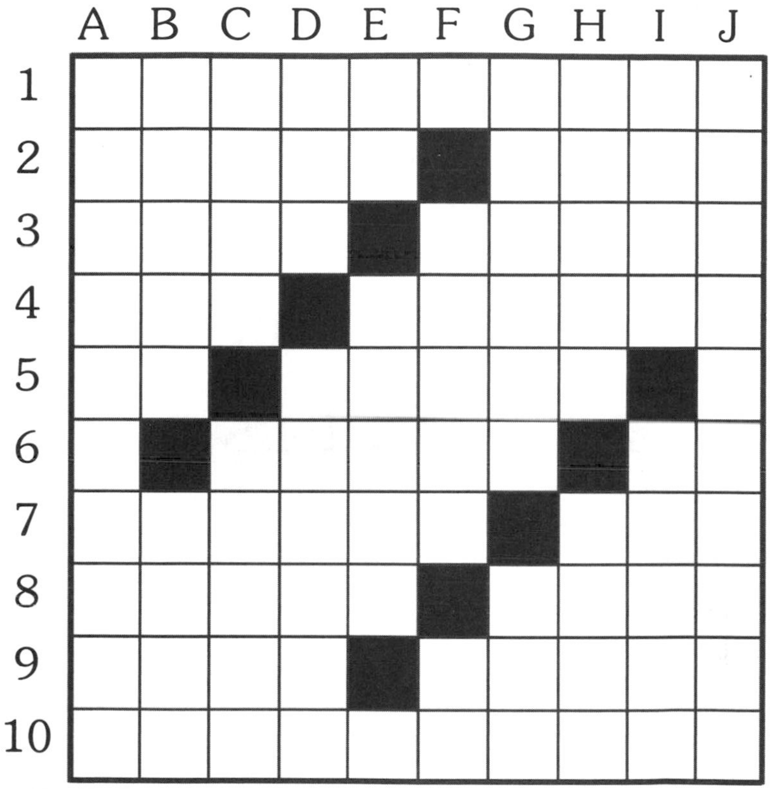

| | A | B | C | D | E | F | G | H | I | J |
|---|---|---|---|---|---|---|---|---|---|---|
| 1 | | | | | | | | | | |
| 2 | | | | | | ■ | | | | |
| 3 | | | | | ■ | | | | | |
| 4 | | | | ■ | | | | | | |
| 5 | | | ■ | | | | | | ■ | |
| 6 | | ■ | | | | | | ■ | | |
| 7 | | | | | | | ■ | | | |
| 8 | | | | | | ■ | | | | |
| 9 | | | | | ■ | | | | | |
| 10 | | | | | | | | | | |

***Solution page 679***

# Pourquoi les films pornographiques s'appellent-ils des films XXX ?

Parce que le premier a été tourné avec trois blondes et qu'elles ont signé…

# Coluche : un enfoiré rue Gazan

C'est au 11, rue Gazan, à Paris, que vécut pendant des années l'humoriste préféré des Français. Sa maison est ouverte à tous ses amis, au milieu desquels il règne, « tel Louis XIV, sur sa Cour », disait Pierre Desproges.

## « Une maison de poète et de clochard enrichi »

Les histoires de Michel Colucci, dit Coluche, et du 14e arrondissement de Paris sont étroitement liées. Il s'installe une première fois rue Gazan, en 1972, dans un petit appartement avec sa femme et leur nouveau-né, Romain. Il y revient ensuite en 1978, au n° 11, cette fois, dans une demeure qui va rapidement devenir une succursale des puces et du Café de la Gare. Cette maison, la seule de la rue, est entourée d'immeubles de plus de 5 étages, ce qui ajoute à son charme. Philippe Boggio, biographe de Coluche, l'évoque en ces termes : « Une maison de poète et de clochard enrichi, pensée pour les amis. Pour que les autres aient envie d'y venir, surtout d'y rester. » Sa tanière est à 5 minutes à moto de Montrouge, la banlieue où il a grandi.

## Paradis pour copains

L'étage supérieur était réservé à sa vie intime et à ses enfants, Romain et Marius, né en 1976. Dans la petite cour, il aligne ses motos. Dans le champ d'à côté, Coluche fait construire un studio d'enregistrement pour ses copains musiciens à la recherche d'un local de répétition. Il adore y organiser des « bœufs » musicaux et aménage bientôt cette salle construite sur plusieurs paliers comme une brasserie, avec une rôtisserie géante. Elle devient vite un lieu de fête.

Il y installe une grande salle de jeux avec billard, flipper, baby-foot, écran géant et piscine ! Les ronds de serviette portent les messages suivants : « Ici, les autres sont chez eux » ou « Interdit de demander la permission ! » Pour Coluche, cette maison est un havre qui accueille ses amis en peine avec autant de passion que ses amis en fête. Les acteurs Gérard Lanvin, Thierry Lhermitte et bien d'autres y vivent de longs mois.

Le comédien Patrick Dewaere emménage lui aussi rue Gazan, mais dans un appartement tout proche. Pendant plusieurs années, la maison voit défiler tous les amis anonymes de Coluche, mais aussi toutes les stars qu'il admire : Johnny Hallyday ou Serge Gainsbourg, l'acteur Darry Cowl, Eddy Mitchell, Jacques Dutronc, Françoise Hardy ou Jane Birkin. Même le président François Mitterrand vient dîner chez Coluche, un soir.

## Le ras-le-bol de Véronique

Le 29 mars 1981, sa femme, Véronique Kantor, le quitte. Elle ne supporte plus de voir leur maison envahie par les copains de l'artiste. Un événement douloureux que Coluche peine à surmonter. Il quitte alors la maison, mais y reviendra lorsque Véronique et leurs deux fils emménageront de l'autre côté du parc Montsouris.

Pierre Desproges compare les lieux à la Cour de Louis XIV. Célébrités et anonymes y font la queue pour saluer Coluche. C'est l'endroit où il faut être. Le soir où l'acteur reçoit son César pour *Tchao pantin*, sorti en 1983, une fête officielle est organisée au Fouquet's. Mais tout le monde se rend rue Gazan, où se déroule la vraie fête.

## Hommage à l'enfoiré

Le jeudi 19 juin 1986, Coluche se tue à moto à Opio, près de Cannes. Son corps est rapatrié rue Gazan. Pendant trois jours, une foule impressionnante vient se recueillir devant le catafalque, habillé de deux guitares, d'un casque de moto, de sa célèbre salopette rayée de scène, d'un petit violon et de gants de boxe. L'enterrement a lieu le 24 juin 1986. Sur le mur de la maison, quelqu'un a marqué : « Je suis vivant, et toi ? » Le tag restera un bon moment. Laissée un temps à l'abandon, la demeure sera récupérée par la Ville de Paris.

# Chuck Norris

Chuck Norris a déjà compté jusqu'à l'infini. Deux fois.

**Certaines personnes portent un pyjama Superman. Superman porte un pyjama Chuck Norris.**

Chuck Norris ne se mouille pas, c'est l'eau qui se Chuck Norris.

**Chuck Norris donne fréquemment du sang à la Croix-Rouge. Mais jamais le sien.**

Jésus-Christ est né en 1940 avant Chuck Norris.

**Chuck Norris peut diviser par zéro.**

Chuck Norris ne porte pas de montre. Il décide de l'heure qu'il est.

**Dieu a dit : « Que la lumière soit ! » et Chuck Norris répondit : « On dit s'il vous plaît. »**

Chuck Norris peut gagner une partie de Puissance 4 en trois coups.

**La seule chose qui arrive à la cheville de Chuck Norris... c'est sa chaussette.**

Chuck Norris comprend Jean-Claude Van Damme.

**Les Suisses ne sont pas neutres, ils attendent de savoir de quel côté Chuck Norris se situe.**

Pour certains hommes, le testicule gauche est plus large que le testicule droit. Chez Chuck Norris, chaque testicule est plus large que l'autre.

**Chuck Norris sait parler le braille.**

Un jour, au restaurant, Chuck Norris a commandé un steak. Et le steak a obéi.

**Quand Google ne trouve pas quelque chose, il demande à Chuck Norris.**

Chuck Norris joue à la roulette russe avec un chargeur plein.

**Chuck Norris fait pleurer les oignons.**

Il n'y a pas de théorie de l'évolution. Juste une liste d'espèces que Chuck Norris autorise à survivre.

**Chuck Norris a déjà été sur Mars, c'est pour cela qu'il n'y a pas de signes de vie là-bas.**

Chuck Norris a, un jour, avalé un paquet entier de somnifères. Il a cligné des yeux.

**Dans une pièce normale, il y a en moyenne 1 242 objets avec lesquels Chuck Norris peut vous tuer, en incluant la pièce elle-même.**

Si Chuck Norris avait été pris dans le film 300, il l'aurait renommé 1.

**Chuck Norris est la raison pour laquelle Charlie se cache.**

Chuck Norris connaît la dernière décimale de Pi.

**Chuck Norris mesure son pouls sur l'échelle de Richter.**

Quand Bruce Banner est énervé, il devient Hulk... Quand Hulk est énervé, il devient Chuck Norris.

**Quand Chuck Norris utilise Windows, il ne plante pas.**

Chuck Norris peut claquer une porte fermée.

**La force de gravité, c'est ce qui fait que la Terre tient sous Chuck Norris.**

Chuck Norris peut t'étrangler avec un téléphone sans fil.

**Chuck Norris est capable de laisser un message avant le bip sonore.**

Dieu voulait créer l'univers en 10 jours. Chuck Norris lui en a donné 6.

**Quand Chuck Norris pisse face au vent, le vent change de direction.**

Une larme de Chuck Norris peut guérir le cancer, malheureusement Chuck Norris ne pleure pas.

**Chuck Norris mange les emballages des carambars. On ne blague pas avec Chuck Norris !**

Un aigle peut lire un journal à 1 400 mètres de distance. De cette distance, Chuck Norris peut tourner la page.

Laisse-moi
faire mec !
Sinon tu vas exploser
mes bottes !
?
Salim
NOURRIT

La mer Morte ne l'était pas avant de connaître Chuck Norris.

**Chuck Norris peut encercler ses ennemis. Tout seul.**

Si Chuck Norris dort avec une lampe allumée, ce n'est pas parce qu'il a peur du noir mais parce que le noir a peur de lui.

**La mère de Chuck Norris a essayé d'avorter. Trois fois.**

Jésus a marché sur l'eau, mais Chuck Norris a marché sur Jésus.

**Si Chuck Norris n'a pas écrit sa biographie, c'est tout simplement pour ne pas faire d'ombre à la Bible.**

Chuck Norris ne croit pas en Dieu, mais Dieu croit en Chuck Norris.

**Un film de Bruce Lee montre Chuck Norris se faire battre par Bruce Lee. C'est là l'effet spécial le plus cher de toute l'histoire du cinéma.**

Chuck Norris est né dans une maison en rondins qu'il avait construite lui-même.

Si Chuck Norris se prend une balle, c'est la balle qui meurt.

**Un jour, Chuck Norris a voulu enseigner le jeet kune do à de jeunes handicapés mentaux. C'est ainsi qu'est née la Tecktonik.**

Chuck Norris ne ment pas, c'est la vérité qui se trompe.

Chuck Norris sait faire des tacles au babyfoot.

# La tour Eiffel en chiffres

La tour Eiffel mesure 324 mètres de haut et pèse 10 100 tonnes.

Pour monter à son sommet, il faut gravir 1 665 marches, au détour desquelles vous apercevrez quelques-uns des 2 500 000 rivets qui la font tenir debout.

Tous les 7 ans, la Tour est repeinte à l'aide de 60 tonnes de peinture. Il faut dire que les peintres-alpinistes doivent tout de même recouvrir 250 000 m² de surface ! Un coup de peinture qui coûte 4 000 000 d'euros et demande 18 mois de travail.

600 employés y travaillent.

La billetterie consomme 2 tonnes de papier annuellement… Un chiffre qui s'explique aisément lorsque l'on sait qu'en 2011, plus de 7 000 000 de personnes l'ont visitée.

*Source : ParisInfo.com*

# Les procès américains les plus fous récompensés

Depuis 2002, les Stella Awards récompensent chaque année des personnes engageant des poursuites judiciaires hallucinantes, ayant clairement pour but d'abuser du système judiciaire américain (et de toucher un joli pactole !). Si ce prix porte le nom de Stella Awards, c'est en hommage à Stella Liebeck. Cette femme, de 81 ans à l'époque des faits, a porté plainte contre McDonald's pour des brûlures au 3e degré sur les jambes, les fesses et le sexe. Un regrettable accident dû à sa maladresse puisque sa tasse de café s'est renversée sur elle alors qu'elle était en voiture. En 1994, un jury du Nouveau-Mexique lui a accordé un dédommagement de 2,9 millions de dollars !

## *Petit florilège de Stella Awards :*

– Dans sa tête, Christopher Roller est Dieu. Il a donc tout naturellement poursuivi David Copperfield et David Blaine, arguant que les deux magiciens lui volaient ses pouvoirs. Selon lui, seul Dieu peut défier les lois de la physique. Et Dieu, c'est lui.

– Carl Truman a obtenu 74 000 $ de son voisin, qui lui avait roulé sur la main avec sa voiture… alors qu'il tentait de lui voler ses enjoliveurs !

– Jerry Williams a reçu 14 500 $ de dédommagement après avoir été mordu par le chien de son voisin… sur lequel il tirait au fusil à plombs !

– En 2003, la ville de Madera, en Californie, a attaqué la société

Taser, qui commercialise les fameux pistolets à impulsion électrique. Et pour cause, en pleine intervention, une policière a confondu Taser et arme de service. Elle a donc tiré une balle dans la poitrine de l'homme qu'elle voulait maîtriser et qui en est évidemment mort.

– Merv Grazinski a acheté un mobil-home Winnebago, une sorte de croisement entre un bus de luxe et une caravane. **Lorsqu'il a pris l'autoroute pour rentrer chez lui, il a voulu profiter de son investissement en allant se faire un petit café à l'arrière du véhicule... lancé à 110 km/h!** Après l'inévitable accident, ce brave monsieur a attaqué l'entreprise Winnebago pour ne pas avoir inscrit dans son guide d'utilisation qu'il n'avait pas le droit de faire cela. Il gagna son procès, reçu 1 750 000 $, un nouveau mobil-home et une modification du guide d'utilisation !

– Terrence Dickson a vu grossir son compte en banque de 500 000 $ après qu'il a tenté de cambrioler une maison. Au moment de quitter les lieux, il s'est retrouvé enfermé dans le garage et n'a pas réussi à en sortir avant le retour des propriétaires (partis en vacances), huit jours plus tard. En effet, la télécommande de la porte du garage ne fonctionnait pas correctement. Il s'est donc nourri de Pepsi et de croquettes pour chien. Il a porté plainte pour torture morale.

– **Kathleen Robertson a reçu 780 000 $ d'un supermarché où elle s'était foulé la cheville.** Elle était entrée en collision avec un jeune enfant qui courait dans le magasin. Un enfant qui était d'ailleurs le sien...

– Après un accident de voiture, Mary Ubaudi a poursuivi le constructeur Mazda pour ne pas avoir donné d'instructions claires sur l'importance de la ceinture de sécurité.

# Les secrets du coup de foudre qui dure

Tout le monde, à un moment ou à un autre, a croisé une personne qui a fait battre son cœur à 100 à l'heure, lui a donné les mains moites (jusqu'à la déshydratation !) et lui a fait perdre tous moyens et toutes pensées cohérentes. Mais ces états ne durent souvent qu'un temps. Comment faire alors pour qu'ils durent ?

## Évitez les illusions

Quand vous êtes amoureux, vous pouvez atteindre un degré d'abrutissement tel que toute logique disparaît ! Tout est beau, la personne aimée est l'être le plus intelligent de la galaxie, elle est la sensibilité incarnée, bref la perfection !

C'est dur à faire, mais il est important de prendre du recul par rapport à la situation pour vous éviter des désillusions. Pour que la relation démarre sur de bonnes bases, observez l'attitude de la Bête dans diverses situations. Sans vous faire griller, testez-le de façon subtile. Vous saurez alors, dans quelle direction vous allez…

## Faites les bons projets

Ce n'est pas pour vous freiner ou vous faire brutalement redescendre sur Terre, toutefois, il va de soi qu'il vaut mieux ne pas trop vous projeter dans l'avenir. Pour l'instant, tout va bien pour vous et vous faites de votre mieux pour que cela dure !

Sortez, faites des activités ensemble et, pourquoi pas, un voyage. Mais ne bousculez rien. Les projets d'aménagement, de mariage et de bébé sont pour plus tard !
Vivez intensément ces moments féeriques et donnez-vous le temps de vous découvrir davantage mutuellement. C'est un bon petit test pour connaître ses bonnes (ou mauvaises) intentions.

## Vivez l'instant présent

Pour vivre l'instant présent, il faut bannir les pensées qui prennent la tête et qui gâchent la vie. Quelles pensées ? Celles du genre : « Est-ce que je lui plais vraiment ? » ; « Je suis sûr(e) qu'il/elle cherche ailleurs… »
Faites-vous confiance ! Ce n'est pas parce que vous avez connu de mauvaises expériences par le passé que cela se reproduira… Donnez-vous une chance d'être heureux et profitez à fond de la magie.

## Ultime conseil

Ne tombez pas dans une passion destructrice ! Faites-lui de la place mais ne lui donnez pas *toute* la place. Vos amis, votre travail et vos autres activités sont également importants ! L'amour rend aveugle, ce n'est pas un secret, mais ne négligez pas le reste. Soyez vous-même et vous serez heureux.
N'essayez pas de changer votre personnalité pour plaire à l'autre car il/elle sera déboussolé(e) et ne reconnaîtra pas la personne dont il/elle est tombé(e) amoureux/se au début…

On la trouve dans la pensée

du philosophe et du poète,

Dans le ravin,
c'est un danger,

Parfois dans la mer,
elle inquiète.

Qui est-elle ?

**Solution**

La profondeur.

*Une forte odeur envahissait la rue du quai.*

**UNE FORTE ODEUR ENVAHISSAIT LA RAIE DU CUL.**

Comment faire l'amour à 100% ?

Tu te mets sur ton 31 et tu fais un 69!!

Quelle est la densité de la population en Somalie?

Ça dépend du vent…

Quelle est la différence entre un ferrailleur et un curé?

Le ferrailleur à du fer à ne savoir qu'en foutre et le curé, du foutre à ne savoir qu'en faire.

# Waze

Trouver un bon GPS sur iPhone n'est pas toujours chose aisée quand on ne souhaite pas mettre la main à la poche. Si vous êtes dans ce cas, tournez-vous vers l'application Waze. **Derrière ce nom étrange se cachent un GPS performant et toute une communauté de wazers qui s'alertent au moindre danger ou ralentissement rencontré…** Il vous donnera même la station essence la moins chère de votre route. Résultat : vous êtes sûrs de toujours emprunter le meilleur itinéraire et d'éviter les pièges de la route !

Disponible sur iPhone, iPod Touch et iPad – Gratuit

# Pourquoi y a-t-il plus de myopes en Asie qu'ailleurs ?

**C'est un fait, c'est en Asie que l'on trouve le plus de myopes.** Là-bas, ils représentent entre 60 et 80 % de la population (et 80 à 90 % des jeunes en fin d'études !), contre seulement 25 % en Europe ou 33 % aux États-Unis.

Longtemps, les scientifiques pensaient que cela était dû à leurs longues études, au temps passé devant les jeux vidéos ou au fait qu'avoir des parents myopes multiplie par deux le risque d'avoir le même problème oculaire. **Mais il semblerait qu'un nouvel élément soit à prendre en compte : le manque d'exposition à la lumière naturelle.** Une étude de l'université de Cardiff a démontré que chaque heure passée en plein air diminue les risques de développer une myopie de 2 % ! Pour preuve, selon des scientifiques, chaque jour, un petit Australien passe 3 h à l'extérieur à profiter de la lumière naturelle, alors qu'un enfant singapourien n'en profite qu'une demi-heure.

Le lien entre la lumière et la myopie s'appelle la dopamine. Plus on passe de temps à l'extérieur et plus le taux de ce neurotransmetteur est important dans l'organisme. Et c'est la dopamine qui vient stopper la croissance de l'œil. Si un œil grandit trop, il entraîne une myopie, plus ou moins importante proportionnellement à l'allongement de l'œil. CQFD.

# Le Coca-Cola en chiffres

Chaque seconde, plus de 4 000 litres de Coca-Cola sont bus dans le monde, soit 350 000 000 de litres par jour !

41 000 000 000 de bouteilles et autres canettes de la marque ont été vendues à travers le monde en 2009.

La boisson gazeuse est commercialisée dans plus de 200 pays.

En moyenne, un Français boit 22,7 litres de cette boisson par an, contre 89 litres aux États-Unis.

Lors de sa création en 1886, un verre de Coca-Cola contenait 9 milligrammes de cocaïne… supprimés de la recette depuis 1903.

En 2007, la marque a dépensé 2 000 000 000 de dollars pour sa publicité.

Un requin peut nous y faire penser,

un champion peut l'utiliser,

mais il n'est alors pas pareil,

à celui que l'on a dans l'oreille.

Qui est-il ?

**Solution**

Le marteau.

# Pourquoi dit-on... Draconien ?

Si votre cousine se met à suivre un régime particulièrement strict, on peut dire qu'elle suit un régime draconien, ne permettant aucun écart.

**Draconien découle d'un législateur grec nommé Dracon, qui imposa des règles très strictes au VII<sup>e</sup> siècle avant Jésus-Christ.** À l'époque, les eupatrides, les « biens-nés », avaient tous les pouvoirs sur les artisans de leur pays, les démiurges. Dracon fait abolir cette toute-puissance en écrivant des lois qu'il placarde partout dans la ville. La loi n'est plus orale mais écrite, et l'on ne peut donc plus l'interpréter selon son bon vouloir. En outre, ces lois sont très sévères : il y est notamment dit que tout vol est puni de mort. Le nom de Dracon est donc entré dans notre vocabulaire pour désigner des règles sévères.

# SUDOKU

*Niveau facile*

| | | | | | | | | |
|---|---|---|---|---|---|---|---|---|
| 4 | 1 | | 8 | | 3 | | 6 | 9 |
| | | | | 7 | | | | |
| | 7 | | 5 | | 6 | | 2 | |
| | | 3 | 6 | | 5 | 2 | | 7 |
| 6 | | | | 3 | | | | 8 |
| 5 | | 1 | 7 | | 2 | 6 | | |
| | 8 | | 9 | | 7 | | 3 | |
| | | | | 1 | | | | |
| 7 | 6 | | 3 | | 8 | | 9 | 4 |

***Solution page 681***

Charles, marié depuis 8 ans, revient d'un voyage d'affaires en Chine, où il a pris du bon temps avec quelques jolies Chinoises. À son retour en France, il se rend compte que son sexe est tout vert. Ni une ni deux, il file voir son médecin traitant en urgence.
– Haaaa… Je vois qu'on a récemment été en Chine…
– Euh… Oui…
**– Et on a fait des galipettes avec les petites Chinoises ?**
– Euh… Oui…
– Il faut savoir qu'on ne peut rien faire contre ça : il va falloir le couper.
Complètement atterré, l'homme refuse d'y croire ! Il décide donc de consulter un deuxième, puis un troisième médecin, qui confirment tous deux le diagnostic.
Résigné, il se décide à tout avouer à sa femme. Après trois jours d'intenses disputes, elle finit par lui conseiller de retourner en Chine pour y rencontrer un médecin local, qui aura peut-être une meilleure solution à lui proposer. L'homme s'exécute et prend l'avion.
Une fois sur place, il prend rendez-vous avec le meilleur docteur de Pékin. Lors de l'examen, le médecin lui dit :
– Hi, hi ! Vous venu en Chine et fait galipettes avec petites Chinoises ?
– Euh… Oui…
– Et vous vu docteur français et lui dit fallait couper ?
– Euh… Oui…
– Eh bien non ! Pas besoin couper.
L'homme est fou de joie. C'est alors que le médecin chinois ajoute :
**– Non, docteur français incompétent ! Pas besoin couper, va tomber tout seul !**

*Mammouth écrase les prix.*

**MAMMIE ÉCRASE LES PROUTS.**

# Les plus grandes causes d'accident de pénis

Les joyaux de famille ont tendance à subir quelques chocs durant la vie d'un homme. De la plus tendre enfance à l'âge adulte, les accidents sont nombreux.

**Les petits garçons se blessent régulièrement… en faisant tomber l'abattant des toilettes directement sur leur pénis.** Il est facile d'imaginer la douleur subie ; on peut compatir pour eux…

À l'âge adulte, la braguette de ces messieurs fait des dégâts considérables… Entre 2002 et 2012, 17 616 hommes se sont présentés aux urgences après s'être coincé le pénis dans leur braguette, selon une étude réalisée par l'université de Californie publiée dans le British Journal of Urology. **Il faut savoir que la seconde cause de blessure pénienne est le vélo.**
Dans la plupart des accidents, la blessure n'est pas catastrophique et engendre, dans le pire des cas, une circoncision. Mais il faut faire très attention à l'hygiène de ces bobos : une infection est rapidement arrivée ! Alors, messieurs, même si c'est douloureux, mieux vaut désinfecter votre pénis tout récemment coincé dans une fermeture Éclair avec une pommade antibiotique.

# Rolling Stones : l'appartement où Mick Jagger et Keith Richards furent séquestrés !

Les groupes existent souvent de par leurs légendes. L'histoire des Rolling Stones s'est écrite autour de ces fameuses légendes. L'une d'elle veut que Keith Richards et Mick Jagger aient été enfermés dans leur cuisine par leur manager. Pour en sortir, une seule solution : avoir écrit une chanson. Retour sur cette affaire qui se serait déroulée au domicile des deux Rolling Stones : le 33, Mapesbury Road, à Londres.

## Mick Jagger et Keith Richards emménagent sur Mapesbury Road

Après avoir vécu du côté de Chelsea, au 102, Edith Grove, Mick Jagger et Keith Richards déménagent, direction le 33, Mapesbury Road. Sur les conseils de leur manager, Andrew Loog Oldham, ils vivent au premier étage de cette large bâtisse entre 1963 et 1964. Oldham ne tarde d'ailleurs pas à s'installer avec eux. S'il vient vivre ici, ce n'est pas par hasard... Il veut tout simplement empêcher Brian Jones de s'y installer ou d'y passer trop de temps, son but étant de l'éloigner purement et simplement des Rolling Stones !

## Une drôle de méthode...

Andrew Loog Oldham a toutefois un autre but en tête : pousser les Rolling Stones à écrire leurs propres chansons. Il faut dire qu'avec toutes les reprises qu'ils font à l'époque, il devient difficile pour le groupe de se démarquer. Leur manager veut donc que les jeunes gens se lancent dans l'écriture et il emploie pour ce faire la méthode forte.

En novembre 1963, il enferme Keith Richards et Mick Jagger dans leur cuisine. Ils ne pourront en sortir que lorsqu'ils auront écrit une nouvelle chanson. Au petit matin, les deux jeunes gens ressortent de la cuisine et interprètent « It Should Be You », leur première composition commune. Il semblerait que Richards et Jagger aient également écrit « As Tears Go By » cette nuit-là. Initialement, le titre était « As Time Goes By », mais il fut immédiatement changé par Andrew Loog Oldham. La chanson sera enregistrée par Marianne Faithfull.

Au début des années 1960, les Stones sont jeunes et ont la ferme intention d'en profiter. Ils organisent donc de multiples soirées au 33, Mapesbury Road. John Lennon et Paul McCartney s'y rendent à plusieurs reprises pour des jam-sessions enflammées. Mick Jagger, lui, fait le maximum pour rendre heureuse sa nouvelle petite amie, Chrissie Shrimpton, sœur de Jean Shrimpton, l'une des premières top models au monde.

# IndéRadios

**Vous en avez marre d'écouter de la soupe commerciale ?** Vous avez envie de musique à toute heure du jour ou de la nuit ? L'application Les IndéRadios vous propose son « mur du son », avec la possibilité d'écouter gratuitement et en direct plus de 120 radios françaises indépendantes. L'appli à avoir absolument lorsque toutes les radios décident de passer de la pub alors que vous êtes coincé dans les bouchons !

Disponible sur Android, iPhone, iPod Touch et iPad – Gratuit

# QUAND LES STARS SE METTENT AU VERT

Top 30 des plus célèbres personnalités s'étant déclarées végétariennes…

30 – Pamela Anderson
29 – Edward Furlong
28 – Marie-Claude Pietragalla
27 – Kim Basinger
26 – David Bowie
25 – Franz Kafka
24 – Penelope Cruz
23 – Tolstoï
22 – Michel Sardou
21 – Orlando Bloom
20 – Raphaël Mezrahi
19 – Martin Luther
18 – Tobey Maguire
17 – Natalie Portman
16 – Jean-Claude Van Damme
15 – Lenny Kravitz
14 –Voltaire
13 – Bernard Werber
12 – Victoria Beckham
11 – Naomi Watts
10 – Leonard de Vinci
9 – Katie Holmes
8 – Mylène Farmer
7 – Albert Einstein
6 – Brad Pitt
5 – Vanessa Paradis
4 – Bob Marley
3 – Mahatma Gandhi
2 – John Lennon et Yoko Ono
1 – Brigitte Bardot

*Source : www.vegetarisme.info*

31 octobre, dans une ville reculée des États-Unis. Jack et trois de ses amis sont bien décidés à profiter de cette nuit d'Halloween et se rendent à la soirée prisée du coin. Les jeunes femmes sont nombreuses et tout le petit groupe trouve une cavalière. Sauf Jack.

**En fin de soirée, bredouille, en manque et quelque peu alcoolisé, l'homme décide de rentrer chez lui à pied.** En chemin, il passe devant un champ de citrouilles. Il se dit que celles-ci doivent être chaudes, douces et humides à l'intérieur…

Ni une ni deux, il entre dans le champ, perce un trou dans une citrouille et se met aussitôt à l'œuvre… Totalement absorbé par son activité, il n'entend pas arriver la patrouille de police.

L'un des policiers s'approche et lui demande :

**– Excusez-moi, monsieur, mais vous rendez-vous compte que vous êtes en train de faire vos petites affaires avec une citrouille ?**

Le gars, surpris, cherche une répartie digne de ce nom…

– Hein ? Une citrouille ? Merde, il est déjà minuit… ?!

*Le chien passe en catastrophe avant que l'on n'habite l'arbre.*

**LE CHIEN PISSE EN CATASTROPHE AVANT QUE L'ON N'ABATTE L'ARBRE.**

# Atmosphère zen pour manger moins

Un fast-food de l'Illinois, aux États-Unis, a été le théâtre d'une drôle d'expérience. Deux psychologues ont décidé d'y mener une étude. Pour cela, ils ont totalement redécoré la moitié de l'établissement : adieu musique à fond et couleurs vives, bonjour musique douce et ambiance tamisée. Le restaurant était donc divisé en deux parties très distinctes. Les 33 premiers clients ont été installés dans la salle habituelle et les 29 suivants, dans la pièce nouvellement aménagée.

Les psychologues ont pu remarquer que les personnes placées dans la salle redécorée étaient plus calmes, qu'elles écoutaient davantage leur corps et, donc, mangeaient moins.
**Amateurs de régime, sachez donc que manger dans un endroit calme et zen permet de diminuer la quantité de nourriture ingérée !**

# La journée idéale

Deux chercheurs se sont récemment mis en quête de la journée parfaite. Pour cela, ils ont interrogé 909 femmes, qui leur ont confié leurs activités préférées et leur durée idéale. Voici le découpage d'une journée de 16 heures idéale :

106 minutes de sexe
82 minutes de sociabilisation
78 minutes de relaxation
75 minutes de repas
73 minutes de méditation et/ou de prière
68 minutes de sport
57 minutes d'utilisation de son téléphone
56 minutes de shopping
55 minutes devant la télévision
50 minutes de préparation des repas
48 minutes sur l'ordinateur
47 minutes de ménage
46 minutes à s'occuper des enfants
46 minutes à faire la sieste
36 minutes de travail
33 minutes de transports

Malheureusement, aujourd'hui, nous passons en moyenne 244 minutes par jour à travailler, pour seulement 7 minutes de sexe…

*Source* : Journal of Economic Psychology

• Quand j'étais petite, j'avais peur du noir. Aujourd'hui, quand je vois ma facture d'électricité, j'ai plutôt peur de la lumière.

**• En guise de lettre de motivation, j'hésite à donner mon relevé de compte.**

• « Allez les gars ! On s'en bat la couille et on reste positif ! » – Lance Armstrong

**• 1 Marseillais sur 10 a peur de se faire voler son portable. Les 9 autres volent des portables.**

• Je recharge mon portable tellement souvent qu'il en devient presque un téléphone fixe.

• Je veux pas vous déprimer, mais Noël est dans trois mois, et ça signifie l'arrivée des pubs Canal+ avec les cerfs qui chantent...

**• Ce shampoing censé ralentir la chute des cheveux est une arnaque. Je viens de voir un de mes cheveux tomber aussi vite qu'avant.**

• *Man vs. Wild*: Ne ratez pas le prochain épisode, où Bear Grylls tentera d'obtenir un appartement à Paris avec un SMIC et sans caution.

**• Je ne supporte pas les gens qui se plaignent.**

• J'avais une blague sur Carrefour, mais elle a pas supermarché.

• Je ne comprends pas qu'on laisse libre Max, alors qu'il y en a qui l'ont vu voler !

**• J'ai enfin compris pourquoi Gilbert Montagné avait tendance à tutoyer tout le monde : il ne vouvoie pas !**

• Deux morts retrouvés dans un appartement à Bastia. Malheureusement, ce n'était pas un appartement témoin.

**• Ce qui est chiant avec une imprimante multifonctions, c'est que lorsqu'elle tombe en panne, t'es dans une multimerde.**

• Si tu n'as pas de Louboutin, marche sur un Babybel !

• Il paraît qu'il est parfois préférable de ne pas se poser de questions. Je me demande bien pourquoi…

**• Toutes les 60 secondes, en Afrique… une minute passe.**

• J'ai enfin trouvé une place pour me garer dans Paris. Maintenant, faut que je trouve un taxi pour aller là où je voulais aller à la base.

**• Le pessimiste : Je vois un tunnel sombre.**
**L'optimiste : Je vois une lumière au bout du tunnel.**
**Le réaliste : Je vois un train.**
**Le conducteur de train : Je vois 3 connards sur les rails !**

• Ne dis jamais à un zoophile que tu as un chat dans la gorge !

# Pourquoi dit-on… Cocktail ?

Un cocktail est un mélange de boissons et contient souvent de l'alcool.

**La naissance du mot « cocktail » fait l'objet de nombreuses théories.** Voici celles qui reviennent le plus souvent et paraissent donc le plus plausibles :

– Lorsque l'on se déplaçait encore à cheval, l'habitude voulait que l'on tresse la queue de sa monture, ce qui a engendré l'expression « cocked-tail », soit queue tressée. Les pur-sang étaient reconnaissables à leur queue, jamais tressée. La locution « cocked-tail » a évolué pour désigner tout ce qui avait une origine bâtarde… avant de se rapporter aux mélanges de boissons dont on ne connaît guère la composition.

– **Le mot « cocktail » serait également une déformation du mot français « coquetier »** puisque c'était à l'intérieur de ces objets que l'on servait lesdites boissons, à La Nouvelle-Orléans, au XIX^e siècle.

– D'autres pensent que le nom serait venu d'une coutume voulant que l'on décore et signale les verres contenant de l'alcool en y plaçant une plume de coq.

– Pour finir, certains pensent que le mot cocktail est lié à l'histoire de la princesse mexicaine Xoctl dont le père avait pour habitude de fabriquer d'étranges mélanges de boissons…

Vous avez toujours envié la belle chevelure de **CAROLE BOUQUET** et vous rêvez de connaître son secret ? Eh bien sachez qu'elle se lave la tête à l'eau minérale, uniquement ! Chaque mois, elle se fait livrer 500 bouteilles de Volvic à son domicile.

**MALIKA MÉNARD** a eu l'honneur d'avoir une série de timbres en édition limitée à son effigie. Ainsi, 10 000 enveloppes « Prêt-à-poster » ont été éditées avec le portrait de Miss France 2010 posant devant l'Abbaye-aux-Hommes de Caen.

Aujourd'hui, si l'arrière de la cathédrale Notre-Dame de Paris est éclairé chaque nuit, c'est grâce à **PASCAL SEVRAN**. L'animateur de télévision habitait l'île Saint-Louis et ses fenêtres donnaient sur l'arrière de l'édifice religieux, longtemps resté dans le noir. Il a fait part de son souhait de voir cette partie du monument illuminée à son ami **BERTRAND DELANOË**, le maire de Paris… qui a entendu sa requête !

Les propriétaires de Bordeaux ont de magnifiques hôtels.

**LES PROPRIÉTAIRES DE BORDELS ONT DE MAGNIFIQUES AUTOS.**

Dans un chic restaurant parisien :

**– Garçon ! Apportez-moi un homard, je vous prie !**

Quelques instants plus tard, un homard est servi au monsieur l'ayant commandé. Celui-ci réalise alors qu'il manque une pince à l'animal…

– Voyez-vous, explique le serveur, les homards sont vivants et évoluent dans un gros aquarium afin qu'ils restent frais jusqu'au dernier moment. Malheureusement, il peut arriver qu'au cours d'une bagarre l'un d'eux se fasse arracher sa pince.

– Ah… Très bien… Je comprends tout à fait… **Alors reprenez ce homard et ramenez-moi le vainqueur !**

# Arrêtez de faire pipi la nuit !

Selon des urologues de l'université de Maastricht, **se lever plusieurs fois la nuit pour aller aux petits coins aurait une influence néfaste sur notre travail.** D'ailleurs, cela porte un nom : la nycturie.

Selon les scientifiques, un adulte sur trois souffrirait de ce souci... qui provoque tout de même une baisse de leur productivité de 24 % ! Le professeur d'urologie à la tête de cette étude a déclaré au Telegraph : « **L'envie de faire pipi la nuit devrait être prise tout autant au sérieux que d'autres pathologies chroniques, comme l'asthme.** Cela veut dire qu'un adulte sur trois n'est pas au top de ses performances au travail à cause de ce petit souci ».

Si vous souffrez de ce symptôme, il peut être bon de consulter votre médecin. Dans la plupart des cas, ce phénomène est tout simplement dû à une consommation élevée de boisson, mais cela peut également être le signe annonciateur d'une hypertrophie de la prostate ou d'un diabète.

# NoMaggot

On peut traduire *No Maggot* par « pas d'asticot » : le ton est donné ! **Cette application est un scanner permanent de votre frigo.** Chaque année, un foyer jette en moyenne 100 kg de nourriture. Pour éviter cette énorme perte d'argent et ce manque d'écologie dans votre quotidien, vous pouvez télécharger l'application NoMaggot. Le principe est très simple : lorsque vous remplissez votre frigo, vous scannez un à un vos produits et indiquez leur date de péremption, quand cela n'est pas fait automatiquement. Quelques jours avant la date fatidique à laquelle vous devrez jeter votre nourriture, l'application vous envoie un petit rappel.

Astucieux, simple d'utilisation et gratuit !

Disponible sur Android – Gratuit

Il aime à être montré
et suivi,

et l'imiter est toujours bon.

Il peut servir de leçon

et de mise en garde aussi.

Qui est-il ?

**Solution**

L'exemple.

# Pourquoi dit-on... Durer des plombes ?

On dit d'un repas de famille qui s'éternise qu'il dure des plombes. « Durer des plombes » est donc synonyme de durer longtemps.

En argot français, une plombe était une heure sonnée par l'église. « Durer des plombes » signifiait donc qu'**on avait tant attendu qu'on avait eu tout le loisir d'écouter le clocher sonner plusieurs fois** !

# Et si vous emménagiez chez Mickey ?

En sortant de l'un des parcs Disneyland, beaucoup rêvent de devenir les voisins à vie de ces personnages de dessins animés. Et si ce rêve devenait réalité ? **On ne le sait que trop peu, mais de son vivant, Walt Disney a voulu créer une ville à l'image de ses films : parfaite, dans un cadre idyllique et sans criminalité.** Il voulait l'appeler EPCOT pour Experimental Prototype Community Of Tomorrow (soit « prototype expérimental d'une communauté du futur »). Mais le célèbre homme d'affaires est mort avant que sa ville ne soit sortie de terre. Le projet fut alors quelque peu transformé et vit naître la ville de Celebration.

En 1995, les premiers habitants s'installent dans les 351 maisons de Celebration, en Floride. La ville est proche d'Orlando et du parc d'attraction Walt Disney World Resort. **Ici, tout est accessible à pied pour favoriser le contact entre les habitants, et les bâtiments semblent tout droit sortis de l'univers Disney !** Le but est de créer une profonde amitié entre les riverains, comme dans le monde merveilleux des dessins animés. Les habitants de la ville ont un bel avantage sur les autres Américains : ils peuvent entrer directement dans le parc d'attraction

Disney, tout proche, via un passage qui leur est réservé, sans aucun pass.

Mais pour vivre ici, il faut se plier à nombre de règles : le gazon doit toujours être impeccable, on ne peut pas stationner plus de quelques heures devant sa propre maison, il faut demander aux autorités quelle couleur est autorisée pour repeindre sa maison... Même les rapports entre les habitants doivent obéir aux règles de vie de la cité !

**Si, toutefois, vous désiriez y habiter, sachez qu'il vaut mieux être blanc** (puisque la population en est composée à 94 % !) et qu'il vous faudra débourser 150 000 $ pour un modeste appartement et 800 000 $ si vous souhaitez emménager dans l'une des maisons les plus spacieuses.

Pour découvrir l'univers Disney sans aller en Floride, ou sans payer un onéreux billet d'entrée, vous pouvez vous rendre à Val d'Europe, à une station RER du parc d'attraction Disneyland Paris. De 1989 à 2003, le groupe Disney aurait investi plus de 5 milliards d'euros dans cette ville d'Île-de-France, alors que l'État français n'y aurait investi « que » 500 millions. Ici aussi, les Américains imposent un style architectural proche de leurs créations sur grand écran.

# Alba : le lieu d'invention de la célèbre pâte à tartiner Nutella

Avec des crêpes, du pain, du yaourt ou à la petite cuillère : chacun a ses préférences quand il s'agit de Nutella ! La mythique pâte de noisette, qui ravie les papilles des grands comme des petits, a vu le jour dans un bourg piémontais du nord de l'Italie.

## Ferrero : tout commence Via Rattazzi à Alba

C'est Pietro Ferrero, un fameux pâtissier de la rue Via Rattazzi à Alba, en Italie, qui est à l'origine de la célèbre pâte à tartiner. Dans un contexte de fin de Seconde Guerre mondiale, il travaille sur une recette pour le goûter des enfants italiens avec son frère Giovanni. Les noisettes poussent à foison sur les collines des Langhes : ce sera la base de cette création. Le cacao, très cher, ne sera présent qu'en quantité négligeable : une pincée suffit. Ajouté à du sucre, du lait écrémé en poudre et des huiles végétales, le mélange est broyé et légèrement chauffé. C'est la naissance du Nutella, qui n'adoptera ce nom définitif que le 20 avril 1964, en France !

## Une canicule à l'origine de la pâte à tartiner

Dès le 14 mai 1946, Pietro Ferrero ouvre une usine de confiserie au bord de la rivière Tanaro ; aujourd'hui, c'est le site principal de l'entreprise Ferrero, en Italie. En 1949, l'Italie connaît une forte canicule : le chocolat des frères Ferrero, d'abord présenté solide dans du pain, fond sous l'effet de la chaleur, d'où surgit l'idée d'une pâte à tartiner ! Mais la même année, Pietro meurt d'un infarctus. Son frère Giovanni, qui mourra en 1957, reprend les rênes avec son fils, Michele ; celui-ci poursuivra seul l'internationalisation.

## La Haute-Normandie, la plus grosse productrice de Nutella au monde

En 1959, une filiale française s'installe à Villers-Écalles en Haute-Normandie. Le siège social est implanté à Mont-Saint-Aignan, près de Rouen ; aujourd'hui, il s'agit du premier lieu de production de Nutella au monde : un pot sur trois en sort ! Pas étonnant, car les Français sont les plus grands consommateurs de Nutella en Europe : 53 % des foyers en achètent au moins une fois par an ! Devenu quasi indispensable au petit déjeuner ou au goûter, le Nutella a souvent été imité mais jamais égalé. Depuis 1949, la recette est tenue secrète. Il faut savoir qu'elle varie légèrement d'un pays à l'autre : si, en France et en Italie, la pâte à tartiner est très crémeuse, elle l'est moins en Allemagne, où le pain est plus dur !

Marcel, 82 ans, profite de son après-midi pour se rendre à la maison close du coin. Madame Claude encaisse le montant de longues heures de plaisir et mène Marcel à Maryline, une jeune prostituée. L'improbable couple entre dans la chambre 12, quand la jeune femme dit :

**– Allez papi, déshabille-toi que l'on passe à la vitesse supérieure ! Je vais te montrer comment les jeunettes font l'amour, aujourd'hui !**

Marcel obtempère en moins de temps qu'il n'en faut pour le dire. Maryline s'empare alors de ses vêtements, qu'elle jette par la fenêtre. Devant le regard interloqué de son client, elle se justifie :

– Tu vas tellement transpirer toute la nuit que, demain, ces fringues te seront bien trop grandes !

Marcel encaisse le coup, puis, une fois Maryline dans le plus simple appareil, jette ses affaires par la fenêtre :

**– T'en fais pas, poupée, le temps que je bande, la mode aura changé !**

...Et une fois
deshabillé... qu'est-ce
que je dois faire déjà ??
Tu enlèves
le déambulateur !
Sabine
Nouvel

# MOTS CROISÉS

***Horizontalement***

1 : Vraiment pas long
2 : Aussi tyrannique qu'un célèbre empereur romain
3 : Création artistique
4 : 100 kilos – Partir et revenir
5 : Vase – Carreau
6 : Entreprise dirigée par une seule personne – Premier président de la Corée du Sud – Tony Parker
7 : Du Nord – Monnaie cambodgienne
8 : Éméchées
9 : Au centre du pain – Là
10 : ADN qui se déplace

***Verticalement***

A : Exclusivement
B : Sid en est un
C : Convoi – Mis en vers
D : Écourter – Pinard
E : Commune d'Eure-et-Loir – Héritière latine
F : Astiquage
G : Au plus proche de l'œil
H : Couverture – Déesse protectrice
I : Route nationale – Partie d'une pièce de théâtre – La Colombie sur Internet
J : Étendue artificielle de terre acquise sur la mer

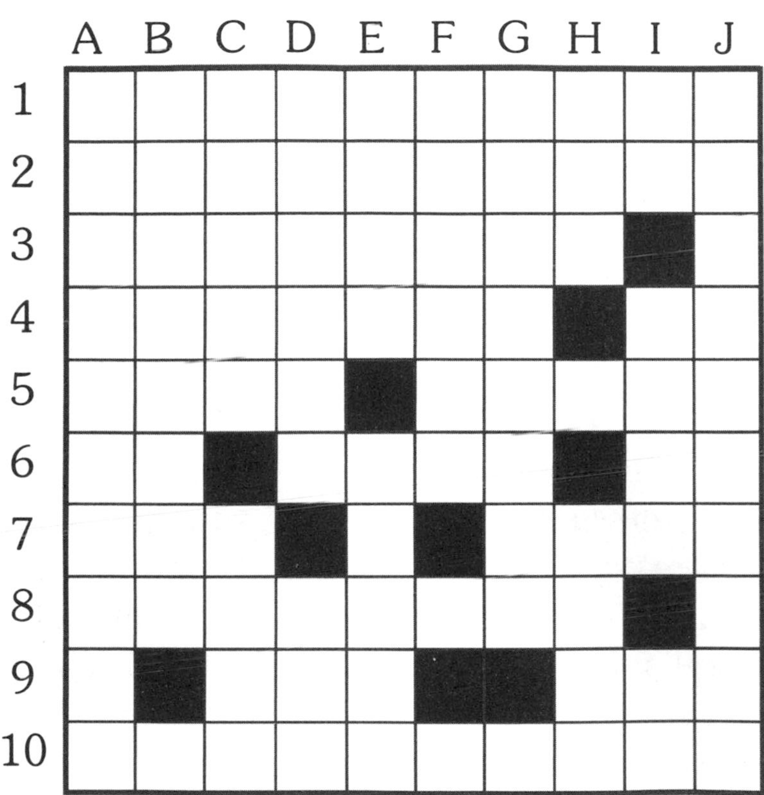

*Solution page 679*

# Hotel Tonight

On a quasiment tous connu ça un jour : arriver dans une nouvelle ville et ne pas savoir où dormir. Parce qu'on s'est disputés, parce qu'un voyage ne se passe pas tout à fait comme prévu ou parce qu'on a décidé de partir en week-end sur un coup de tête. Il est tard, impossible de réserver un hôtel. **Ça commence alors à sentir la nuit dans la voiture…**

Pas d'inquiétude, dorénavant, pour éviter de vous retrouver dans une telle situation, vous pourrez utiliser l'application Hotel Tonight. Elle vous permettra de **réserver un hôtel jusqu'à 2 h du matin dans de nombreuses villes** d'Europe, ainsi qu'au Canada, au Mexique et aux États-Unis, et de profiter de jolies réductions jusqu'à – 70 % !

Disponible sur iPhone, iPod Touch, iPad et Android – Gratuit

# La pire, c'est celle du matin !

Les gros fumeurs ne peuvent s'empêcher d'allumer leur première cigarette dès le réveil... Mais savent-ils que c'est la plus cancérigène de toutes ? Selon deux études américaines menées par le professeur Joshua E. Muscat, **les personnes fumant pour la première fois de la journée moins d'une demi-heure après leur réveil sont celles qui risquent le plus de développer un cancer du poumon**, « de la tête et du cou ». Réussir à attendre au moins une heure avant d'en griller une permettrait de quasiment diviser le risque de cancer par deux, quelle que soit sa consommation journalière de tabac.

À l'heure actuelle, on reconnaît le cancer broncho-pulmonaire à ses premiers symptômes (crachats plein de sang, perte importante de poids et toux chronique). Mais bien souvent, lorsque ceux-ci surviennent, la maladie est déjà solidement ancrée dans le corps...

Chaque année, en France, **73 000 décès prématurés sont imputés au tabac**, dont 44 000 à cause de cancers.

*Source : Slate.fr*

Son offre est rémunérée,

du temps, il est scolaire.

Les jeunes le recherchent,

parfois trop longtemps,
lorsqu'il est le premier.

Qui est-il ?

**Solution**

L'emploi.

# Pourquoi dit-on... Le parquet ?

Aujourd'hui, on désigne les magistrats d'un tribunal par l'expression « le parquet ».

Celle-ci remonte au XVIIe siècle, époque à laquelle **un parquet était un petit parc clos**. Au tribunal, les juges étaient assis sur trois des quatre côtés de la salle. L'espace resté libre au centre représentait la justice et la paix... et ressemblait à un petit parc.

**www.maviedefemme.com**

**et Marie Dewulf,**

**astrologue réputée,**

**vous présentent :**

# L'HOROSCOPE 2014

# BÉLIER (21 mars – 20 avril)

## Votre ciel de 2014

Le grand trublion du zodiaque occupe toujours votre signe, mais taquine surtout les natifs des 1^er^ et 2^e^ décans. L'entrée du printemps sera tonique, tonnante et détonante. Vous garderez cette énergie tout au long de cette année. Les natifs du 3^e^ décan peuvent encore profiter d'une certaine quiétude tout en étant actifs, mais nettement moins brouillons.

## Votre ciel relationnel

Ciel mitigé le premier semestre, ciel bleu le reste de l'année !

Quelques particules polluantes flottent dans le ciel des couples et donnent quelques allergies ! Même si ces premiers mois ne sont pas au beau fixe, il y a néanmoins des zones de quiétude parmi celles plus électriques. Une fenêtre toute particulière s'ouvre en juillet, un moment de reconnexion profitable aux couples fragilisés.

C'est un vent d'indépendance qui souffle dans le ciel des célibataires ! Mais l'été sera chaud ! Après avoir goûté au bien-être à deux, vous pourriez jouer les prolongations dans une relation plus construite avec plein de projets dans la tête et le cœur.

## Votre ciel professionnel et financier

Grosse bousculade planétaire dans ce domaine.

Ce début d'année sera intense. Beaucoup de remises en

question qui touchent plus particulièrement les natifs du 1er décan et sont propices à une réorientation, un changement, une évolution professionnelle. Si les natifs du 3e décan peuvent encore regarder cette météo céleste sereinement, ceux du 2e décan doivent déjà se préparer à l'arrivée de cet ouragan et mettre certains projets dans leurs cartons.

Si vous êtes à la recherche d'un travail, ce début d'année est riche de possibilités. Semez à cette période et vous récolterez à partir du printemps !

Côté budget, la prudence vous est conseillée au premier semestre, surtout dans les transactions et spéculations. Le reste de l'année se montre plus confortable.

## Votre ciel bonne forme

Une pile électrique !!!

Infatigable, increvable, du dynamisme à revendre. Dommage que vous ne puissiez stocker le surplus en prévision de périodes de fatigue. Un Speedy Gonzales qu'on aura beaucoup de mal à suivre. Attention, toutefois, à ne pas mettre de la distance. Vous connaissez la maxime : « Rien ne sert de courir... » ! C'est bien de faire la course en tête, mais on est aussi seul !

Pour canaliser cette énergie, pour qu'elle vous soit bénéfique et non contrariante, faites du sport ! Du sport à grosse dépense d'énergie, pour bien vous défouler, comme de la boxe, du sprint, du basket, du jogging ou tout autre sport de plein air.

# TAUREAU (21 avril – 20 mai)

## Votre ciel de 2014

Vous recevez des influx très costauds de signes amis, mais vous avez la possibilité de vous mettre à l'ombre et de ne recevoir que ce qui vous convient. Sachez quand même que ces amis vont tenter de vous bousculer et de vous faire sortir de vos sentiers battus. Pour bien gérer ces influx, un ami modérateur vous aidera au discernement, à faire la part des choses, à prendre les bonnes décisions.

## Votre ciel relationnel

Un ciel plutôt serein dans ce domaine.

Vous allez pouvoir paître paisiblement dans vos verts pâturages, profiter du temps qui passe avec volupté et gourmandise dans votre *sweet home*, à deux et/ou entouré(e) des vôtres. Ce sera une zone d'ancrage et de ressourcement dans laquelle vous puiserez l'énergie nécessaire pour faire face aux sollicitations de la vie. Si l'amour a pris la clef des champs, ce sera temporairement.

Vous cultiverez aussi les fleurs de l'amitié par une présence d'écoute, d'attentions et d'aide. On pourra compter sur vous et votre bon sens.

## Votre ciel professionnel et financier

Toutes voiles dehors !

Avec toutefois un vent qui tourne de la mi-mars à la mi-mai.

Ces deux mois de contrariétés diverses et variées peuvent, selon votre ciel de naissance, vous déstabiliser, vous perturber ou vous bouleverser. Ce sera l'heure pour vous d'envisager de sortir de vos sentiers battus et de vous ouvrir à d'autres perspectives. Un guide céleste vous aidera à décanter la situation à votre profit.

Pour les espèces sonnantes et trébuchantes, elles tomberont dans votre escarcelle, pour votre plus grande joie. Mais soyez plutôt Oncle Picsou que généreux donateur. Ce n'est pas le moment de donner votre chemise !

## Votre ciel bonne forme

Les montagnes russes !

Votre forme et votre humeur fluctuent au gré des influx planétaires et en contradiction avec les nécessités de votre quotidien.

Comment gérer ces fluctuations et vos besoins ? Par une bonne hygiène de vie, une bonne diététique et quelques exercices de respiration. Le tai-chi est une formule qui répond bien à votre tempérament, avec ses mouvements doux et ses respirations profondes. Cette méthode venue d'Asie régule et harmonise la circulation des énergies. Côté diététique, évitez les grignotages chers à votre gourmandise et adoptez un « régime » bonne forme, en fonction de vos besoins.

# GÉMEAUX (21 mai – 21 juin)

## Votre ciel de 2014

Une année en roue libre !

Voilà qui vous va bien ! Une promenade joyeuse, plaisante et pleine de surprises, d'opportunités, de rencontres, sur les sentiers de la vie. Année plutôt agréable. Vous bénéficiez encore des effets que Jupiter a laissés dans son sillage. Ce n'est qu'en cherchant beaucoup qu'on peut trouver une petite ombre dans votre vie professionnelle, mais uniquement pour donner un peu de relief.

## Votre ciel relationnel

Vos amours se portent bien. En couple, votre relation gambade avec tendresse et volupté. Peu de nuages dans votre ciel. Votre cœur va pouvoir bronzer. Les célibataires musardent et prennent plaisir dans la légèreté, préférant jouer à cache-cache avec Cupidon à un engagement même temporaire. Mais leur cœur ne sera pas au chômage pour autant ! Et si d'aventure la foudre vous tombe dessus, vous accrocherez *Don't disturb* à la porte de votre chaumière.

Votre maison sera souvent remplie de rires, de discussions animées. Vous affectionnez cette ambiance et vous la cultivez, entouré(e) de vos ami(e)s.

## Votre ciel professionnel et financier

Dans ce domaine, vous consolidez ce que vous avez commencé voici quelques mois. Cela peut parfois vous sembler fastidieux et ennuyeux, plus particulièrement pour les 3e décan. Tout au long de cette année, vous aurez la possibilité de déployer toute votre envergure, mais à condition de vous « ancrer ». Rappelez-vous : un arbre solide a de bonnes racines !

Jupiter, qui gouverne votre maison financière, lui donne du confort et, selon vos actes, de l'ampleur. Période favorable pour investir. Laissez parler votre intuition et vous trouverez la bonne occasion !

## Votre ciel bonne forme

Sourires et bonne humeur !

Une bonne forme en général. Bon tonus, bonne récupération, bonnes énergies. Vous pouvez gazouiller et virevolter selon votre bon plaisir.

Pour bien préserver votre capital énergie et entretenir votre bonne forme, faites de grandes promenades dans la nature. Évitez cependant les trop longues veillées qui sont porteuses de fatigue et donc de distraction. La distraction engendre des maladresses qui peuvent générer des petits soucis. Ne mettez pas en place la loi de causalité, car en bout de chaîne c'est le bobo qui vous guette. Un bon dodo vaut mieux qu'un petit bobo !

# CANCER (22 juin – 22 juillet)

## Votre ciel de 2014

Vous êtes le phénix des hôtes du zodiaque !

Jupiter séjourne dans votre signe et vous prodigue tous ses bienfaits ! Sauf fin janvier, où il a une conversation houleuse avec un partenaire céleste qui vous touche dans vos profondeurs. C'est le moment de faire le ménage dans ce qui vous chagrine et de tourner la page. Jupiter et ses bienfaits vous quittent à la mi-juillet, mais il aura semé pour longtemps.

## Votre ciel relationnel

Le calme revient chez vous, natifs du 1er décan. Ceux du 3e sont encore à l'abri des intempéries amoureuses. Ceux du 2e sont dans l'œil du cyclone, avec plus ou moins de force, selon leur ciel de naissance. Ce vent va dépoussiérer votre vie amoureuse, lui donner du relief, de l'amplitude ou la faire retomber comme le soufflé au premier coup de froid. Vous n'allez donc pas vous ennuyer et votre cœur fera des bonds !

Pour certains, il y aura des petits heurts ou des tiraillements avec vos proches. Le vent va aussi souffler dans ce domaine, vous apportant des amis nouveaux, pendant que d'autres partent vers d'autres horizons.

## Votre ciel professionnel et financier

Mouvements et remises en question pour les 1er décan, vitesse de croisière pour les autres. Ne voyez toutefois pas ce mouvement comme une difficulté, mais plutôt comme une évolution. N'oubliez pas que vous êtes bien soutenu(e) tout au long de cette année et que bouger est synonyme de renouveau. Nc voyez pas la vitesse de croisière comme un train-train ennuyeux mais comme une progression lente et assurée : vous assurez comme un coureur de fond.

Côté finances, donnez audience à votre raison, après avoir écouté les chuchotements de votre cœur, surtout si vous ne voulez pas vous retrouver l'estomac dans les talons sur les montagnes russes.

## Votre ciel bonne forme

Le superintendant de votre forme séjourne dans votre signe. Il va vous guider, vous coacher et jouer les trouble-fête lorsque vous vous écarterez de la zone de bonne forme. L'air, l'espace joueront un rôle dans la bonne circulation de vos énergies. Veillez donc à toujours bien aérer votre *sweet home* et vos poumons, à vous ressourcer dans la nature, auprès de votre arbre (du 22 au 23/06 : le figuier ; le 24/06 : le bouleau ; du 25/06 au 4/07 : le pommier ; du 5 au 14/07 : le sapin ; du 15 au 22/07 : l'orme). Si vous ne pouvez pas vous asseoir au pied de votre arbre, pensez aux huiles essentielles à diffuser dans votre espace de vie ou à mettre dans votre savon de douche.

# LION (23 juillet – 22 août)

## Votre ciel de 2014

Un début en catimini et une montée en crescendo, jusqu'au fortissimo !

Une première période d'année un peu maussade, mais lorsque Jupiter entre dans votre signe, à la mi-juillet, vous vous réveillez comme la Belle au bois dormant, exhalant tous vos parfums, talents et autres petites choses qui font votre personnalité. Pour vos grands projets, attendez cette période.

## Votre ciel relationnel

Le prince sera charmant pour les cœurs à prendre, et toujours charmant pour les cœurs déjà pris. Vos amours vont bien, les projets sont là, c'est une zone de plénitude, de bien-être, de ressourcement, de repos pour la guerrière ou le guerrier que vous êtes. Il y aura des projets plein le cœur, les mirettes et les poches.

Ambiance calme et paisible dans votre maison ; un peu plus agitée dans votre vie relationnelle. Il peut y avoir de-ci de-là quelques échanges plus sportifs ou quelques rivalités pour vous titiller l'humeur. Attention à ne pas tomber dans le piège du combat de coqs !

## Votre ciel professionnel et financier

Une réunion planétaire dans ce domaine vous tiraille dans tous les sens. Votre grande question : Que vais-je faire avec tout ce que j'ai et tout ce que je sais ? Vous devriez plutôt vous poser la question : comment faire avec ce que j'ai et tout ce que je sais ? Parce que c'est le moment de vous donner de nouveaux moyens pour atteindre ou réaliser ce que vous avez dans le cœur, les mains, la tête. Mais sachez que vous avez encore du temps pour cela. Donc pas de précipitation, mais partez à point !

Mesure et pondération sont à votre programme financier tout au long de cette année, si vous souhaitez faire quelques investissements.

## Votre ciel bonne forme

Votre forme fluctue au rythme de vos états d'âme, qui, eux seront soumis aux conversations que les planètes, là-haut, ne manqueront pas d'avoir. Si je peux me permettre un conseil : réservez-vous des zones sacrées, des zones très personnelles, dans lesquelles vous invitez qui vous voulez, mais desquelles vous pouvez aussi fermer les portes, pour savourer en toute quiétude et vous ressourcer.

Préparez-vous des flacons de savon douche qui vous stimulent en cas de fatigue (huiles essentielles de pamplemousse, citron, gingembre, citronnelle) ou vous détendent en cas de surchauffe (huiles essentielles de lavande, géranium, camomille, ylang-ylang, niaouli).

# VIERGE (23 août – 22 septembre)

## Votre ciel de 2014

Une météo céleste éclectique !

Natifs des 1er et 2e décans, vous aurez souvent l'impression de marcher sur des sables mouvants ! Ça bouge et ça déménage !!! Si vous gardez le contrôle, tout va bien, mais si vous êtes baladé(e), bonjour le stress ! Donc une année pas vraiment de tout repos, mais remplie de challenges, de nouveautés, de troubles, de surprises, de découvertes : l'ennui ne frappe pas à votre porte !

## Votre ciel relationnel

C'est le domaine le plus délicat. Émotions et troubles en pagaille ! De quoi en perdre le latin et la boussole de la bonne petite Vierge que vous êtes. N'y voyez pas une année de catastrophes, loin s'en faut, mais plutôt une année de changements, de bouleversements (à prendre dans le bon sens du terme), de troubles, d'exaspérations, d'énervement, de contrariétés (surtout quand ce n'est pas vous qui pilotez), d'exaltation et d'enthousiasme, de sagesse et de folie !

Vous aurez l'un(e) ou l'autre ami(e) sur qui vous pourrez compter lorsque vous perdrez pied. Ce cercle restreint sera toujours présent en cas de besoin.

## Votre ciel professionnel et financier

Un domaine en mouvement, auquel vous devrez vous adapter constamment. Soyez le roseau qui plie et non le chêne qui se brise. Mais comme ces changements sont déjà dans vos radars depuis quelque temps, vous êtes prêt(e) à franchir certains pas vers la nouveauté ou à prendre votre envol dans un projet personnel. Envol qui assurera votre succès !

Côté finances, vous devrez toujours avoir un œil sur vos compteurs. Dans cette période de remue-ménage, vous auriez tendance à vous ancrer par un achat immobilier, mais le moment n'est pas vraiment propice, sauf si votre configuration personnelle vous y autorise.

## Votre ciel bonne forme

Vous avez de la ressource, du tonus, mais qui seront parfois malmenés par vos angoisses.

Yoga, tai-chi, aquagym, pause-détente, sont des moyens de garder la bonne forme. Ajoutez à cela un rythme de vie régulier, des plages indispensables de farniente et vous garderez votre vitalité, en tordant le coup à vos angoisses.

N'hésitez pas à goûter aux massages aux huiles essentielles. Qu'ils nous viennent de Thaïlande, de Californie ou de Vénus, ce qui est important, c'est qu'ils vous proposent une déconnexion bienfaisante et ressourçante. Vous devriez déjà les inscrire dans votre agenda, avant qu'il ne soit trop encombré.

# BALANCE (23 septembre – 22 octobre)

## Votre ciel de 2014

Un début d'année sur les chapeaux de roue, puis un essoufflement, de fin mars à fin mai pour reprendre une belle vitesse de croisière et vous conduire jusqu'à la fin de cette année.

Excepté ce petit ralentissement, votre année sera joyeuse et remplie de surprises, d'opportunités, de découvertes et vous pourrez compter sur une bonne énergie. Votre *sweet home* sera l'objet de toutes vos attentions !

## Votre ciel relationnel

Les bourrasques, qui soufflent sur les relations tant amoureuses qu'amicales ou familiales jusqu'en mai, risquent de faire tomber quelques feuilles. C'est une période mouvementée, qui va voir des relations s'évanouir et d'autres prendre leur essor. Votre agenda va connaître la nouveauté !

Cupidon, qui se tient en embuscade, jouera les trouble-cœurs. Soit il dépoussière une relation languissante, soit, pour votre plus grand plaisir et le sien, il réveille le/la séducteur(trice) qui sommeille en vous. C'est vous dire si cette année sera riche en émotions, en sensations, en excitations.

Votre *home, sweet home* sera votre havre de paix et de ressourcement.

## Votre ciel professionnel et financier

Un domaine qui tend à vous « aspirer » vers le haut !

Cette année, vous pouvez activer votre fonction « ambition ». Ambition au niveau de votre poste, de vos objectifs, de votre évolution, sans toutefois venir renflouer votre escarcelle. Des brèches s'ouvriront dans des réorganisations ou restructurations. Il ne tiendra qu'à vous de vous y engouffrer et de prendre l'ascenseur qui n'attend que vous.

N'entreprenez rien d'important dans la deuxième quinzaine d'avril. Cette période est à géométrie variable, trop variable pour tout ce qui concerne les engagements à long terme. Par contre, vous pouvez faire un *one shot* très profitable.

## Votre ciel bonne forme

Dans le premier tiers de l'année, une hypersensibilité s'accompagne de mouvements d'humeur et votre forme s'amuse sur les montagnes russes.

Entre exaltation et coups de raplapla, il y a de quoi faire balancer une petite Balance à lui en faire perdre son fléau ! Garder l'équilibre ne sera pas chose facile. Donc efforcez-vous d'avoir une bonne hygiène de vie, de veiller à un repos paisible et reconstituant. Évitez autant que faire se peut d'entamer un régime drastique ou un sevrage. Envisagez ces démarches à partir d'octobre, le succès sera au rendez-vous.

Pensez aux huiles essentielles pour vous aider à traverser ces périodes. L'aromathérapie est une démarche qui vous va bien.

# SCORPION (23 octobre – 21 novembre)

## Votre ciel de 2014

Une année placée sous le signe de la raison.

Cette raison vous sera très utile. Elle sera votre ancrage, chaque jour ou presque apportant son lot d'imprévus ou de surprises. Elle sera aussi votre gouvernail qui vous aidera à garder le cap. Elle sera comme la maison en briques des Trois Petits Cochons : un abri contre les bourrasques de la vie. N'oubliez pas, cependant, de laisser la lumière allumée, pour qu'on puisse venir se réchauffer !

## Votre ciel relationnel

La chaumière, vous l'avez ! L'autre cœur, pas toujours ! Mais vous appréciez ces moments de solitude et parfois, vous les recherchez. N'allez pas en déduire que vous fermez la porte à l'amour ou à l'amitié. C'est une période plus intérieure, plus introvertie ou méditative.

Lorsqu'un autre cœur partage votre *sweet home*, ça roucoule, ça ronronne, ça réchauffe, ça réconforte. L'ambiance est paisible, un véritable antidote aux trépidations extérieures.

Lorsque quelqu'un veut entrer dans votre chaumière, il ou elle doit montrer patte blanche et/ou faire montre de constance, la futilité, la légèreté et l'insignifiance n'étant pas compatibles avec votre besoin de stabilité.

## Votre ciel professionnel et financier

« On demande le capitaine Scorpion sur le pont des opérations ! »

Ce domaine ne sera pas de tout repos, c'est peu de le dire. Heureusement que vous aurez les pieds bien ancrés dans la terre. Vous êtes une sorte de culbuto qui reprend toujours son équilibre, même s'il est malmené. Vous garderez le cap malgré les tornades, qui se nomment réorganisation, restructuration. Très bonne période pour envisager une formation, un apprentissage enrichissant pour votre devenir professionnel ou pour alimenter votre curiosité.

Méfiance et prudence dans le domaine financier jusqu'en septembre. Si vous avez des projets d'investissement, un conseil, laissez-les dans vos cartons quelques mois !

## Votre ciel bonne forme

Ne confondez pas *home, sweet home* avec tour d'ivoire, il y aurait risque d'ankylose ! Donc donnez-vous du mouvement par une gym douce comme l'aquagym ou le tai-chi, qui associe la respiration aux mouvements souples du corps. Ces méthodes vous aideront à garder une bonne forme et une bonne circulation des énergies.

Petit exercice à faire le matin au réveil : devant la fenêtre, faites quelques étirements en inspirant lorsque vous vous étirez, en expirant lorsque vous vous relâchez. Petite recette apaisante et harmonisante : 2 gouttes d'huiles essentielles de santal alba + 2 gouttes de géranium bourbon + 2 gouttes de petitgrain bigarade + 2 gouttes de mandarine dans 10 ml d'huile de jojoba. Massez-vous deux fois par jour l'intérieur des poignets et la pointe du sternum.

# SAGITTAIRE (22 novembre – 21 décembre)

## Votre ciel de 2014

Un ciel qui joue à cache-cache entre calme et nervosité, entre stabilité et changement, entre équilibre et inconstance.

Fort et solide comme le chêne et souple comme le roseau, véritable « main de fer dans un gant de velours », vous êtes bien paré(e) pour faire face aux sollicitations de la vie. Ne sortez pas votre vie financière de vos radars ! Une conversation très animée dans ce secteur risque de vous distraire ou de vous disperser.

## Votre ciel relationnel

Fougue et ardeur chez les 1^er^ et 2^e^ décans. Votre vie amoureuse est pleine de reliefs et de surprises. Vous n'êtes pas à l'abri d'un coup de cœur, d'un coup de foudre ou d'un coup de lassitude. Cette variété de climats vous enchante à certains moments, vous désenchante à d'autres, mais sans que cela épuise votre confiance ou remette votre relation en question.

Les 3^e^ décan goûteront aux délices d'une vie paisible et agréable, à l'écart des tourbillons et autres remue-ménage.

Climat chaleureux dans les relations familiales, convivialité et complicité dans vos relations amicales.

## Votre ciel professionnel et financier

Votre vie professionnelle est solide et stable, avec peu ou pas de mouvement ou de relief, mais sans pour autant être monotone ou ennuyeuse. Cette stabilité vous convient bien et vous permet de vous ouvrir à d'autres horizons, d'alimenter votre curiosité débordante.

Si votre vie professionnelle se montre stable, votre vie financière est plus complexe et demande toute votre attention. Ne vous aventurez pas sur le sentier de la spéculation, qui est pavé de bonnes intentions, certes, mais aussi d'embûches et de chausse-trappes. Si vous envisagez une acquisition, écoutez plutôt votre intuition que votre raison : elle est plus pertinente pour ce qui est du choix.

## Votre ciel bonne forme

Bonne forme et surtout bonne capacité de récupération. S'il fallait mettre un bémol à votre bonne forme, c'est sur votre gourmandise que je braquerais les projecteurs !

Gourmand et gourmet, votre réputation n'est plus à faire. Gourmet ? Oui, vous pouvez. Gourmand ? Non ! Vous devez surveiller ce que vous mettez dans votre frigo et ce qui se retrouvera dans votre assiette. Donc faites des listes de courses en prévoyant à l'avance vos menus. Vous ferez des économies de calories et votre porte-monnaie aura le sourire ! Cette période est particulièrement propice pour ceux et celles qui décident de mettre plus de diététique dans leur assiette.

# CAPRICORNE (22 décembre – 20 janvier)

## Votre ciel de 2014

Réunion au sommet dans votre ciel !

Une réunion planétaire préside à votre évolution, à votre changement, on peut même dire à votre métamorphose. Les 1er décan arrivent en phase terminale du changement et entrent dans des zones plus sereines. Les 2e décan l'abordent avec toute la retenue qui les caractérise. Ils devront apprendre le lâcher-prise. Les 3e décan sont encore à l'abri de cette tornade.

## Votre ciel relationnel

Votre sensibilité émotionnelle est à fleur de peau et vous perdez pied ! Cette situation vous rend maladroit(e) et vous fait osciller entre « Je me laisse aller, je profite du moment et je vois comment ça se passe » ou « Je me bloque, je me drape dans ma dignité et je me protège en m'enfermant dans ma tour d'ivoire ». La Lune jouera un grand rôle dans vos multiples états d'être. Vous serez plutôt ouvert(e) et accueillant(e) dans sa phase montante, plutôt renfermé(e) et distant(e) dans sa phase descendante. Si vous avez des rendez-vous importants, consultez le calendrier lunaire.

Certains couples se perdent de vue et se remettent en question, d'autres s'engagent et font des plans d'avenir.

Des divergences de vue sont à craindre dans vos relations familiales, mais sont sereines du côté de vos amis.

## Votre ciel professionnel et financier

Dans ce domaine aussi, les conversations célestes tournent beaucoup autour de votre avenir. Ici aussi, elles vous incitent au changement, un changement mûrement réfléchi ou provoqué par des circonstances extérieures. Certain(e)s d'entre vous auront envie de voler de leurs propres ailes, de s'émanciper d'une structure, d'entreprendre un projet personnel.

De mars à juillet, vous aurez le sentiment d'être freiné(e) dans vos élans, vous aurez l'impression de tourner en rond. En effet, votre grand ami céleste prend un peu de repos, se replie et vous contraint à faire de même. C'est un bon moment pour mettre en place une formation, un apprentissage ou approfondir un projet qui vous tient à cœur. Lorsqu'il se déploiera, il aura le soutien d'un comparse. Ensemble, ils vous guident dans votre évolution professionnelle. Si vous souhaitez progresser, à partir de fin juillet, les portes s'ouvriront.

## Votre ciel bonne forme

Dans ce domaine aussi, vous serez secoué(e) ! Alors, profitez de votre période anniversaire pour prendre quelques bonnes résolutions. Prenez bien soin de votre corps. C'est important de le bichonner dans cette période de chambardement.

Tous les matins de préférence, faites quelques respirations et étirements devant la fenêtre ouverte, quelle que soit la météo. Faites profiter votre corps d'exercices de plein air comme des promenades, des randonnées à but culturel ou touristique, des flâneries au fil de vos envies. Offrez-lui de temps en temps des massages aux huiles essentielles, un hammam ou toute autre invitation à la volupté.

# VERSEAU (21 janvier – 18 février)

## Votre ciel de 2014

Vous commencez l'année sous le signe de la tendresse et de la volupté. Cette énergie vous habitera tous ces prochains mois.

On peut dire que cette année est pour vous une agréable promenade. On ne voit pas de gros nuages dans votre ciel. À partir de fin juillet, vous pouvez compter sur un ami céleste très cher, qui donnera plus d'envergure à vos ambitions tout en les posant. Il vous insuffle l'énergie pour les réaliser.

## Votre ciel relationnel

Une volière ! Ça pétille, ça gazouille, ça papote, c'est animé et joyeux. Votre vie relationnelle est très vivante. Les ami(e)s vont et viennent, toujours dans un climat de bonne convivialité, mais avec quelques fausses notes vite remises au diapason.

Vos amours vont bien, pour ceux et celles qui en ont. Elles arrivent pour ceux et celles qui les accueillent. Ça gazouille, ça ronronne. Climat doux et tendre, paisible et serein. On fait des projets. Qu'ils se fassent ou qu'ils passent, on a le plaisir d'en faire et, de ce côté, vous avez beaucoup d'idées et d'imagination.

Une belle concorde règne dans le cercle familial, un havre de sérénité.

## Votre ciel professionnel et financier

Un domaine qui va bon train. Vous êtes dans une bonne dynamique, une bonne énergie. Les idées sont présentes, l'esprit d'initiative, d'entreprise aussi. D'ailleurs certain(e)s d'entre vous se lanceront en solo pour réaliser un rêve ou un projet personnel.

C'est dans le domaine financier que votre attention doit se porter. Vous vous éparpillez ! Vous avez tendance à semer à tous vents ! L'argent est vraiment liquide et vous coule entre les doigts. La prudence est de mise si vous ne souhaitez pas vous retrouver démuni(e) lorsque la bise sera venue. Si vous avez quelques difficultés à gérer votre générosité et votre budget, faites-vous aider ou conseiller.

## Votre ciel bonne forme

Votre moteur aura quelques ratés ! Rien de bien grave ou de contrariant, mais il faut simplement apprendre à gérer et canaliser vos énergies et à ne pas les laisser partir dans tous les sens, à votre détriment.

Pour ne pas prendre de ticket pour les montagnes russes, vous devez apprendre à vous recentrer. Votre vie sociale étant très animée, vous pourriez un peu vous perdre et vous disperser. À trop demander à vos énergies, elles s'épuisent. Donc la méditation, le recueillement, le silence, seront des moments de ressourcement. Pensez aussi aux tisanes, à choisir selon le moment : tilleul ou camomille pour vous apaiser, verveine pour vous dynamiser.

# POISSONS (19 février – 20 mars)

## Votre ciel de 2014

Cette année, vous vous embarquez pour une croisière que vous espérez amusante. Sauf qu'il y aura des grains à traverser, des mers d'huile qui vous feront ramer et qu'il faudra avoir votre canot de sauvetage à portée de main.

On vous surprendra souvent à vous promener sur les sentiers du ciel, tête dans les étoiles. Il faudra faire attention où vous mettez les pieds.

## Votre ciel relationnel

C'est dans ce domaine que les bourrasques sont les plus déstabilisantes, les plus décoiffantes. Les relations fragilisées sont les plus exposées. Le vent risque de s'engouffrer et de faire s'envoler votre chaumière. Malheureusement, les petits rafistolages et autres colmatages ne suffiront pas à vous tenir debout. Attendez-vous à être déstabilisé(e).

Mais le vent peut aussi mettre des étoiles dans vos yeux et faire chavirer votre cœur. Vous risquez encore d'être déstabilisé(e) ! Mais que de doux projets en perspective.

Belle entente avec les personnes qui gravitent autour de vous.

## Votre ciel professionnel et financier

Le climat est plutôt bon dans ce domaine, si ce n'est que vos amours influencent votre état d'être et peuvent vous distraire de vos occupations. C'est votre vulnérabilité que vous devrez apprendre à gérer. Laissez les émotions à la maison et n'emportez que votre « boîte à outils » et vos compétences. Un challenge pour vous de faire la part des choses entre professionnel et privé !

Attention aussi à la dispersion financière ! Il y a deux zones délicates à traverser cette année, pour vous : en mars et en octobre. Évitez de vous engager, de signer, de spéculer, plus particulièrement dans ces périodes.

## Votre ciel bonne forme

Il épousera la courbe de vos émotions. Rouge ? Vert ? Bleu ? Gris ? Une variabilité difficile parfois à gérer. N'oubliez pas que vos ami(e)s vous prêtent l'oreille et peuvent vous aider.

Que faire de votre côté ? Avoir un rythme de vie régulier, souscrire à des activités ludiques et/ou artistiques, apprendre à cultiver votre intuition, ce qui vous aidera à canaliser votre sensibilité. Sans oublier les bonnes soirées tendresse dans votre *sweet home*. Elles vous permettent de vous ressourcer, vous rééquilibrer, vous ancrer. Dans vos moments de baisse de forme, offrez-vous de menus plaisirs.

# SOLUTIONS DES JEUX

# Solutions des mots croisés

Mots croisés p. 14

Mots croisés p. 158

Mots croisés p. 232

Mots croisés p. 306

# Solutions des mots croisés

Mots croisés p. 382

| D | E | G | O | U | T | A | N | T | E |
|---|---|---|---|---|---|---|---|---|---|
| E | X | E | R | C | E | ■ | E | U | X |
| F | O | R | E | E | ■ | G | O | N | E |
| E | R | E | S | ■ | S | A | N | E | M |
| R | C | S | ■ | P | A | R | S | ■ | P |
| L | I | ■ | R | E | G | S | ■ | A | L |
| A | S | T | A | T | E | ■ | E | V | A |
| N | E | R | F | S | ■ | M | U | R | I |
| T | E | I | L | ■ | T | A | R | I | R |
| E | S | P | A | D | R | I | L | L | E |

Mots croisés p. 450

| P | O | S | S | E | S | S | I | F | S |
|---|---|---|---|---|---|---|---|---|---|
| R | E | U | S | S | I | E | S | ■ | T |
| A | N | I | ■ | O | E | S | T | R | E |
| T | O | T | O | N | S | ■ | H | A | N |
| I | L | E | S | ■ | T | E | M | P | O |
| C | O | ■ | M | O | E | R | E | ■ | S |
| I | G | L | O | O | ■ | O | ■ | R | E |
| E | U | E | S | ■ | I | D | E | E | ■ |
| N | E | N | E | T | T | E | ■ | I | N |
| ■ | S | T | ■ | A | E | R | O | N | S |

Mots croisés p. 520

| I | N | S | O | L | A | T | I | O | N |
|---|---|---|---|---|---|---|---|---|---|
| R | O | U | G | I | S | ■ | R | U | E |
| R | U | E | R | A | ■ | M | A | R | C |
| E | R | S | E | ■ | B | A | I | S | E |
| A | R | S | ■ | L | O | I | S | ■ | S |
| L | I | ■ | G | I | N | S | ■ | C | S |
| I | C | O | N | E | S | ■ | M | O | I |
| S | I | T | I | N | ■ | G | A | N | T |
| T | E | E | S | ■ | P | I | S | T | E |
| E | R | S | T | E | I | N | O | I | S |

Mots croisés p. 590

| F | U | M | I | S | T | E | R | I | E |
|---|---|---|---|---|---|---|---|---|---|
| U | S | I | T | E | ■ | P | I | O | N |
| M | I | N | E | ■ | T | I | E | N | T |
| E | N | E | ■ | T | R | E | S | S | A |
| C | E | ■ | C | R | I | E | S | ■ | I |
| I | ■ | G | R | E | A | S | ■ | T | L |
| G | A | R | A | N | T | ■ | B | A | L |
| A | D | E | N | T | ■ | P | E | T | E |
| R | E | N | E | ■ | P | A | T | I | N |
| E | N | T | R | A | I | N | A | N | T |

Mots croisés p. 644

| U | L | T | R | A | C | O | U | R | T |
|---|---|---|---|---|---|---|---|---|---|
| N | E | R | O | N | I | E | N | N | E |
| I | M | A | G | E | R | I | E | ■ | R |
| Q | U | I | N | T | A | L | ■ | A | R |
| U | R | N | E | ■ | G | L | A | C | E |
| E | I | ■ | R | H | E | E | ■ | T | P |
| M | E | R | ■ | E | ■ | R | I | E | L |
| E | N | I | V | R | E | E | S | ■ | E |
| N | ■ | M | I | E | ■ | ■ | I | C | I |
| T | R | A | N | S | P | O | S | O | N |

# Solutions des Sudokus

Solution du Sudoku p. 48

| | | | | | | | | |
|---|---|---|---|---|---|---|---|---|
| 1 | 8 | 4 | 6 | 2 | 3 | 5 | 9 | 7 |
| 5 | 2 | 3 | 9 | 7 | 4 | 8 | 6 | 1 |
| 9 | 7 | 6 | 8 | 5 | 1 | 4 | 2 | 3 |
| 8 | 6 | 2 | 5 | 1 | 9 | 3 | 7 | 4 |
| 7 | 5 | 9 | 4 | 3 | 2 | 6 | 1 | 8 |
| 4 | 3 | 1 | 7 | 8 | 6 | 9 | 5 | 2 |
| 6 | 9 | 7 | 1 | 4 | 8 | 2 | 3 | 5 |
| 2 | 1 | 8 | 3 | 9 | 5 | 7 | 4 | 6 |
| 3 | 4 | 5 | 2 | 6 | 7 | 1 | 8 | 9 |

Solution du Sudoku p. 123

| | | | | | | | | |
|---|---|---|---|---|---|---|---|---|
| 2 | 6 | 5 | 4 | 7 | 3 | 1 | 9 | 8 |
| 1 | 3 | 8 | 5 | 9 | 2 | 4 | 6 | 7 |
| 9 | 4 | 7 | 6 | 8 | 1 | 5 | 2 | 3 |
| 4 | 9 | 2 | 1 | 3 | 8 | 7 | 5 | 6 |
| 6 | 7 | 3 | 2 | 5 | 9 | 8 | 4 | 1 |
| 8 | 5 | 1 | 7 | 6 | 4 | 9 | 3 | 2 |
| 3 | 1 | 6 | 9 | 4 | 7 | 2 | 8 | 5 |
| 5 | 2 | 4 | 8 | 1 | 6 | 3 | 7 | 9 |
| 7 | 8 | 9 | 3 | 2 | 5 | 6 | 1 | 4 |

Solution du Sudoku p. 190

| | | | | | | | | |
|---|---|---|---|---|---|---|---|---|
| 1 | 4 | 5 | 3 | 8 | 2 | 7 | 6 | 9 |
| 8 | 2 | 6 | 9 | 1 | 7 | 4 | 5 | 3 |
| 7 | 9 | 3 | 4 | 6 | 5 | 8 | 2 | 1 |
| 3 | 1 | 7 | 8 | 5 | 9 | 6 | 4 | 2 |
| 4 | 5 | 9 | 6 | 2 | 3 | 1 | 8 | 7 |
| 2 | 6 | 8 | 7 | 4 | 1 | 9 | 3 | 5 |
| 5 | 8 | 2 | 1 | 9 | 4 | 3 | 7 | 6 |
| 9 | 7 | 4 | 5 | 3 | 6 | 2 | 1 | 8 |
| 6 | 3 | 1 | 2 | 7 | 8 | 5 | 9 | 4 |

Solution du Sudoku p. 263

| | | | | | | | | |
|---|---|---|---|---|---|---|---|---|
| 7 | 3 | 4 | 8 | 9 | 1 | 5 | 2 | 6 |
| 9 | 5 | 2 | 6 | 3 | 4 | 8 | 1 | 7 |
| 6 | 8 | 1 | 7 | 2 | 5 | 3 | 4 | 9 |
| 3 | 2 | 5 | 9 | 4 | 6 | 1 | 7 | 8 |
| 1 | 4 | 9 | 5 | 7 | 8 | 2 | 6 | 3 |
| 8 | 6 | 7 | 3 | 1 | 2 | 9 | 5 | 4 |
| 4 | 1 | 3 | 2 | 6 | 9 | 7 | 8 | 5 |
| 2 | 9 | 8 | 4 | 5 | 7 | 6 | 3 | 1 |
| 5 | 7 | 6 | 1 | 8 | 3 | 4 | 9 | 2 |

Solution du Sudoku p. 327

| | | | | | | | | |
|---|---|---|---|---|---|---|---|---|
| 9 | 7 | 6 | 8 | 3 | 2 | 4 | 1 | 5 |
| 5 | 2 | 3 | 9 | 1 | 4 | 8 | 7 | 6 |
| 4 | 8 | 1 | 7 | 6 | 5 | 9 | 3 | 2 |
| 7 | 6 | 9 | 2 | 5 | 8 | 1 | 4 | 3 |
| 2 | 3 | 4 | 1 | 9 | 7 | 6 | 5 | 8 |
| 1 | 5 | 8 | 6 | 4 | 3 | 7 | 2 | 9 |
| 8 | 1 | 7 | 5 | 2 | 9 | 3 | 6 | 4 |
| 6 | 4 | 5 | 3 | 8 | 1 | 2 | 9 | 7 |
| 3 | 9 | 2 | 4 | 7 | 6 | 5 | 8 | 1 |

# Solutions des Sudokus

Solution du Sudoku p. 405

| | | | | | | | | |
|---|---|---|---|---|---|---|---|---|
| 6 | 8 | 5 | 7 | 1 | 2 | 9 | 3 | 4 |
| 9 | 7 | 4 | 8 | 3 | 5 | 1 | 2 | 6 |
| 3 | 2 | 1 | 6 | 4 | 9 | 7 | 8 | 5 |
| 4 | 9 | 7 | 1 | 5 | 3 | 8 | 6 | 2 |
| 8 | 5 | 6 | 4 | 2 | 7 | 3 | 1 | 9 |
| 2 | 1 | 3 | 9 | 6 | 8 | 4 | 5 | 7 |
| 5 | 3 | 8 | 2 | 9 | 4 | 6 | 7 | 1 |
| 7 | 6 | 9 | 5 | 8 | 1 | 2 | 4 | 3 |
| 1 | 4 | 2 | 3 | 7 | 6 | 5 | 9 | 8 |

Solution du Sudoku p. 479

| | | | | | | | | |
|---|---|---|---|---|---|---|---|---|
| 4 | 6 | 7 | 2 | 9 | 8 | 1 | 3 | 5 |
| 2 | 3 | 9 | 4 | 1 | 5 | 8 | 6 | 7 |
| 1 | 8 | 5 | 7 | 3 | 6 | 4 | 2 | 9 |
| 6 | 1 | 8 | 3 | 5 | 9 | 2 | 7 | 4 |
| 7 | 5 | 3 | 1 | 4 | 2 | 6 | 9 | 8 |
| 9 | 4 | 2 | 6 | 8 | 7 | 3 | 5 | 1 |
| 5 | 9 | 4 | 8 | 6 | 3 | 7 | 1 | 2 |
| 3 | 2 | 1 | 9 | 7 | 4 | 5 | 8 | 6 |
| 8 | 7 | 6 | 5 | 2 | 1 | 9 | 4 | 3 |

Solution du Sudoku p. 506

| | | | | | | | | |
|---|---|---|---|---|---|---|---|---|
| 6 | 1 | 3 | 2 | 5 | 8 | 4 | 9 | 7 |
| 8 | 5 | 7 | 6 | 4 | 9 | 1 | 3 | 2 |
| 9 | 4 | 2 | 7 | 1 | 3 | 6 | 5 | 8 |
| 1 | 2 | 4 | 9 | 8 | 6 | 5 | 7 | 3 |
| 5 | 7 | 6 | 4 | 3 | 2 | 8 | 1 | 9 |
| 3 | 8 | 9 | 5 | 7 | 1 | 2 | 6 | 4 |
| 2 | 6 | 8 | 3 | 9 | 5 | 7 | 4 | 1 |
| 4 | 3 | 5 | 1 | 2 | 7 | 9 | 8 | 6 |
| 7 | 9 | 1 | 8 | 6 | 4 | 3 | 2 | 5 |

Solution du Sudoku p. 548

| | | | | | | | | |
|---|---|---|---|---|---|---|---|---|
| 8 | 6 | 2 | 9 | 7 | 5 | 3 | 4 | 1 |
| 7 | 3 | 5 | 6 | 4 | 1 | 2 | 9 | 8 |
| 4 | 1 | 9 | 2 | 3 | 8 | 5 | 6 | 7 |
| 5 | 7 | 6 | 8 | 1 | 3 | 9 | 2 | 4 |
| 3 | 9 | 4 | 5 | 2 | 7 | 8 | 1 | 6 |
| 2 | 8 | 1 | 4 | 6 | 9 | 7 | 3 | 5 |
| 9 | 2 | 7 | 1 | 8 | 6 | 4 | 5 | 3 |
| 1 | 4 | 3 | 7 | 5 | 2 | 6 | 8 | 9 |
| 6 | 5 | 8 | 3 | 9 | 4 | 1 | 7 | 2 |

Solution du Sudoku p. 614

| | | | | | | | | |
|---|---|---|---|---|---|---|---|---|
| 4 | 1 | 5 | 8 | 2 | 3 | 7 | 6 | 9 |
| 2 | 3 | 6 | 1 | 7 | 9 | 4 | 8 | 5 |
| 9 | 7 | 8 | 5 | 4 | 6 | 3 | 2 | 1 |
| 8 | 4 | 3 | 6 | 9 | 5 | 2 | 1 | 7 |
| 6 | 2 | 7 | 4 | 3 | 1 | 9 | 5 | 8 |
| 5 | 9 | 1 | 7 | 8 | 2 | 6 | 4 | 3 |
| 1 | 8 | 4 | 9 | 6 | 7 | 5 | 3 | 2 |
| 3 | 5 | 9 | 2 | 1 | 4 | 8 | 7 | 6 |
| 7 | 6 | 2 | 3 | 5 | 8 | 1 | 9 | 4 |

NOTES

# Marie Dewulf

Ces dernières années, on a pu l'entendre régulièrement sur diverses antennes (Europe 2, Voltage FM...) pour des horoscopes ou des réponses indirectes.

Ses horoscopes, précis et toujours détaillés, apparaissent souvent dans la presse écrite, qu'il s'agisse de magazines ou de journaux.

Elle anime régulièrement des conférences : « Comment vaincre sa timidité », « Comment se guérir de ses blessures », « Les rêves, le miroir de notre vérité intérieure », etc.

Tél : 01 83 89 18 12
Portable : 06 87 48 54 93